D0285065

Collection folio junior

dirigée par
Jean-Olivier Héron
et Pierre Marchand

Mark Smith
et Jamie Thomson

La Vengeance du Ninja

La Voie du Tigre/1

*Traduit de l'anglais
par C. Degolf*

Illustrations de Bob Harvey

Gallimard

Titre original :
Avenger

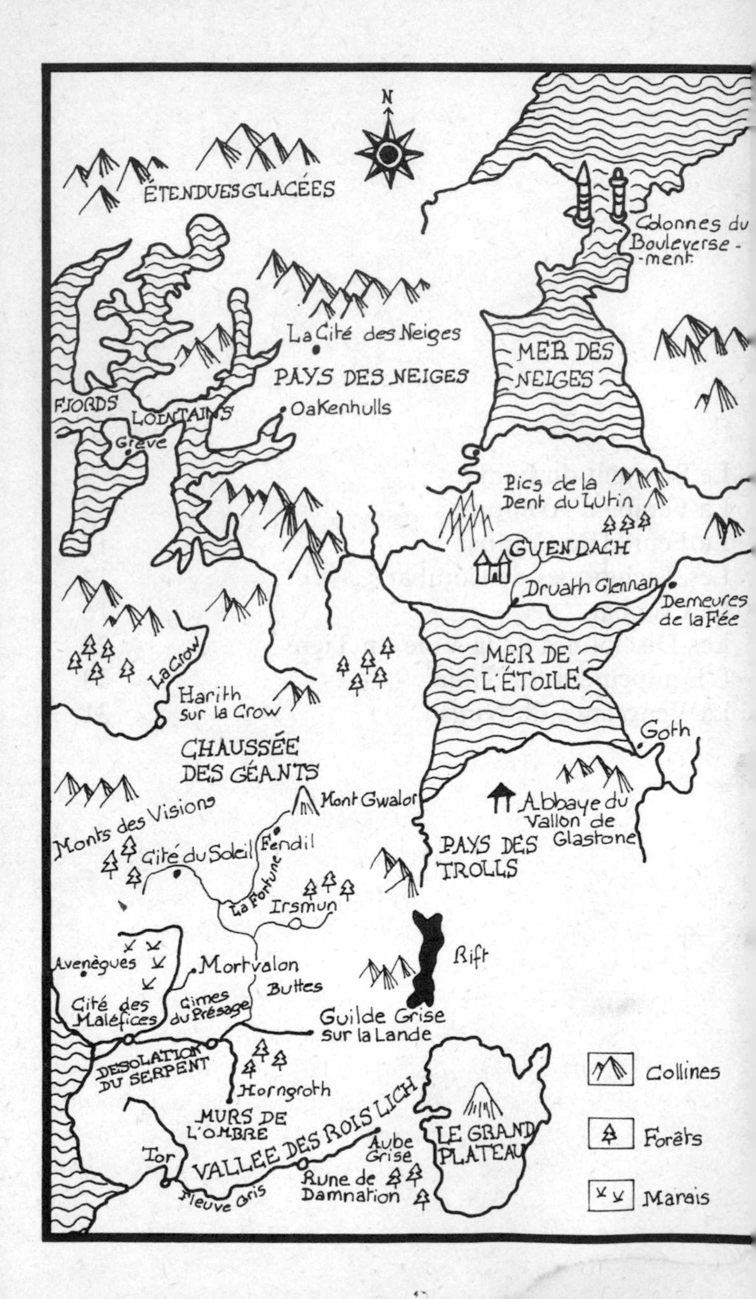
N
ÉTENDUES GLACÉES
Colonnes du Bouleverse-ment
La Cité des Neiges
PAYS DES NEIGES
MER DES NEIGES
FJORDS
LOINTAINS
Grève
Oakenhulls
Pics de la Dent du Lutin
GUENDACH
Druath Glennan
Demeures de la Fée
MER DE L'ÉTOILE
La Crow
Harith sur la Crow
CHAUSSÉE DES GÉANTS
Goth
Mont Gwalor
Abbaye du Vallon de Glastone
Monts des Visions
Cité du Soleil
Fendil
PAYS DES TROLLS
La Fortune
Irsmun
Rift
Avenègues
Mortvalon
Buttes
Cité des Maléfices
Cimes du Présage
Guilde Grise sur la Lande
DÉSOLATION DU SERPENT
Horngroth
Collines
MURS DE L'OMBRE
VALLÉE DES ROIS LICH
LE GRAND PLATEAU
Forêts
Tor
Aube Grise
Rune de Damnation
Fleuve Gris
Marais

Le Serment du Ninja

C'est dans le monde d'Orb, perdu dans une mer si vaste que le peuple de Manmarch lui a donné le nom de « mer infinie », que se trouve la mystérieuse Ile des Songes Paisibles.
Nombreuses sont les années qui se sont écoulées depuis que vous avez vu, pour la première fois, ses rivages aux sables d'or et ses rivières couleur d'émeraude. Vous n'étiez alors qu'un enfant accroché à la robe d'une servante qui vous avait mené jusque-là, bravant l'immense étendue de la mer et venant d'un lointain pays que vous n'avez jamais revu depuis. Cette servante, fidèle jusqu'au dernier souffle, vous a laissé sur les premières marches du Temple du Rocher, implorant les moines de prendre soin de vous car, victime d'une terrible malédiction, ses jours touchaient à leur fin.
Les moines sont présents sur cette île depuis des siècles, vouant chaque instant de leur existence terrestre à leur dieu, Kwon, Celui-qui-connaît-les-Mots-Sacrés-du-Pouvoir, le Maître Suprême du combat à mains nues. Ils se sont donné pour mission d'aider les hommes à lutter contre le mal omniprésent dans le monde.

En constatant que vous étiez seul et que vous aviez besoin d'aide, les moines vous ont accepté auprès d'eux dans le Temple du Rocher, et vous êtes devenu leur protégé. Mais jamais un mot ne fut prononcé quant à l'étrange tache de naissance en forme de couronne présente sur votre cuisse — cette tache dont vous vous souveniez que votre fidèle servante répétait sans cesse qu'elle avait une signification mystique — jusqu'au jour où vous avez osé y faire allusion. Alors, les moines vous ont demandé d'être patient et de méditer. Le plus ancien et le plus sage des moines du Temple du Rocher, Naijishi, le Grand Maître de l'Aube, a fait de vous son disciple. Il vous a initié et guidé dans la sérénité de Kwon ; il vous a appris ce qu'étaient les hommes et leur façon d'agir ; il vous a montré la voie de la méditation qui permet à l'esprit de se séparer du corps afin qu'il puisse, hors de tout désir matériel, atteindre à la Vérité.

Cependant, depuis l'âge de six ans, vous avez passé le plus clair de votre temps à suivre l'enseignement de la Voie du Tigre. Et aujourd'hui vous êtes un Ninja, un maître en arts martiaux capable de vaincre un adversaire aussi puissant soit-il sans même être vu, et encore moins soupçonné. A l'instar du tigre, vous êtes rapide, agile et fort, d'une patience sans limite lorsque vous traquez votre proie, et sans pitié lorsqu'elle est à votre merci. Les hahitants du Pays de l'Abondance, de même que ceux des terres de Manmarch, vénèrent et craignent les légendaires Ninjas que l'on appelle également les Hommes sans Ombre. La seule mention de ce nom glace les cœurs d'effroi. Vous faites partie de ces rares élus qui ont voué leur

vie entière à Kwon en suivant la Voie du Tigre. Maintenant, vous voilà un messager de la mort pour qui dans ce monde se dira serviteur du mal.
Lorsque vous étiez plus jeune, vous restiez suspendu des heures durant aux branches des arbres pour durcir les muscles de vos bras ; vous couriez pendant des kilomètres et votre foulée était si légère et si rapide qu'un ruban de dix mètres, attaché à votre taille, flottait au vent derrière vous, sans jamais toucher terre ; aussi leste qu'un singe, vous dansiez sur des cordes raides tendues haut au-dessus du sol. Vous savez également nager comme un poisson et bondir comme un tigre ; vous vous déplacez comme une brise murmurante ; vous glissez dans la nuit la plus noire comme une ombre.
Avant de rendre l'âme, Naijishi vous a enseigné le serment des Ninjas, le Ninja Nochigiri :

> *Je me fondrai dans la nuit, je transformerai mon corps en bois ou en pierre. Je pénétrerai dans la terre et je traverserai des murs et des portes fermées. Je serai tué mille fois mais je ne mourrai pas. Je changerai de visage et je deviendrai invisible, capable de marcher parmi les hommes sans qu'aucun ne me voie.*

Un jour, un homme débarqua dans l'île. Son nom était Yaémon, le Grand Maître de la Flamme. Usant de magie noire, il se fit passer aux yeux des moines pour un dévot de Kwon originaire du Grand Continent. Mais, à la vérité, s'il était réellement moine, il faisait partie des adorateurs du frère dévoyé de Kwon, Vile, celui qui pousse les puissants à opprimer les faibles et les hommes sans loi à gouverner les sots.

Feuille d'Aventure

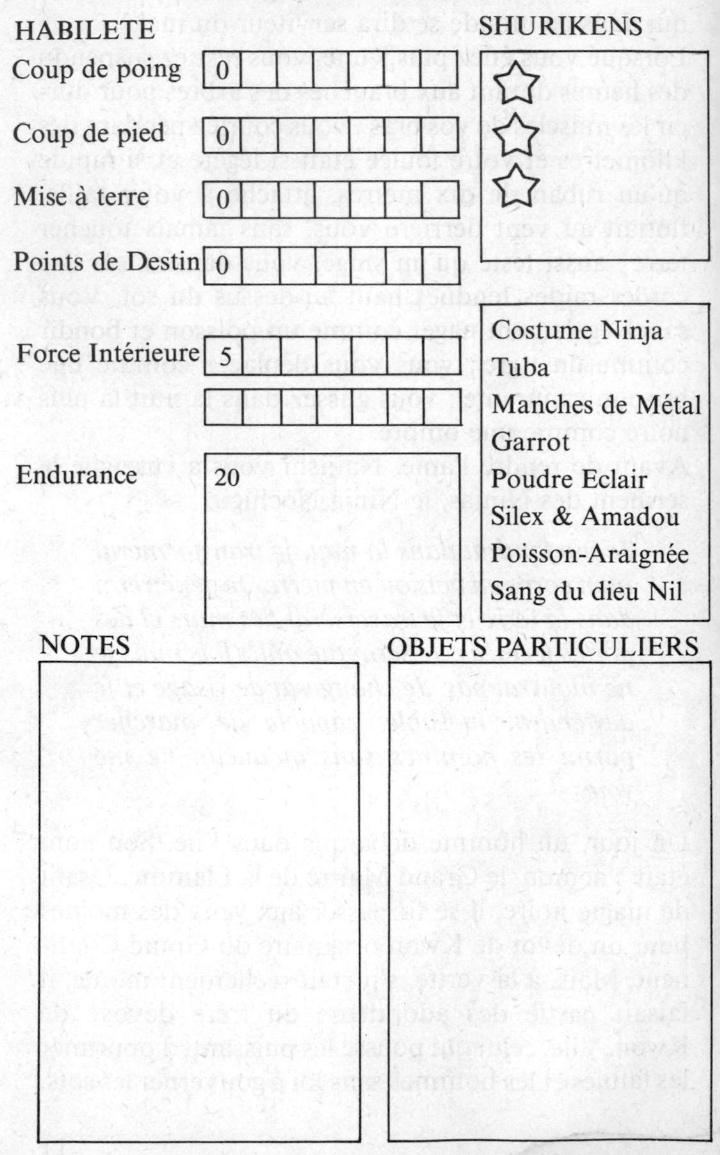

HABILETE

Coup de poing 0

Coup de pied 0

Mise à terre 0

Points de Destin 0

Force Intérieure 5

Endurance 20

SHURIKENS

Costume Ninja
Tuba
Manches de Métal
Garrot
Poudre Eclair
Silex & Amadou
Poisson-Araignée
Sang du dieu Nil

NOTES

OBJETS PARTICULIERS

Feuille de Combat

Adversaire : Endurance :	Adversaire : Endurance :
Adversaire : Endurance :	Adversaire : Endurance :
Adversaire : Endurance :	Adversaire : Endurance :
Adversaire : Endurance :	Adversaire : Endurance :

Les Techniques de combat de la Voie du Tigre

Coups de pied

Cheval Ailé

Tigre Bondissant

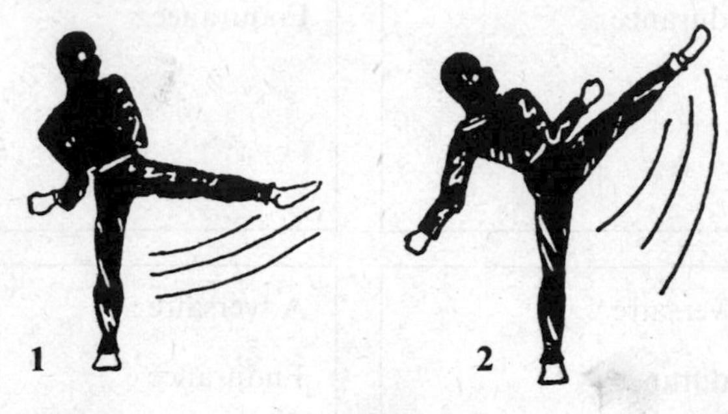

Eclair Brisé

Coups de poing

Poing de Fer

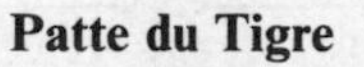

Patte du Tigre

Morsure du Cobra

Mise à terre

Le Tourbillon

La Queue du Dragon

Les Dents du Tigre

Invincible dans le combat à mains nues, Yaémon tua Naijishi et pénétra dans le Temple où il s'empara des Parchemins de Kettsuin. Une fois de plus, vous avez alors éprouvé la cruelle douleur de perdre un être cher à votre cœur, et vous avez juré devant Kwon qu'un jour vous vengeriez Naijishi.
Dès lors, vous avez commencé à vivre selon les préceptes du serment Ninja, en portant secours à nombre d'opprimés dans le Pays de l'Abondance, et affiné vos techniques de combat. Aujourd'hui, l'heure est arrivée de faire vos preuves devant vos frères, les moines du Temple du Rocher : en traquant sans relâche Yaémon pour le vaincre et rapporter au Temple les inestimables Parchemins de Kettsuin.
La mission qui vous attend sera fertile en dangers. Nombreux seront les adversaires qui se dresseront sur votre chemin et qu'il vous faudra affronter et vaincre, et nombreux également les pièges mortels qu'il vous faudra déjouer.

Le Combat

En tant que Maître du Taijutsu, l'art Ninja du combat à mains nues, vous allez affronter vos adversaires en utilisant trois techniques : les coups de poing, les coups de pied et les mises à terre qui sont décrites ci-après. De plus, vous pourrez choisir trois disciplines parmi les huit qui vous seront proposées à partir de la page 24 (une quatrième, le lancer du Shuriken, vous étant acquise d'office — voir à la même page). Enfin, vous aurez à votre disposition un équipement particulier qui est décrit en page 28.

Les Trois Techniques

Les illustrations figurant en pages 14 et 15 vous montreront les différents coups qui vous sont permis dans chacune des techniques. En règle générale, il est plus facile de porter un coup de poing qu'un coup de pied. Et réussir une mise à terre peut permettre ensuite d'enchaîner avec un « coup mortel ». (Mais si vous échouez dans une tentative de mise à terre, vous serez alors en état d'infériorité et en danger de recevoir une blessure grave.) Donc, selon la technique que vous aurez choisie, et son degré de difficulté et de risque, vous infligerez des dommages plus ou moins importants à un adversaire.

A chaque fois que vous devrez combattre, il vous sera demandé dans le texte quelle technique particulière de combat vous souhaitez utiliser. Selon le choix que vous aurez fait, vous devrez vous rendre à un paragraphe précis pour engager le combat. A la page 13, vous trouverez une Feuille de Combat qui vous permettra d'enregistrer les caractéristiques de vos adversaires, et de noter les phases successives de l'affrontement. Enfin, en page 12, vous trouverez une Feuille d'Aventure sur laquelle vous noterez les péripéties de votre mission.

Les combats sont présentés dans le livre de telle sorte qu'en prenant rapidement connaissance des « Règles du combat à mains nues » (page 18) vous puissiez commencer immédiatement à jouer. Cependant, si vous décidez de procéder de la sorte, prenez soigneusement connaissance des deux chapitres intitulés « La Parade » et « La Force Intérieure » (page 22), car il ne sera jamais spécifié dans le texte le moment où vous pourrez les utiliser.

ENDURANCE

Votre aptitude à combattre, à supporter les coups qui vous seront portés et à vous tirer des situations les plus dangereuses est déterminée par votre ENDURANCE. Vous commencez le jeu avec un total de 20 points d'ENDURANCE. Ces points traduisent votre force, votre volonté de survivre, votre détermination et votre forme physique et morale en général. Votre total d'ENDURANCE subira d'importantes modifications au cours de l'aventure : durant un combat, par exemple, ou lorsque vous serez attaqué par surprise, vous perdrez des points d'ENDURANCE que vous pourrez peut-être regagner lors de rencontres bénéfiques. Cependant, notez bien que si votre total d'ENDURANCE devient, à un moment ou à un autre, égal à zéro, cela signifiera que vous avez reçu un coup mortel, et donc que votre aventure est terminée !
Bien entendu les adversaires que vous affronterez posséderont, eux aussi, des points d'ENDURANCE.

Règles du combat à mains nues

Comme il l'a été dit précédemment, chaque fois que vous devrez affronter un adversaire, il vous sera demandé, dans le texte, quelle technique vous désirez utiliser. Une fois votre choix fait, vous serez renvoyé à un paragraphe particulier où vous engagerez le combat. Là, vous trouverez toujours un tableau se présentant de façon identique à l'exemple figurant ci-dessous :

NOM DE L'ADVERSAIRE
DEFENSE contre la technique choisie : 5
ENDURANCE : 12
DOMMAGES : 1D + 2

Les différents Assauts du combat se déroulent ainsi :

1. Lancez deux dés et comparez le résultat obtenu à la DEFENSE de votre adversaire. S'il est supérieur à la DEFENSE de votre adversaire, passez à la séquence 2. S'il est inférieur, passez à la séquence 3.

3. Votre coup a atteint son but. Lancez un dé : le chiffre obtenu représente le nombre de points de DOMMAGES que vous infligez à votre adversaire. Retranchez alors ces points de son ENDURANCE. Si, alors, l'ENDURANCE de votre adversaire est égale à zéro, vous êtes vainqueur, et vous pouvez vous rendre au paragraphe indiqué dans le texte. Sinon, passez à la séquence 3.

3. Votre coup n'a pas atteint son but. Ou, alors, l'ayant atteint, votre adversaire possède encore des points d'ENDURANCE. Dans l'un et l'autre cas, il riposte. Lancez deux dés et comparez le résultat obtenu à votre DEFENSE (qui sera toujours indiquée dans le texte). Si ce résultat est supérieur à votre DEFENSE, passez à la séquence 4. S'il est inférieur, passez à la séquence 5.

4. Votre adversaire a réussi son coup. Reportez-vous alors à la quatrième ligne de l'exemple figurant plus haut. Vous pouvez lire : DOMMAGES = 1D + 2. Cela signifie que vous devez jeter un dé et ajouter 2 au résultat obtenu. Ce qui vous donnera le total des points de DOMMAGES qui vous auront été infligés et que vous retrancherez de votre ENDURANCE. Si votre total d'ENDURANCE est alors égal à zéro, votre aventure se termine ici. Sinon, passez à la séquence 5. (Bien entendu, il s'agit d'un exemple. Vous pouvez aussi bien combattre un adversaire infligeant comme DOMMAGES 1D, ou 2D — vous lancez alors deux dés — ou 2D + 3, etc.)
Remarque : avant de retrancher les points de DOMMAGES de votre ENDURANCE, vous pouvez envisager de parer le coup de votre adversaire. Pour cela, voir le chapitre intitulé « La Parade », page 22.

5. L'attaque de votre adversaire a échoué. Ou, ayant réussi, il vous reste néanmoins des points d'ENDURANCE. Dans l'un ou l'autre de ces cas, reportez-vous tout simplement au texte. Vous y trouverez toutes les explications nécessaires à la suite du combat. Cependant, n'oubliez pas de reprendre le combat avec les nouveaux totaux d'ENDURANCE !

Ces règles sont valables pour les trois techniques, en tenant compte des cas particuliers suivants :

Le coup de poing

Si vous choisissez cette technique, le combat se déroule très exactement en suivant les règles de combat à mains nues.

Habileté au poing. Au fur et à mesure que vous progresserez dans la Voie du Tigre, votre maîtrise des différentes techniques s'affirmera. Ou, au contraire, la fatigue se faisant ressentir, elle pourra s'émousser. L'Habileté au poing, au coup de pied et à la mise à terre est l'image de votre maîtrise à un moment donné. Vous commencez l'aventure avec une Habileté dans les trois techniques égale à zéro comme il est indiqué sur votre Feuille d'Aventure. A chaque fois que vous lancerez deux dés pour savoir si vous avez réussi ou non à porter un coup à votre adversaire, ajoutez au résultat vos points d'Habileté (ou rentranchez-les s'ils sont négatifs).

Le coup de pied

Le coup de pied et l'Habileté au pied suivent les règles du combat à ceci près : comme cette technique inflige des blessures plus graves que le coup de poing, lorsque vous lancerez le dé pour savoir combien de points de DOMMAGES vous avez infligés à un adversaire, ajoutez 2 au résultat obtenu (1D + 2).

La mise à terre

La mise à terre et l'Habileté à la mise à terre suivent également les règles du combat, mais avec la particularité suivante : si vous réussissez une mise à terre, vous n'infligez aucun point de DOMMAGES à votre adversaire. Mais vous profitez de son état d'infériorité pour lui porter, *immédiatement,* un autre coup : coup de poing ou coup de pied. Si vous réussissez dans votre tentative, ajoutez alors 2 points aux points de DOMMAGES que vous lui infligez.

LA PARADE

En tant que Ninja, Maître du Taijutsu, vous avez appris à parer les coups avec différentes parties de votre corps et, principalement, avec les avant-bras. Raison pour laquelle ont été cousues dans l'épaisseur de vos manches de fines baguettes de fer, qui vous permettent de parer jusqu'aux coups d'épée et autres armes. Au cours d'un combat, si vous êtes touché, vous pouvez essayer de parer le coup et annuler ainsi les points de DOMMAGES qui vous auraient été infligés. Pour cela, lancez deux dés. Si le résultat obtenu est inférieur à la DEFENSE qui est la vôtre au cours du combat, vous avez réussi à parer le coup et vous ne subissez donc pas de DOMMAGES. Sinon, vous appliquez les règles du combat. Mais, quel que soit le résultat de votre Parade, elle vous a fait perdre du temps ; et votre adversaire en a profité pour se préparer pour l'Assaut suivant : vous devrez donc diminuer votre Habileté au poing, au pied et à la mise à terre de 2 points pour cet Assaut (et cet Assaut seulement). Et n'oubliez pas que vous ne pouvez essayer de parer que les *coups* qui vous sont portés (et non les mises à terre, par exemple).

LA FORCE INTÉRIEURE

Grâce à la méditation, et à un entraînement rigoureux, vous avez acquis la possibilité de concentrer votre force pour la libérer avec une puissance décuplée au moment exact où vous en avez besoin. C'est ainsi que, de nos jours, les spécialistes de karaté parviennent à briser des blocs de bois ou des piles de briques. Dans quelque combat que ce soit, et avant de lancer les dés pour savoir si vous avez réussi à porter un coup ou non à un adversaire, vous pouvez choisir d'utiliser votre Force Intérieure. Dans ce cas, retranchez tout d'abord 1 point de votre total de Force Intérieure, puis lancez vos dés. Si votre coup est victorieux, les points de DOMMAGES que vous infligerez à votre adversaire seront multipliés par deux. Bien entendu, lorsque votre Force Intérieure sera égale à zéro, vous ne pourrez plus y faire appel. Aussi, utilisez-la à bon escient ! Vous commencez l'aventure avec 5 points de Force Intérieure, comme il est indiqué sur votre Feuille d'Aventure.

CHANCE ET DESTIN

La chance joue un rôle important dans l'aventure que vous allez vivre, et la Déesse du Destin occupe une place importante dans le monde d'Orb. Au cours de l'aventure, vous gagnerez – ou vous perdrez – des points de Destin (que vous noterez dans la case de votre Feuille d'Aventure réservée à cet effet). A chaque fois qu'il vous sera demandé de *Tenter votre Chance*, lancez deux dés et ajoutez vos points de Destin au résultat obtenu (ou soustrayez ces points de ce même résultat, selon que vos points de Destin seront positifs ou négatifs). Si vous obtenez un total de 7 à 12, vous êtes Chanceux et le Destin vous sourit. Mais, si ce total est de 2 à 6, vous êtes Malchanceux et le Destin vous tourne le dos. Au début de l'aventure, vous ne possédez aucun point de Destin.

Les Disciplines de la Voie du Tigre

Toute votre existence s'est déroulée dans un seul but : devenir un Ninja accompli. De ce fait, vos sens se sont développés à l'extrême. De même, vous êtes devenu maître dans l'art de façonner le bois, ainsi que dans celui de pister une proie ou de faire disparaître vos propres traces. Votre connaissance des plantes est telle qu'il vous est possible de survivre dans les pays les plus arides. Vous êtes au summum de votre force physique, capable de courir cent kilomètres d'une traite, de nager comme un poisson sur des distances considérables, de galoper des jours et des nuits entiers.

L'entraînement que vous avez subi vous a rendu quelque peu ventriloque ; et c'est un jeu pour vous de rester des heures durant dans la plus parfaite immobilité. Enfin, vous possédez à fond l'art du déguisement appelé « les Sept Façons d'Aller ». Ainsi, vous pouvez prendre nombre d'apparences diverses : celle d'un ménestrel, par exemple, si la nécessité s'en faisait sentir. Cependant, vous avez surtout appris, dans l'art du déguisement, la maîtrise de vos sens : à être patient, à vous fondre dans l'ombre, à vous mouvoir sans le moindre bruit, à respirer sans que quiconque puisse entendre votre souffle. Vous avez appris à exister sans que l'on remarque votre présence.

L'entraînement du Ninja comprend neuf autres disciplines particulières. La première d'entre elles, le Shurikenjitsu, est enseignée à tout Ninja. Vous possédez donc cette discipline. Mais vous devez en choisir trois autres parmi les huit qui sont décrites ci-dessous. Lisez donc attentivement les caractéristiques de ces disciplines et, lorsque vous aurez fait votre choix, notez-les sur votre Feuille d'Aventure.

Le Shurikenjitsu

Le Shuriken est généralement un petit disque métallique dont le bord est aiguisé comme une lame de rasoir. Le Shuriken que vous avez choisi a la forme d'une étoile. Et vous êtes capable de le lancer à plus de dix mètres où ses effets sont encore dévastateurs. Lorsque vous lancerez un Shuriken, il sera précisé dans le texte la DEFENSE de la cible visée. Jetez alors deux dés. Si le résultat obtenu est supérieur à cette DEFENSE, vous avez atteint votre but. Lancez un dé : le chiffre obtenu représente les points de DOMMAGES infligés à votre cible. Retranchez-les de son ENDURANCE.
Parfois, vous serez incapable de retrouver le Shuriken que vous aurez lancé : ainsi, tenez un compte précis de ces engins mortels sur votre Feuille d'Aventure. Au début de cette aventure, vous êtes en possession de 5 Shurikens.

L'Œil d'Aigle

Cette discipline exige un parfait contrôle musculaire, un œil d'aigle et des réflexes hors du commun. Elle vous permettra de faire dévier de leur trajectoire, ou même d'attraper, tous les projectiles qui pourraient être lancés contre vous, telles flèches ou lances.

L'Acrobatie

Grâce à cette discipline, vous pourrez faire des sauts et des bonds gigantesques en utilisant le moindre appui.

L'Immunité aux Poisons

Pendant longtemps, vous avez absorbé des doses des poisons les plus violents, les augmentant peu à peu. La résistance de votre organisme aux poisons s'est donc accrue progressivement et, aujourd'hui, vous êtes pratiquement à l'abri de toutes les tentatives d'empoisonnement qui pourraient être faites contre vous.

La Mort Feinte

Après un entraînement long et rigoureux, le Ninja qui a suivi cette discipline est capable de ralentir à l'extrême les battements de son cœur, sa respiration et toutes les fonctions vitales, de telle sorte qu'il passe pour mort aux yeux de tout observateur.

L'Évasion

Le Ninja qui possède cette discipline a appris à déboîter ses os et s'est entraîné pour donner à son corps la plus grande souplesse. Ainsi, il peut s'insinuer dans des espaces très réduits et se glisser hors des liens ou des chaînes les plus serrés.

Les Fléchettes Empoisonnées

Le Ninja adepte de cette discipline sait comment placer sur sa langue de petites fléchettes à la pointe enduite d'un poison dont l'action est fulgurante dès qu'il a pénétré dans le sang. Puis, roulant sa langue en forme de 0 autour de la fléchette, il peut la projeter sur une cible se trouvant à plus de cinq mètres. Très utile dans les attaques-surprises, d'autant plus qu'il est fort difficile d'en deviner l'origine.

Le Crochetage des Serrures, la Détection et la Neutralisation des Pièges

Le Ninja a appris à utiliser, même dans l'obscurité la plus complète, les crochets et pieds-de-biche nécessaires à l'ouverture des portes les mieux fermées, des serrures de coffres, etc. Il porte toujours son attirail sur lui, qui lui sert également à neutraliser tous les pièges que ses sens exercés auront détectés.

L'Escalade

Après un entraînement intensif, le Ninja est passé maître dans l'art de manier un grappin et d'utiliser des crampons fixés à ses mains et à ses pieds (ces crampons sont également appelés les « griffes de chat »). Le grappin est prolongé par une corde de douze mètres, ce qui permet d'escalader des murs ou d'atteindre des niches haut perchées, par exemple. Quant aux griffes de chat qui sont fixées sur les paumes des mains et sous les pieds, elles s'enfoncent dans les surfaces les plus dures et donnent ainsi la possibilité de grimper aux murs comme une mouche, et même de marcher aux plafonds.

L'Equipement du Ninja

En plus des objets nécessaires aux disciplines que vous aurez choisies, vous serez équipé comme suit dès le début de cette aventure :

Le costume Ninja

Si, le jour, vous vous déplacez déguisé en voyageur ou en mendiant, par exemple, la nuit, lorsque vous serez en mission, vous porterez le costume Ninja. Il est composé de plusieurs morceaux de tissu noir : l'un se porte comme une veste serrée autour de la poitrine et des bras ; deux autres sont enroulés autour de chacune de vos jambes et s'attachent à la taille ; le dernier, enfin, s'enroule autour de votre tête de façon à ne laisser apparaître que vos yeux. Le revers de ce tissu peut être blanc, pour voyager dans les contrées recouvertes de neige, ou vert, pour passer inaperçu dans les bois ou dans les contrées herbeuses.

Les manches de métal

Quatre lamelles de métal, de la longueur de vos avant-bras, sont cousues dans les manches de votre costume. Elles vous permettront de dévier ou de bloquer les coups d'épées ou d'autres armes tranchantes.

Le tuba

C'est un court tube de bambou qui peut être utilisé pour respirer alors que vous serez sous l'eau, ou comme une sarbacane qui expédiera les Fléchettes Empoisonnées à une distance beaucoup plus grande qu'avec votre langue.

Le garrot

C'est l'arme du Ninja par excellence. Elle consiste en un long fil de métal qui étranglera sans pitié vos adversaires.

La poudre éclair

Jetée dans un feu, ou dans toute flamme, cette poudre produit aussitôt un éclair aveuglant. Mais, attention, vous ne possédez qu'une seule dose de cette poudre.

Le silex et l'amadou

Ils vous permettront d'allumer des feux lorsque vous le désirerez.

Le poisson-araignée

Salé et séché, ce poisson venimeux est à la base du produit dont sont enduites les Fléchettes Empoisonnées. Il est utilisé également pour se débarrasser de tout animal jouant le rôle de gardien.

Le sang du dieu Nil

Vous disposez d'une dose du poison le plus violent connu à ce jour dans le monde d'Orb. En fait, il s'agit d'un venin extrêmement difficile et dangereux à obtenir, puisqu'il est produit par le dard d'un redoutable scorpion, fils du dieu Nil, plus connu sous le nom de « Bouche du Néant ».

A présent, vous maîtrisez parfaitement les trois techniques du Taijutsu. Vous savez lancer le Shuriken, et vous avez choisi avec soin vos trois disciplines. Vous êtes un guerrier Ninja accompli et il est temps de vous lancer dans l'aventure pour franchir une étape supplémentaire dans la Voie du Tigre. Rendez-vous au **1**.

1

L'aube est à peine levée que déjà vous vous préparez pour l'épreuve qui vous attend. Aujourd'hui vous allez en effet devenir le plus jeune adepte de la Voie du Tigre à avoir combattu pour obtenir l'honneur suprême de faire partie de l'assemblée des Grands Maîtres des Cinq Vents. Car un Grand Maître vient de mourir, et l'assemblée, dont la tâche est de guider l'ordre, se doit de comporter impérativement cinq Maîtres. C'est votre parfaite maîtrise de la Voie du Tigre qui vous a valu d'avoir été choisi pour participer à l'épreuve.

Maintenant, vous marchez dans le sable du chemin menant au Temple du Rocher, vaste salle à colonnades creusée dans un gigantesque bloc de granit rouge, sans doute poussé là depuis les montagnes du nord par les glaces qui ont recouvert Orb en des temps immémoriaux. Devant le Temple, les moines vous attendent au milieu d'une foule d'enfants, de femmes et d'hommes du village voisin, impatients de suivre les péripéties du combat qui va vous opposer à un adversaire des plus redoutables : Gorobéi. Comme vous, Gorobéi est un Initié du Cercle Intérieur – un rang élevé dans l'Ordre Ninja –, un dévot de Kwon et un formidable combattant. Il est plus âgé que vous, plus massif et plus puissant également. Il a déjà échoué une fois dans cette épreuve, ce qui ne signifie nullement qu'il ne soit pas un lutteur d'exception. Bien au contraire.

Après avoir pénétré dans le Temple, vous vous prosternez devant le Grand Maître de l'Aube, un homme de taille élancée et au port altier, dont les yeux sombres vous fixent avec une froide intensité. A vos côtés, Gorobéi se prosterne lui aussi, le visage impassible. Un morceau d'étoffe couvre ses hanches, et ses muscles saillants luisent de l'huile dont ils sont enduits ; ce qui, vous en prenez immédiatement conscience, ne facilitera pas les prises que vous tenterez de lui porter. Vous allez devoir vous montrer supérieur à lui dans un combat à mains nues, avant de subir — si vous en sortez vainqueur — une seconde épreuve, d'ordre spirituel celle-là, qui déterminera si le moment est venu pour vous d'accéder au rang de Grand Maître. Se tournant vers vous, Gorobéi vous adresse un salut que vous lui rendez. Le Grand Maître vous rappelle alors que le combat que vous allez livrer n'est pas un combat à mort : vous ne pourrez donc utiliser votre Force Intérieure. Puis, d'un signe, il vous indique que l'épreuve peut commencer. Lentement, Gorobéi s'avance vers vous, ses énormes mains prêtes à vous empoigner. Allez-vous faire semblant de lui donner un coup de poing pour tenter le Tigre Bondissant (rendez-vous au **17**), tendre les mains comme si vous acceptiez de lutter, puis tenter la Morsure du Cobra (rendez-vous au **35**), ou esquisser un coup de pied pour mieux le tromper avec le Tourbillon (rendez-vous au **61**) ? Mais si vous possédez la discipline de l'Acrobatie, vous pouvez également faire un saut périlleux qui vous amènera au côté de votre adversaire (rendez-vous au **80**).

2

Dans la cour intérieure, le garde poursuit sa ronde sans remarquer le faible grincement de la fenêtre que vous forcez pour pénétrer dans ce qui vous paraît être un magasin. Au bout de la pièce, vous apercevez un escalier en spirale éclairé par des torches fixées aux murs. Sans hésiter, vous en gravissez les marches, mais à mi-chemin vous vous arrêtez net : votre regard aigu a décelé la présence d'un fil d'une extrême finesse dont les extrémités disparaissent dans les murs. Vous l'enjambez avec les plus grandes précautions et, redoublant d'attention, vous reprenez votre ascension. Rendez-vous au **399**.

3

Le grappin s'accroche au sommet de la muraille et, saisissant la corde à pleines mains, vous vous jetez à l'eau. Puis, à grandes poignées, vous vous hissez vers la berge du plus vite que vous le pouvez, car l'eau bouillonne autour de vous... Les Bouches Flottantes foncent sur leur proie : vous ! Et deux d'entre elles s'agrippent encore à votre peau lorsque vous sortez enfin de l'eau. Ce qui vous fait perdre 3 points d'ENDURANCE, car elles sucent avidement votre sang. Avec dégoût vous vous débarrassez de ces horreurs et, jetant un coup d'œil autour de vous, vous constatez que l'Elfe Noir a complètement disparu dans le marécage. Quant au chevalier, il gît sur le sable dans la plus parfaite immobilité. Mais, debout sur un bloc de glace, l'homme revêtu de la robe bleu et or flotte vers vous sur l'eau des douves. Rendez-vous au **372**.

4

Les hommes — des prêtres à n'en pas douter — se sont rués à votre suite avec une telle précipitation qu'ils vous ont aperçu lorsque vous vous êtes laissé glisser dans l'eau. En poussant des cris, ils se débarrassent de leur cotte de mailles, bien décidés, à l'évidence, à venir vous chercher. Si vous possédez la discipline des Fléchettes Empoisonnées, et si vous souhaitez l'utiliser, rendez-vous au **419**. Sinon, il ne vous reste plus qu'à nager de toutes vos dernières forces, à contre-courant (rendez-vous au **12**).

5

Vous êtes étendu dans les eaux troubles du marais, suffoquant à moitié tant est horrible la puanteur que dégage le Troll. Néanmoins, vous parvenez à rester aussi immobile qu'un cadavre. Se penchant vers vous, le Troll vous saisit de ses griffes qui, vous déchirant la chair, vous font perdre 2 points d'ENDURANCE. De toute évidence, il s'apprête à vous dévorer ! Aussi, au moment où il ouvre la gueule, vous le frappez en pleine tête de vos manches de métal. Un sang noirâtre jaillit de son œil, qui se réduit rapidement en un mince filet, avant de cesser de couler comme s'il ne s'était rien passé. Cependant, la créature a été surprise par votre attaque, et vous a lâché. Vous en profitez pour fuir sans demander votre reste ! Rendez-vous au **14**.

6

Passé l'arche, vous pénétrez dans la Cité des Maléfices. Jamais il ne vous a été donné de voir autant de bâtiments aussi élevés ; leurs toits inclinés ne sont pas de chaume, comme ceux qui vous sont familiers, mais d'ardoise. Accolées les unes aux autres, d'innombrables boutiques proposent un large choix de poissons, de vins et de céréales. Sur une grande place, on vend même des esclaves ! Non loin de la Porte d'Obsidienne, un crieur public vêtu d'orange et de vert, pour attirer l'attention, sonne une cloche. D'une voix forte il donne les dernières nouvelles. Un intrépide aventurier originaire de la cité s'est récemment rendu dans les collines qui entourent Mortvalon. Ayant pénétré dans une grotte, il a découvert le chemin secret qui mène à la ville fantôme. L'armée, ajoute le crieur en haussant la voix, a besoin d'hommes, bien qu'il n'y ait pas de guerre ; et elle est prête à les payer cher. Il s'agit d'effectuer des manœuvres dans la Plaine de Phyte. Des baraquements ont été dressés pour l'occasion, non loin du port. Vous pouvez vous engager dans l'armée, en espérant obtenir ainsi quelques renseignements (rendez-vous au **16**), ou vous promener dans la cité (rendez-vous au **408**).

7

Vous passez la journée suivante en veille solitaire, mais personne ne quitte le château. La lune ne deviendra rouge que dans dix jours, au moment de la conjonction des planètes, et déjà les préparatifs vont bon train dans la cour extérieure. Demain, Yaémon, Honoric et Manse — le Mage de la Mort — partiront pour les Colonnes du Bouleversement. Vous vous agenouillez et, d'une voix basse, emplie de ferveur, vous suppliez Kwon de vous accorder une nuit sans lune, une nuit de tempête. Votre prière a été entendue : cette nuit vous verra achever votre mission, ou mourir sans honte. Le vent, l'obscurité et la pluie favoriseront votre entrée dans le château, et vous rendront invisible aux yeux des autres. Vous méditez maintenant dans le plus grand silence puis, après vous être revêtu de votre costume de Ninja, vous fixez intensément l'obscurité afin que votre vision nocturne devienne aussi perçante que celle du hibou. Si vous possédez la discipline de l'Escalade, vous pouvez vous hisser, si vous le désirez, jusqu'au sommet des murs du château. Rendez-vous alors au **392**. Sinon, vous pouvez soulever la grille qui se trouve à côté des douves, et vous glisser dans le tunnel. Rendez-vous dans ce cas au **402**.

8

Le Barbare se raidit alors que vous placez une Fléchette sur votre langue et que vous la crachez vers lui. La Fléchette se plante dans sa joue. Sa robuste constitution lui permet apparemment de résister à l'effet virulent du poison, bien que ses traits soient déformés par une douleur intense qui lui fait perdre 4 points d'ENDURANCE. Votre stupeur est telle que vous ne pouvez esquisser le moindre geste lorsqu'il bondit sur vous l'épée haut levée. Votre DEFENSE est de 8. Si le Barbare réussit à vous porter un coup de son épée, il vous infligera 1D + 1 de DOMMAGES. Si vous survivez à cette attaque, vous pouvez riposter avec la Morsure du Cobra (rendez-vous au **377**), le Cheval Ailé (rendez-vous au **302**), ou la Queue du Dragon (rendez-vous au **318**).

9

Le cobra mord avant que l'œil ne puisse l'apercevoir. Vous êtes cependant plus rapide que lui : d'une main vous le saisissez par le cou, alors que de l'autre vous lui tranchez la tête à l'aide d'un Shuriken. Pendant ce temps, Manse s'est relevé ; il peut encore lancer un sortilège, et la malédiction d'Eldritch résonne dans votre cerveau alors que sa magie commence à opérer sur vous. Il serre son poing et vous ressentez aussitôt une force qui semble vous écraser comme si des barres d'acier vous pressaient de toutes parts. Son visage devient livide et tremble même sous l'intense effort qu'il déploie tandis que son poing se serre encore plus. Vos côtes se brisent ; il ouvre enfin sa main, et vous vous écroulez sans vie sur le sol. Vous avez échoué dans votre mission.

10

Il vous regarde et hoche la tête, apparemment satisfait, et vous invite à passer la nuit dans sa grotte. Togawa possède peu de choses, et n'a pas vu d'être humain depuis des années, si ce n'est en rêve. Il semble se nourrir de l'air ambiant, car il n'a rien à vous offrir, hormis de l'eau de pluie rafraîchissante. Le lendemain matin, il vous révèle qu'il a vu Yaémon, le Grand Maître de la Flamme, quittant la Cité des Maléfices vers le nord en compagnie de Honoric, Maréchal de la Légion de l'Épée de Damnation, et serviteur de Vasch-Ro.

— Ils vont à la rencontre de Manse, le Mage de la Mort, ajoute-t-il. Un puissant et redoutable sorcier, adorateur de Némésis. Cette alliance maléfique doit être empêchée coûte que coûte car, de tous les dévots des divinités néfastes, seuls ceux de Vile, Vasch-Ro et Némésis ont suffisamment de force et de discipline pour s'unir. Némésis est d'ailleurs la plus redoutable de ces déités. Et, jamais auparavant, trois hommes aussi puissants que malfaisants ne s'étaient porté une telle confiance.

— La conjonction des planètes en est la cause, expliquez-vous.

Togawa extrait alors d'une fissure du rocher un sachet d'herbes.

— Ces herbes ont le pouvoir de guérir et de cicatriser les blessures. Prends-les, tu en auras besoin. Tu ne

pourras les utiliser qu'une fois, mais jamais pendant un combat.
Vous saisissez le précieux sachet que vous rangez avec votre équipement. Lorsque vous déciderez d'utiliser ces herbes, vous pourrez ajouter 8 points à votre total d'ENDURANCE. Après l'avoir remercié, vous lui demandez s'il désire vous accompagner mais, sans dire un mot de plus, il s'allonge sur le sol où il sombre dans un profond sommeil. Comme apparemment il n'y a plus rien à en tirer, vous redescendez le Mont Gwalor en direction de la Passe de la Fortune. Rendez-vous au **70**.

11

Le Shuriken ne fait que blesser le premier garde qui pousse alors des hurlements pour appeler à l'aide. Aussitôt apparaissent autour du château des lumières magiques semblables à des feux follets. Rien d'autre à faire que de redescendre de cette tour, traverser une fois de plus les douves, et tenter de pénétrer dans le château par le tunnel qui se trouve sous la grille. Rendez-vous au **398**.

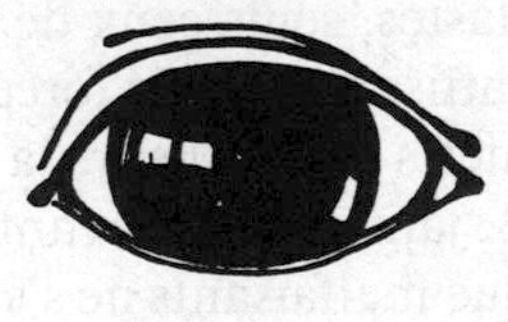

12

Vous nagez du plus vite que vous le pouvez alors que les prêtres entonnent un nouveau chant incantatoire qui paralyse bientôt vos membres. Vous êtes aussitôt entraîné par le courant vers leurs bras accueillants qui s'empressent de vous attacher avec de solides liens. Si vous avez un Anneau, ils s'en emparent :

rayez-le donc de votre Feuille d'Aventure. Maintenant, si vous possédez la discipline de l'Évasion, rendez-vous au **21**. Sinon, rendez-vous au **37**.

13

Vous bondissez en projetant vos jambes vers son cou dans l'intention de le mettre à terre. Tout en essayant de ne pas vous laisser surprendre par ses réflexes.

HOMME-COBRA
DEFENSE contre la mise à terre : 7
ENDURANCE : 10

Si vous réussissez votre prise, vous pouvez maintenant l'attaquer en utilisant la Patte du Tigre (rendez-vous au **42**), ou le Cheval Ailé (rendez-vous au **25**). Dans ce cas, mais pour le prochain Assaut seulement, vous ajoutez 2 points à votre Habileté au poing et à votre Habileté au pied. Si vous avez échoué dans votre tentative de mise à terre, rendez-vous au **412**.

14

Dans votre hâte, vous vous approchez dangereusement du bord de la piste. Caché par le brouillard, le redoutable marécage vous entoure. *Tentez votre Chance*. Si vous êtes Chanceux, rendez-vous au **417**. Si vous êtes Malchanceux, rendez-vous au **404**.

15

Après avoir pris congé du soldat, vous vous éloignez du château d'un pas rapide. Rendez-vous au **145**.

16

Vous vous dirigez vers les baraquements où vous rejoignez une file d'hommes qui attendent. Certains sont jeunes et solides, mais la plupart sont âgés et ont le regard vide. Un officier s'approche bientôt et, examinant tous les volontaires les uns après les autres, il fait sortir du rang ceux qui lui semblent les plus aptes au combat. Vous en faites partie et il vous est demandé tout d'abord de montrer votre adresse au maniement de l'épée. N'ayant jamais suivi un entraînement particulier dans cette discipline, vous vous en tirez honnêtement, sans plus. Puis, après avoir exécuté diverses manœuvres pendant plusieurs heures, vous êtes conduit dans les baraquements pour passer la nuit. Là, vous apprenez que la Légion de l'Épée de Damnation va attaquer les habitants des Cimes du Présage. Mais la bataille n'est pas pour demain, car Honoric, le chef de la Légion, a quitté la cité et voyage vers le nord. Avant de s'endormir, vos compagnons imaginent déjà le pillage des Cimes du Présage et le riche butin dont ils seront chargés à leur retour. Les baraquements sont étroitement surveillés pour le cas où les nouvelles recrues auraient l'idée de fuir, mais, réalisant que vous n'en apprendrez pas plus ici, vous décidez néanmoins de déserter avant l'aube. L'heure venue, vous revêtez le costume noir des Ninjas, qui ne laisse apparaître que les yeux. Si vous possédez la discipline de l'Escalade, vous pouvez quitter cet endroit par le toit. Rendez-vous au **75**. Si vous préférez vous approcher du garde à pas de loup pendant que ses compagnons dorment encore, rendez-vous au **86**.

17

Vous vous avancez d'un pas, le bras prêt à se détendre, et vous bondissez dans l'air, lançant un coup de pied foudroyant vers la tête de Gorobéi. Bien qu'il ne soit pas très rapide, votre adversaire tente une parade.

GOROBÉI
DEFENSE contre les coups de pied : 6
ENDURANCE : 14
DOMMAGES : 1D

Si vous êtes vainqueur, rendez-vous au **110**. Sinon Gorobéi riposte avec une Morsure du Cobra. Votre DEFENSE contre ce coup est de **7**. Si Gorobéi est alors vainqueur, rendez-vous au **95** ; autrement vous poursuivez le combat. Allez-vous feinter un coup de pied mais tenter de lui assener un coup de poing (rendez-vous au **35**), ou essayer une mise à terre (rendez-vous au **61**) ? Mais vous pouvez également lui porter un nouveau coup de pied (dans ce cas, revenez au début de ce paragraphe en tenant compte des modifications d'ENDURANCE).

18

Le fil de métal incise la trachée-artère du garde et un tout petit râle s'échappe de sa gorge. Vous allongez doucement son corps sur le sol avant de refixer le grappin et de vous laisser glisser le long de la corde dans la cour intérieure où se dresse le Donjon. Allez-vous maintenant grimper jusqu'au sommet du Donjon (rendez-vous au **174**), ou seulement jusqu'aux premières fenêtres pour essayer de forcer l'une d'entre elles (rendez-vous au **2**) ?

19

Vous faites maintenant partie des rameurs de l'*Aquamarine* enchaînés deux par deux à chaque banc de nage. Votre compagnon de misère fixe sur vous un regard vide. A la vue des cicatrices blanchâtres qui strient son dos, vous en déduisez qu'il doit être prisonnier sur cette galère depuis des années. Son torse est large bien que sa poitrine soit bizarrement creuse ; ses jambes courtaudes se terminent par de tout petits pieds qui lui donnent l'apparence d'un crapaud. D'une voix atone, il vous raconte qu'il est esclave depuis son plus jeune âge et qu'il ne connaît pas d'autre horizon que son banc de rameur. En soupirant sur son injuste destin, il vous raconte avec accablement que lors de son dernier « voyage » il fut le seul à survivre. Enfin, il vous informe que les pirates choisissent à chaque voyage un garde-chiourme parmi les esclaves, ainsi que deux hommes qu'ils arment d'un fouet pour ne pas faire baisser l'enthousiasme des rameurs. De plus, selon lui, ils seraient prêts à vendre leur galère — équipage compris — dans le premier fort sans foi ni loi qui se présentera. Si vous possédez la discipline de l'Évasion, rendez-vous au **126**. Sinon, rendez-vous au **115**.

20

— Regarde attentivement autour de toi, dit Togawa. Est-ce là ma maison ?
Vous le fixez, interdit.
— Non, poursuit-il, ma maison est mon corps, et ta maison est ton corps.
Rendez-vous au **10**.

21

Le camp des prêtres se trouve dans les collines qui entourent Mortvalon. Il est dressé non loin de la sombre entrée d'une grotte. Après avoir mangé, assis autour d'un petit feu, deux d'entre eux se lèvent et s'avancent vers l'endroit où ils vous ont laissé. Hélas, ce n'est pas pour vous apporter un peu de nourriture, mais pour vous annoncer qu'ils vont vous ramener dans les geôles souterraines du sanctuaire de Vasch-Ro, dans la Cité des Maléfices, où vous pourrez pourrir en paix ! Étonné, vous leur demandez pourquoi ils ne vous conduisent pas plutôt dans leur temple de Mortvalon.

— Parce que, vous répond l'un des prêtres, Manse, le Mage de la Mort, serviteur de Némésis, membre de l'Ordre de la Mante Écarlate, le plus puissant sorcier d'entre tous, voyage vers le nord pour rencontrer Honoric et Yaémon. Là, grâce à des moyens occultes, ils vont plonger le monde dans les ténèbres. Le jour s'approche où nous, les serviteurs de Némésis, régnerons sur l'Orb.

— Mais Yaémon vous trahira, répliquez-vous.

Ils s'esclaffent, et vous répondent que le Mage de la Mort connaît les pensées de tous les hommes, ainsi que leurs desseins. Après quoi, ils vous abandonnent à votre sort pour aller dormir. Des heures durant, vous luttez contre vos liens pour essayer de les détendre. Enfin, vous parvenez à glisser vos pouces entre les cordes, puis vos mains entières. Bientôt, vous êtes libre et, jetant un coup d'œil autour de vous, vous décidez de vous faufiler vers la grotte. Rendez-vous au **275**.

22

Le gardien hésite, puis déclare :

— Attendez ici ; il faut que j'aille chercher les papiers nécessaires. Il vous faudra un laissez-passer.

Il fait signe à un autre soldat de prendre sa place, passe sous la herse et disparaît dans la cour du château. Si vous voulez attendre son retour, rendez-vous au **31**. Mais si, craignant un piège, vous jugez plus prudent de quitter les lieux, rendez-vous au **15**.

23

Le Barbare pousse un cri de rage et, les traits déformés par la haine, il se précipite sur vous, l'épée à la main. Apparemment, il est indifférent aux attaques que vous pourriez lui porter, ne rêvant que de vous pourfendre. Aussi, vous soustrairez 1 point de tous les DOMMAGES que vous pourriez lui infliger. Évitant de justesse la lame de son épée, vous pivotez sur vous-même et vous lancez votre pied gauche en direction de son visage.

OLVAR LE BARBARE
DEFENSE : 7
ENDURANCE : 18
DOMMAGES : 1D + 1

Si vous êtes vainqueur, rendez-vous au **47**. Sinon, Olvar abat son épée sur vous. Votre DEFENSE contre ce coup est 8. Si vous survivez à cette attaque, vous pouvez tenter un coup de poing (rendez-vous au **92**), une mise à terre (rendez-vous au **39**), ou un coup de pied (revenez alors au début de ce paragraphe).

24

Alors que son pied s'approche à la vitesse de l'éclair, vous tendez le bras dans l'intention de lui saisir la cheville pour le balancer par-dessus votre tête. Mais vous avez mal calculé votre coup et votre main se referme sur le vide. En revanche, le pied de Yaémon, lui, n'a pas manqué sa cible : il frappe si violemment votre visage que le sang jaillit de votre nez et de vos lèvres fendues. Et la puissance de sa Force Intérieure est telle que vous perdez 10 points d'ENDURANCE. A demi assommé, vous tombez à quatre pattes et il vous faut faire un immense effort de volonté pour surmonter l'intense douleur qui vous submerge. Alors, roulant sur vous-même, vous vous remettez debout, prêt au combat. Mais Yaémon, un cruel sourire aux lèvres, vous attend de pied ferme. Vous n'avez plus le temps de lui porter un coup de pied. Aussi, allez-vous tenter un coup de poing (rendez-vous au **155**), ou une mise à terre (rendez-vous au **68**) ?

25

Vous faites un pas rapide sur le côté, et vous lancez votre jambe, talon en avant, vers la poitrine de l'Homme-Cobra.

HOMME-COBRA
DEFENSE contre le coup de pied : 7
ENDURANCE : 10

Si vous êtes vainqueur, rendez-vous au **394**. Si vous avez manqué votre coup, il plante ses crocs dans votre bras (rendez-vous au **412**). Autrement, vous pouvez maintenant tenter la Patte du Tigre (rendez-vous au **42**), les Dents du Tigre (rendez-vous au **13**), ou un nouveau coup de pied (revenez alors au début du paragraphe).

26

Le lendemain, vers le milieu de la journée, l'*Aquamarine* s'éloigne des îles et, bientôt, le Grand Continent se profile à l'horizon. Mettant le cap au nord, vous longez la côte rocheuse pendant quelques jours. La mer est calme, et vous en profitez pour prendre un repos bien mérité qui vous fait gagner 10 points d'ENDURANCE. Le jour suivant, vous suivez le rivage d'une grande baie sous une fine pluie. Glaivas vient alors vous dire, en pointant le doigt vers un large estuaire par lequel le Fleuve Gris se jette dans la mer, que sa ville natale, Tor, se trouve à peu de distance en amont.
— N'y aurait-il pas un temple de Kwon à Tor ? lui demandez-vous.
Il secoue négativement la tête.
— Nous adorons plutôt Gaïmèra, la Mère de Toute Chose, Préservatrice de la Vie.
Vous le questionnez alors sur les villes qui s'élèvent au-delà de Tor, sur le Fleuve Gris, et une ombre voile aussitôt son visage.
— Je préférerais vous parler de la Cité des Maléfices, votre destination, répond-il. C'est l'une des villes les plus importantes du Manmarch. Environ quatre cent mille personnes y vivent, et elle est gouvernée par la Légion de l'Épée de Damnation. Ce nom suscite bien de la haine, mais c'est l'une des meilleures armées d'Orb. Ses hommes vénèrent le Dieu de la Guerre, Vasch-Ro, celui qui sème pour le Grand Faucheur, et ils inspirent une terreur sans nom lorsqu'ils livrent

bataille. De nombreux dieux ont leurs temples là, mais le sanctuaire de Vasch-Ro les domine tous. Le Maréchal de la Légion de l'Épée de Damnation a pour nom Honoric ; c'est un homme au cœur noir, qui n'a jamais été vaincu dans un combat. On raconte même qu'un jour, il a abattu un Géant Tempête seul, à mains nues. C'est, sans conteste, un remarquable bretteur. L'Ordre de la Mante Écarlate a aussi un temple dans la Cité. Il envoie ses acolytes dans les Etendues Glacées où ils peuvent s'entraîner dans toutes les disciplines de leur choix. Yaémon, leur chef, est le plus grand guerrier à avoir dirigé l'Ordre. Leur symbole est la Croix d'Avatar, Suprême Principe du Bien, mais un serpent l'entoure... Vous les reconnaîtrez à ce signe.

Le jour suivant, alors que vous arrivez en vue du port fortifié de la Cité des Maléfices, vous apercevez deux grands bateaux sombres battant pavillon de la Ligue de Barbicane — la marine de guerre de la Cité — en sortir et se diriger vers vous à grande allure. Alors qu'ils ne sont plus qu'à quelques encablures de votre navire, un homme de grande taille revêtu d'une cotte de mailles d'un noir de jais vous ordonne de stopper. Aussitôt, votre capitaine fait amener les voiles, avant de répondre aux nombreuses questions que lui pose l'homme en noir. Mais, lorsque ce dernier en vient à lui demander ce qui l'amène à la Cité des Maléfices, il devient quelque peu nerveux, lançant des regards inquiets à Glaivas qui, remarquant son embarras, prend alors la parole pour déclarer qu'il est venu vendre des esclaves. A cette nouvelle, un rictus se dessine sur les lèvres de l'homme.

— Voilà qui fait mon affaire... et la tienne, l'ami ! J'avais l'intention d'envoyer ton navire par le fond,

mais tu as la chance de nous apporter des hommes qui nous font défaut. Vous pouvez franchir le Barbicane.
Le Barbicane est une forteresse massive qui enjambe l'entrée du port dans un formidable arc de cercle. Célèbre dans le monde d'Orb tout entier, elle est le siège de la redoutable Ligue dont les noirs vaisseaux sillonnent sans relâche mers et océans. Lentement, votre navire glisse sous le Barbicane pour venir s'amarrer à un quai où règne une intense activité. Après avoir rassemblé votre équipement, vous vous apprêtez à sauter à terre non sans remercier tout d'abord Glaivas pour l'aide précieuse qu'il vous a apportée. En souriant, il vous lance une bourse contenant 10 Pièces d'Or.
— Attrapez ça, dit-il, vous en aurez besoin. Que la chance vous sourit, Ninja ! Quant à moi je retourne à Tor pour organiser sa défense contre les forces de Vile pour le cas où vous échoueriez.
Vous empochez la bourse et, après lui avoir adressé un dernier signe de la main, vous vous dirigez vers les remparts de la ville. Deux portes vous font face. La plus grande est en fait une grande arche d'obsidienne noire ; l'autre comporte quatre colonnes de marbre blanc surmontées d'un portique sur lequel est inscrit en lettres d'or « Portail des Dieux ». Si vous désirez franchir la Porte d'Obsidienne, rendez-vous au **6**. Si vous préférez vous engager sous le Portail des Dieux, rendez-vous au **208**.

26 *Un homme revêtu d'une cotte de mailles d'un noir de jais vous ordonne de stopper.*

27

La jeune fille vous dévisage avec mépris, comme si vous aviez commis un acte impie. Le vieil homme hurle alors :

— Que le destin ne te sourie plus !

Sa malédiction vient de vous faire perdre 1 point de Destin. Vous vous précipitez hors de la chapelle et, quittant le temple, vous vous dirigez vers l'arche d'Obsidienne. Rendez-vous au **6**.

28

Le garde a été plus rapide que vous : le fil s'est enfoncé dans son gantelet. Plus grave encore, il crie à pleins poumons pour donner l'alarme. Affolé, vous lui portez un coup mortel. Mais le trait d'arbalète d'un autre garde vous frappe en plein milieu du dos et, lorsque vous vous écrasez dans l'herbe, au pied de la muraille, la vie vous a déjà quitté.

29

La pierre, devenue maintenant énorme, dégringole à grand fracas l'escalier derrière vous. Vous sentez presque son souffle dans votre dos au moment où vous faites un saut périlleux qui vous permet de l'éviter. A peine avez-vous remis les pieds à terre que remontant les marches à toute allure vous frappez le

Mage de la Mort d'un Cheval Ailé. Impuissant à parer votre coup, il s'effondre sur le sol comme une poupée désarticulée. Cependant, dans sa chute, il parvient à lancer son bâton qui se transforme soudain en un cobra qui aussitôt ondule vers vous, prêt à mordre. Vous pouvez ne pas prêter attention à ce reptile pour essayer de vous débarrasser définitivement du Mage. Rendez-vous dans ce cas au **400**. Mais, si vous jugez plus prudent de vous occuper tout d'abord du cobra, rendez-vous au **9**.

30

Un gigantesque Troll, à la peau verte et visqueuse, surgit du brouillard et se dresse devant vous. Sans lui laisser le temps de réagir, vous lui portez force coups de poing et coups de pied. Mais, au fur et à mesure que vous lui infligez des blessures, elles se referment dans l'instant, ne laissant pour toutes traces que de fines cicatrices mauves. Tout à votre stupéfaction, vous baissez votre garde, et le Troll en profite pour vous porter un violent coup de griffe qui vous fait perdre 4 points d'ENDURANCE. Si, après cela, vous êtes toujours en vie, vous en venez vite à la conclusion qu'il serait plus prudent de rompre ce combat. Allez-vous vous enfuir du plus vite que vous le pouvez (rendez-vous au **14**), ou utiliser — si toutefois vous la possédez — la discipline de la Mort Feinte (rendez-vous au **5**) ?

31

Vous attendez depuis longtemps le retour du garde lorsque soudain, dans votre dos, un faible grattement se fait entendre. Vous retournant d'un bloc, vous sursautez en voyant Honoric et Manse surgir d'un passage secret. Vite, vous vous saisissez d'un Shuriken ; mais Manse vous lance un sortilège avant même que vous n'ayez pu esquisser le moindre geste, et aussitôt votre corps est paralysé, puis agité de tremblements qu'il vous est impossible de réprimer. Lentement, Honoric s'approche de vous, l'épée haut levée. Dans quelques secondes, votre aventure sera terminée. Définitivement terminée...

32

Togawa hoche la tête.

— Quelles sont tes armes ? demande-t-il.

Allez-vous lui répondre : « Je n'ai pas besoin d'armes » (rendez-vous au **10**), ou « Toute chose qui existe peut me servir d'arme » (rendez-vous au **304**) ?

33

Vous ramassant sur vous-même, vous vous détendez brusquement et vous jaillissez hors de la barque. Puis, tout en accomplissant un gracieux arc de cercle sous les yeux médusés de la foule, vous priez ardemment le ciel qu'il vous permette d'atteindre le bord de la douve... *Tentez votre Chance.* Si vous êtes Chanceux, rendez-vous au **382**. Si vous êtes Malchanceux, vous avez mal calculé votre saut, et vous tombez dans l'eau avec un « plouf » retentissant. Rendez-vous au **64**.

34

Avec un bruit sourd, la tête du capitaine heurte le pont — ce qui assomme l'homme pour l'heure — avant qu'il ne disparaisse dans l'océan. La nouvelle de sa mort se propage comme une traînée de poudre parmi les forbans qui, cessant tout combat, regagnent dans le plus grand désordre la *Mort Océane*... sur laquelle ils recommencent d'ailleurs à se battre pour savoir lequel d'entre eux prendra la place du capitaine ! Vous précipitant à la proue du navire, vous plongez, et vous nagez de toutes vos forces vers l'*Aquamarine* qui a déjà repris sa route. Épuisé, les poumons près d'éclater, vous parvenez à saisir une rame et à vous hisser à bord. Rendez-vous au **26**.

35

Vous vous ramassez sur vous-même comme si vous alliez lutter avec Gorobéi dont le corps se tend, prêt à lancer tout son poids sur vous. Mais vous détendez alors votre bras, les doigts serrés pointés en direction du sternum de votre adversaire.

GOROBÉI
DEFENSE contre les coups de poing : 7
ENDURANCE : 14
DOMMAGES : 1D

Si vous êtes vainqueur, rendez-vous au **110**. Sinon Gorobéi riposte avec une Patte du Tigre. Votre DEFENSE contre ce coup est de 7. Si Gorobéi est alors vainqueur, rendez-vous au **95** ; autrement vous poursuivez le combat : allez-vous feinter un coup de poing et lui porter un coup de pied (rendez-vous au **17**), ou tenter une mise à terre (rendez-vous au **61**) ? Mais vous pouvez également essayer de lui donner un nouveau coup de poing (dans ce cas revenez au début du paragraphe). Néanmoins, quel que soit votre choix, n'oubliez pas de modifier votre ENDURANCE ou celle de votre adversaire selon les résultats déjà obtenus.

36

Debout devant la porte de la chapelle, vous vous demandez si vous allez frapper ou tout simplement la pousser, lorsqu'elle s'ouvre d'elle-même, laissant apparaître le vieil homme qui vous fait signe d'entrer. Vous pénétrez donc à l'intérieur du petit édifice, une salle de dimensions moyennes où règne une semi-obscurité, propre et bien tenue. Des monceaux de parchemins sont entassés sur des étagères qui couvrent tous les murs. Le vieil homme prononce un prénom féminin et, à votre grande surprise, une ravissante jeune fille d'une vingtaine d'années pénètre dans la salle. Avant que vous n'ayez pu vous poser la moindre question quant à sa présence dans cet endroit, le vieil homme saisit une longue dague de sacrifice à la lame acérée. Et, sans vous en expliquer la raison, il vous demande de vous allonger sur un petit tombeau de marbre blanc, au côté duquel est posé un calice en argent. La jeune fille s'approche déjà pour vous y accompagner. Si vous avez confiance en ces étranges personnages, rendez-vous au **50**. Si vous jugez plus prudent de quitter les lieux sans tarder, rendez-vous au **27**.

37

Vous tentez de vous dégager de vos liens, mais en vain car ils sont trop serrés. Non loin de vous, les prêtres sont en grande conversation : il vous semble comprendre qu'ils sont des dévots de Némésis, le Suprême Principe du Mal. L'histoire de vos exploits dans la Cité des Maléfices est également parvenue jusqu'à eux, mais vous n'arrivez pas à comprendre comment. Vous ne comprenez pas non plus pourquoi les prêtres de Némésis se sont alliés avec les

36 *Le vieil homme saisit une longue dague de sacrifice à la lame acérée...*

moines de la Mante Écarlate et avec la Légion de l'Épée de Damnation, servante du Dieu de la Guerre, Vasch-Ro. Le lendemain, ils vous ramènent à la Cité des Maléfices, et vous conduisent directement aux cachots souterrains du Temple de Vasch-Ro. Là, ils vous attachent les poignets au mur. Puis la porte se referme sur vous dans un bruit sourd. Vous mourez de faim et de soif, mais après plusieurs jours d'une lente agonie.

38

Une fois de plus, vous vous servez du grappin pour escalader le mur rapidement et sans bruit ; mais vous vous rendez compte que le garde, là-haut, sur le chemin de ronde, a perçu le son mat du fer agrippant la pierre. Aussi, il vous faut emprunter une autre voie. Vous aidant des fissures de la muraille, vous grimpez obliquement en vous éloignant du grappin, le garrot entre les dents. Parvenu à la hauteur des créneaux, vous bondissez pour vous retrouver à côté du garde, et vous essayez de passer le garrot autour de son cou. Dans un réflexe, il porte sa main devant son visage. Lancez deux dés, en sachant que sa DEFENSE contre le garrot est de 4. Si vous réussissez, rendez-vous au **18**. Si vous échouez, rendez-vous au **28**.

39

Sans hésiter vous vous élancez et vous sautez, jambes en avant, en essayant d'atteindre ses propres jambes. Comme cette Queue du Dragon l'a pris au dépourvu, sa DEFENSE n'est que de 4. Si vous parvenez à le mettre à terre, vous pourrez tenter un coup de pied (rendez-vous au **23**) ou un coup de poing (rendez-vous au **92**) avant qu'il ne puisse se relever. De plus, vous ajouterez 2 points à votre Habileté au poing et à votre Habileté au pied. Si vous échouez, Olvar va vous porter un coup de son épée. Votre DEFENSE contre cette attaque est de 6, et si elle réussit, il vous infligera 1D + 1 de DOMMAGES. Enfin, si après cet Assaut vous êtes toujours vivant, vous pourrez tenter un coup de poing (rendez-vous au **92**) ou un coup de pied (rendez-vous au **23**).

40

Vous visez mal, et les Shurikens ne font que frôler la tête de Yaémon. Alors que les deux premiers projectiles ont disparu dans la nuit, Yaémon, dans un extraordinaire réflexe, réussit à saisir le troisième qu'il vous renvoie d'un souple mouvement du poignet. Il vous faut faire preuve de tout votre sang-froid pour réagir à la vitesse de l'éclair : levant votre avant-bras, vous parvenez à dévier la course du Shuriken au dernier moment. Ce qui prend Yaémon totalement au dépourvu. Vite, il faut en profiter ! Si vous possédez la discipline des Fléchettes Empoisonnées, rendez-vous au **69**. Sinon, il ne vous reste plus qu'à bondir sur votre adversaire ; rendez-vous alors au **89**.

41

Sans faire le moindre bruit, adoptant la démarche du Ninja appelée l' « approche du chat », vous vous éloignez tout en laissant des traces semblant provenir de la direction opposée à celle qui est la vôtre. Mais l'apparition ne doit se guider qu'à l'aide de son odorat, car le bruit de pas a repris derrière vous et se rapproche. Si, décidant d'abandonner toute prudence, vous pensez qu'il vaut mieux prendre vos jambes à votre cou, rendez-vous au **14**. Mais si vous préférez faire front en vous préparant à un éventuel combat, rendez-vous au **30**.

42

Alors que les yeux sans paupières de l'Homme-Cobra suivent prudemment le moindre de vos mouvements, vous lancez votre main, dos en avant, vers son cou oscillant. Mais prenez garde : si vous ratez votre coup, il vous mord !

HOMME-COBRA
DEFENSE contre la Patte du Tigre : 7
ENDURANCE : 10

Si vous êtes vainqueur, rendez-vous au **394**. Si vous n'avez pas réussi votre coup, rendez-vous au **412**. Autrement, vous pouvez maintenant tenter le Cheval Ailé (rendez-vous au **25**), les Dents du Tigre (rendez-vous au **13**), ou un autre coup de poing (revenez alors au début du paragraphe).

43

— Regarde autour de toi, dit Togawa. Est-ce là ma maison ?
Interdit, vous le fixez.
— Non, poursuit-il. Ma maison est mon corps, et ta maison est ton corps.
Rendez-vous au **10**.

44

Alors que vous vous précipitez sur les prêtres, leur incantation produit son effet ; vos jambes et vos bras semblent devenir de plomb. Réunissant toute votre énergie, vous parvenez, le corps tremblant, à faire quelques pas de plus, avant de vous immobiliser définitivement. C'est maintenant un jeu d'enfant pour eux de vous faire tomber à terre, et de vous lier solidement. Si vous avez un Anneau, ils s'en emparent. Rayez-le alors de votre Feuille d'Aventure. Maintenant, si vous possédez la discipline de l'Évasion, rendez-vous au **21**. Sinon, rendez-vous au **37**.

45

Vous esquivez le fléau du capitaine qui essaie aussitôt de vous frapper de son poing gauche armé de lourds anneaux d'or ; mais vous l'évitez tout aussi aisément. Alors que vous vous prépariez à contre-attaquer, un lourd filet s'abat sur vous, vous projetant sur le pont complètement empêtré dans ses mailles. Deux pirates vous avaient vu prêt à porter un coup à leur capitaine, et ils ont accouru à son aide en lançant le filet du haut de l'escalier. Ils ne tardent pas à vous en libérer pour vous ligoter. Puis, vous ramenant à bord de l'*Aquamarine*, ils vous attachent à un banc de nage, après vous avoir dépossédé de votre équipement de Ninja. Rendez-vous au **19**.

46

— Nous sommes toujours prêts à aider un dévot de la Mère de Toute Chose, dit le prêtre.

Vous lui demandez alors si un moine, un serviteur de Vile du nom de Yaémon, ne séjourne pas actuellement dans la Cité des Maléfices. Le prêtre vous répond que tout ce qu'il sait est qu'Honoric, le Maréchal de la Légion de l'Épée de Damnation, aurait quitté la ville il y a une dizaine de jours au moment

même où ses hommes pensaient qu'il prendrait leur tête pour livrer bataille contre le peuple des Cimes du Présage.
— J'ignore pourquoi il est parti si rapidement, mais il devait sans aucun doute avoir une bonne raison, ajoute-t-il.
— Et Yaémon ? insistez-vous.
— Ah, oui ! Eh bien, l'Ordre de la Mante Écarlate a toujours entretenu de bons rapports avec les serviteurs du Dieu de la Guerre, Vasch-Ro. Yaémon serait parti avec Honoric pour Mortvalon.
Il ne sait rien de plus, sinon que personne ne les accompagnerait. Après l'avoir remercié pour les quelques renseignements qu'il vient de vous donner, vous quittez le Temple. Allez-vous maintenant vous diriger vers l'arche d'Obsidienne (rendez-vous au **6**), ou préférez-vous vous mettre en route pour Mortvalon (rendez-vous au **65**) ?

47

Le Barbare s'écroule sur le sol, sans vie. Jamais plus ses hurlements ne troubleront le calme d'Orb. Tisseur de Runes, quant à lui, s'est remis de ses contusions ; il a pu voir les derniers assauts du combat et, aussitôt que votre victoire s'est dessinée, il a bondi sur Olvar et s'est emparé du diadème serti de la pierre bleue qui ceignait son front.
— Je prends ça, dit-il, tout en dégainant son épée.
Si vous décidez de vous battre avec l'homme que vous avez sauvé des Hommes-Oiseaux, pour lui arracher le diadème, rendez-vous au **78**. Mais vous pouvez également vous contenter des 5 Pièces d'Or que vous trouvez dans les affaires d'Olvar et ne pas prêter attention à Tisseur de Runes, avant de partir

soit vers le nord-ouest au-delà de la Passe en direction de la Cité des Neiges Lointaines (rendez-vous au **313**), soit vers le nord-est en direction de la ville de Druath Glennan (rendez-vous au **219**), soit vers l'est, au-delà du pays des Trolls, en direction de la ville de Solangle où vous pourrez trouver un bateau qui vous fera traverser la Mer de l'Étoile (rendez-vous au **59**).

48

— Alors comme ça vous jouiez gratuitement pour les pauvres ? Pas étonnant que je n'aie pas vu votre représentation. Allez, c'est par là !
Et il vous fait pénétrer dans la cour du château entourée de toutes parts de hautes murailles. Rendez-vous au **112**.

49

L'intensité du champ de force augmente au fur et à mesure que le Shuriken s'en approche. Mais vous avez lancé le projectile avec une telle puisssance qu'il le traverse dans un éclair avant de frapper Manse qui s'effondre sur le sol. Cependant, dans un dernier réflexe, le Mage a jeté son bâton vers vous, et c'est un redoutable cobra qui glisse maintenant dans votre direction. En sifflant horriblement, il se dresse sur sa queue, prêt à mordre. Si vous décidez de vous précipiter vers le Mage pour en terminer définitivement avec lui, sans vous préoccuper du reptile, rendez-vous au **400**. Mais si vous pensez qu'il est plus prudent de vous intéresser tout d'abord au cobra, rendez-vous au **9**.

50

La jeune fille vous prend doucement par la main et vous mène jusqu'au sépulcre de marbre. Le vieil homme vous explique alors qu'il doit prélever un peu de votre sang dans le calice d'argent si vous voulez voir quelques images liées à votre destinée. « Car vous êtes bien venu pour cela, n'est-ce pas ? » ajoute-t-il avec un étrange sourire. Et, sans vous laisser le temps de répondre, il taillade votre poignet, éclaboussant de votre sang le marbre sur lequel vous êtes étendu. Inquiet, vous voyez le calice s'emplir d'un bon demi-litre de liquide, et votre bras commence à s'engourdir, alors que vous ressentez une grande faiblesse qui vous fait perdre 1 point d'ENDURANCE. Mais, à votre grand soulagement, l'homme marmonne bientôt une sorte d'incantation, et votre sang cesse dans l'instant de couler, en même temps que la plaie se referme d'elle-même. La jeune fille s'approche alors, et verse une potion verte dans le calice. Puis le vieillard vous ordonne d'une voix sèche de tourner votre regard vers un miroir accroché au mur, non loin de vous, et il entonne aussitôt un chant étrange, tout en balançant un prisme de cristal au-dessus de la coupe. Le sang mêlé à la potion verte commence à bouillonner ; le chant s'enfle ; une image commence à se former sur le miroir. L'image de deux cavaliers s'éloignant d'une ville. Le plus grand, au visage arrogant et cruel, est vêtu d'une cotte de mailles noire et porte un bouclier tout aussi noir frappé d'un écusson représentant une épée d'argent pendue à un fil d'argent : l'Épée de Damnation. L'autre porte l'habit des moines maîtres en arts martiaux, une robe écarlate serrée par une fine ceinture noire. Ils semblent chevaucher vers vous, en silence, et le regard noir et perçant du moine vous fixe sans ciller. Le vieil homme vous explique que ces deux hommes sont Yaémon, Grand Maître de la Flamme, et Honoric, Maréchal de la Légion de l'Épée de Damnation, et qu'ils se trouvent au nord de la ville de Mortvalon. Ils se dirigent vers les Colonnes du Bouleversement, où ils prononceront chacun un mot magique qui emprisonnera à jamais un dieu ou une déesse. Il ajoute que Honoric ambitionne de régner sur tout le Manmarch. Vous entrez alors en transes et, lorsque vous reprenez connaissance, vous êtes hors de la Cité des Maléfices, sur la route menant à Mortvalon. Inquiet, vous vous demandez ce qu'a pu faire le vieillard pendant que vous étiez inconscient. A-t-il parlé de votre vision à quiconque ? Quoi qu'il en soit, vous devez vous rendre à Mortvalon pour savoir où vos ennemis se trouvent. Rendez-vous au **65**.

51

Rapide comme l'éclair, votre main fend l'air à trois reprises, et trois Shurikens volent vers Yaémon. Jetez sans attendre vos dés, en sachant que la DEFENSE de Yaémon est de 6. Si vous réussissez, rendez-vous au **378**. Sinon, rendez-vous au **40**.

52

Vous versez la poudre dans l'eau, et aussitôt le coassement des grenouilles se fait à nouveau entendre. Rendez-vous au **74**.

53

— Regarde autour de toi, dit Togawa. Est-ce là ma maison ?
Vous le fixez, interdit.
— Non, reprend-il. Ma maison est mon corps, et ta maison est ton corps.
Rendez-vous au **10**.

54

Tout en pivotant sur votre pied gauche, vous lancez votre jambe droite vers Yaémon dans l'intention de le frapper à la tête. Mais, cette fois, il est sur ses gardes et esquive aisément votre coup. Au moment même où vous vous retrouvez face à lui, il bondit et, exécutant un rapide ciseau, il vous expédie un violent coup de pied dans l'aine et un autre en plein dans le visage, ce qui vous projette à terre et vous fait perdre 8 points d'ENDURANCE. Si vous êtes encore en vie, vous le voyez alors se précipiter sur vous. Sans vous laisser le temps de reprendre votre souffle, il vous saisit le poignet puis, posant le pied sur votre bras, il vous immobilise complètement. La clé qu'il vient de vous porter est si douloureuse que vous ne pouvez vous empêcher de hurler, d'autant plus qu'il ne se prive pas de peser sur votre bras de tout son poids. Inutile de vouloir vous dégager par la force. Aussi, après vous être fortement concentré, vous projetez votre jambe libre autour du cou de Yaémon que vous tirez brutalement vers vous. Déséquilibré, il vous lâche, et vous en profitez pour lui faire exécuter un magnifique saut périlleux, en même temps que vous vous remettez debout. A moitié assommé, vous secouez la tête pour reprendre vos esprits, tout en ne quittant pas Yaémon des yeux. Lui aussi s'est remis debout. Et, blanc de rage, il se rue de nouveau à l'attaque. Si vous possédez la discipline de l'Acrobatie, rendez-vous au **181**. Sinon, vous allez devoir faire front à cette attaque. Votre DEFENSE est de 7 ; si vous réussissez, rendez-vous au **118**. Si vous échouez, rendez-vous au **308**.

55

Chancelant sous le coup violent que vous venez de lui porter, le dernier de vos adversaires tombe dans la rivière dans les eaux de laquelle il disparaît. Quant à ses compagnons, ils sont étendus à côté de vous et ne manifestent plus le moindre signe de vie. Les chariots sont invisibles ; aussi, vous vous penchez sur l'une de vos victimes qui porte, accrochée à une chaînette d'or passée autour de son cou, une amulette : un disque d'or dans lequel est serti un cristal étincelant. Une inscription en caractères runiques est gravée dans l'or : « Protecteur du Doigt de la Mort ». Voilà qui est intéressant. Sans hésiter, vous glissez l'amulette autour de votre cou. L'homme possède également un étui en cuir usagé, semblable à ceux utilisés pour le transport des parchemins. Murmurant une rapide prière pour vous protéger d'un quelconque maléfice, vous l'ouvrez. Il contient en effet un parchemin que vous déroulez, et grâce auquel vous apprenez que l'homme était un prêtre de Némésis, le Suprême Principe du Mal, Celui qui plonge toutes choses dans les ténèbres. Les dernières lignes qui y sont portées vous font sursauter : en effet, vous ne lisez ni plus ni moins qu'une fidèle description de vous-même ! Pas étonnant que vous ayez été attaqué... Sans aucun doute la nouvelle de votre arrivée vous a-t-elle précédé jusqu'ici. Tout en vous demandant qui a pu ainsi répandre cette information — et pourquoi — vous vous remettez en route vers Mortvalon, en vous engageant dans les collines qui entourent la ville. Bientôt, vous parvenez à la hauteur d'une grotte. Allez-vous poursuivre votre chemin pour atteindre Mortvalon le plus rapidement possible (rendez-vous au **283**), ou préférez-vous jeter tout d'abord un coup d'œil dans la grotte (rendez-vous au **275**) ?

56

Le prêtre hoche la tête, et vous demande de lui indiquer quelques-uns des nombreux chemins qui mènent à la liberté, mais vous en êtes incapable. Il se prépare alors à prononcer une terrible incantation ; cependant, l'implorant de bien vouloir vous pardonner votre mensonge, et l'assurant que vous chercherez de l'aide ailleurs, vous quittez précipitamment le temple. Maintenant, la cour est déserte ! Aussi, vous franchissez le Portail des Dieux, et vous vous dirigez vers l'arche d'obsidienne. Rendez-vous au **6**.

57

Après l'avoir fait longuement tournoyer, vous lâchez le grappin qui file vers le haut de la muraille. *Tentez votre Chance.* Si vous êtes Chanceux, rendez-vous au **3**. Sinon, le grappin glisse sur la pierre du mur et retombe, vous laissant totalement impuissant dans l'eau de la douve. Rendez-vous au **64**.

58

Le capitaine s'affale sur le pont, sans vie. Vous retournant, vous voyez alors apparaître au sommet de l'escalier deux pirates qui, constatant que vous êtes venu à bout de l'homme qu'ils redoutaient le plus, et sans la moindre aide, s'enfuient tout en hurlant la nouvelle à leurs compagnons. Aussitôt, les forbans quittent du plus vite qu'ils le peuvent l'*Aquamarine* et regagnent la *Mort Océane* où ils se jettent les uns sur les autres dans une mêlée confuse : la place de capitaine est, en effet, à prendre ! Quant à vous, vous vous précipitez à la proue du navire et, plongeant dans l'océan, vous nagez de toute la force de vos bras vers l'*Aquamarine* qui a déjà repris sa route. Vous êtes à bout de souffle lorsque vous parvenez à la hauteur de l'une de ses rames. Dans un dernier effort, vous la saisissez et, vous en servant comme point d'appui, vous vous hissez à bord. Rendez-vous au **26**.

59

Ne faisant que de brèves haltes, vous marchez deux jours durant en longeant les Monts des Visions qui s'élèvent en dents de scie légèrement à l'ouest. Vous arrivez enfin en vue d'une contrée sombre et brumeuse, le Pays des Trolls ; en fait un vaste marécage où voyager n'est pas chose aisée. Le brouillard est tel qu'il vous est impossible d'en deviner l'étendue, et donc de savoir combien de temps cela vous prendrait de le contourner par le sud. C'est sans enthousiasme que vous prenez la décision de le traverser, en suivant les traces laissées par un petit animal, traces que vous avez remarquées à quelque distance. Au fur et à mesure que vous avancez, il vous semble que le brouillard s'épaissit encore. Soudain, vous vous arrêtez : quelqu'un — ou quelque chose — vient à votre rencontre. Vous percevez le bruit de ses pas, un bruit de succion dans ce mélange d'herbe et de boue qui forme le sol. Puis une silhouette apparaît et s'immobilise à deux mètres de vous. Allez-vous essayer de vous éloigner en espérant que votre présence sera passée inaperçue (rendez-vous au **41**), ou préférez-vous attendre pour voir ce qui va se passer (rendez-vous au **30**) ?

60

Arrivé à la hauteur du champ de force, le Shuriken s'arrête net, et reste suspendu dans les airs. Le bouclier de lumière a rempli son office, et il ne vous reste plus qu'à bondir sur votre adversaire. Mais, au moment même où vous prenez votre élan, le Mage de la Mort lève de nouveau la main, tout en prononçant d'étranges mots. Aussitôt vous ressentez à l'intérieur de votre corps une atroce brûlure, alors qu'une fumée âcre s'échappe de votre bouche et de vos narines. Le Mage vient de proférer la malédiction du Feu Intérieur qui vous consume sans rémission. Vous avez échoué dans votre mission.

61

Vous levez le pied comme pour lui expédier en pleine poitrine, mais vous faites alors rapidement un pas de côté qui vous permet d'attraper le bras de Gorobéi que vous tirez à vous dans l'intention de le déséquilibrer d'un coup de hanche. Vous comprenez aussitôt votre erreur. En effet, votre main glisse sur la peau huileuse de votre adversaire qui, de toute son adresse de lutteur, vous immobilise le bras derrière le dos et saisit votre gorge. Son étreinte est puissante. Vous tentez alors un saut périlleux qui vous sauverait de cette fâcheuse situation, mais Gorobéi, devinant votre intention, vous cloue au sol avant de vous asséner un terrible coup. Rendez-vous au **95**.

62

Le garde hésite, puis vous déclare :

— Attendez ici, il faut que j'aille chercher les papiers nécessaires. Il vous faudra un laissez-passer.

Il fait alors signe à un autre garde de prendre sa place, et disparaît sous la herse défendant la cour du château. Si vous décidez d'attendre qu'il soit de retour, rendez-vous au **31**. Si vous pensez qu'il serait plus prudent de partir, rendez-vous au **15**.

63

Vous bondissez jambes en avant vers l'un des prêtres, tentant de lui prendre le cou entre vos chevilles avant de tourner sur vous-même pour le mettre à terre. Vous pouvez choisir votre adversaire.

	DEF.	END.	DOM.
Premier PRÊTRE	4	12	1D + 1
Deuxième PRÊTRE	5	14	1D + 1
Troisième PRÊTRE	5	13	1D + 1

Si vous réussissez votre prise, vous essayez aussitôt une Patte du Tigre sur le prêtre qui roule sur le côté dans une tentative désespérée pour vous échapper. Sa DEFENSE est de 3 et, si vous parvenez à le frapper, vous ajouterez 2 points aux DOMMAGES que vous lui infligerez. Dans ce cas, si ce coup lui a ôté la vie et qu'il s'agisse là de votre dernier adversaire, rendez-vous au **55**. Maintenant, s'il est toujours vivant ou si vous avez raté votre coup, ou encore si plusieurs prêtres vous font toujours face, vous allez subir une sévère riposte avec une DEFENSE égale à 7 pour trois adversaires présents, à 8 pour deux adversaires, et à 9 s'il n'en reste plus qu'un. Bien entendu, pour le cas où il y aurait plus d'un prêtre encore en vie, un seul vous attaque. Si vous parvenez à sortir indemne de ce combat, vous pourrez à nouveau passer à l'attaque, en tentant la Morsure du Cobra (rendez-vous au **82**), ou l'Éclair Brisé (rendez-vous au **71**).

64

Vous vous débattez dans l'eau qui bouillonne tout autour de vous. Un bouillonnement dû à l'arrivée d'une multitude de Bouches Flottantes qui vous assaillent de toutes parts. Vous luttez, mais en vain. En une minute votre squelette se retrouve dépouillé de toute chair. Est-il utile de dire que votre aventure se termine ici ?

65

A grands pas, vous vous éloignez des murailles inquiétantes de la Cité des Maléfices. La route que vous suivez serpente tout d'abord à travers des champs de maïs, dont les longues tiges s'inclinent sous une agréable brise ; mais, bien vite, les champs font place à une vaste plaine, transformée en véritable terrain de manœuvre. Plusieurs milliers d'hommes de la Légion de l'Épée de Damnation sont en effet en plein entraînement pour une guerre qui s'annonce imminente. Accélérant l'allure pour laisser au plus vite derrière vous ces préparatifs guerriers, vous vous engagez maintenant dans une contrée plus aride, plantée de vignes et de noyers. Si vous désirez continuer à suivre la route menant à Mortvalon, rendez-vous au **212**. Mais vous pouvez également obliquer vers le nord, et poursuivre votre chemin à travers les vignes. Rendez-vous alors au **235**.

66

La grotte dans laquelle vous venez de pénétrer est entièrement nue. Togawa s'est assis sur le sol, en tailleur, et vous vous installez de même, face à lui. Il vous complimente alors pour votre habileté et votre grande maîtrise de la Voie du Tigre, mais, reconnaissant sa supériorité, vous lui dites combien le combat qu'il a livré contre le Mastodonte vous a impressionné. Un léger sourire apparaît sur son visage ; se levant, il vous propose de vous montrer le coup de pied qui a eu raison du monstre. Tout en décomposant son mouvement, il vous précise qu'il s'agit là du coup connu sous le nom de Fléau de Kwon, et qu'il est beaucoup plus efficace que tous les coups de pied que vous avez appris jusque-là. Désormais, vous pourrez l'utiliser. Aussi, notez-le sur votre Feuille d'Aventure et ajoutez 1 point à votre Habileté au pied. Togawa ayant repris sa place devant vous, vous le mettez au courant des événements qui vous ont conduit jusqu'à lui pour lui demander son aide. Au fur et à mesure de votre récit, son regard est devenu plus perçant. Et, au moment même où vous achevez de parler, il vous demande abruptement :
— Où est ta maison ?
Allez-vous lui répondre : « Je n'ai pas de maison » (rendez-vous au **20**), « Ma maison est mon corps » (rendez-vous au **32**), « Ma maison se trouve dans l'Ile

des Songes Paisibles » (rendez-vous au **43**) ou « Je crois en Kwon, le monde est ma maison » (rendez-vous au **53**) ?

67

Avant tout, notez cet Assaut sur votre Feuille d'Aventure. Au moment même où vous alliez être frappé, vous basculez légèrement en arrière tout en projetant la jambe droite en avant, pied tendu, vers le visage du capitaine.

CAPITAINE PIRATE
DEFENSE contre le Tigre Bondissant : 6
ENDURANCE : 12
DOMMAGES : 1D + 2

Si vous êtes vainqueur, rendez-vous au **58**. Si vous venez de lui porter un quatrième Assaut et qu'il soit toujours vivant, rendez-vous au **45**. Autrement, il riposte en essayant de vous porter un coup avec son redoutable fléau d'armes. Votre DEFENSE est de 7. Si après cette attaque vous êtes toujours en vie, vous pouvez tenter les Dents du Tigre (rendez-vous au **87**), la Morsure du Cobra (rendez-vous au **77**), ou de nouveaux coups de pied (revenez alors au début du paragraphe).

68

Yaémon est bien trop rapide pour que vous songiez à tenter les Dents du Tigre. Allez-vous alors risquer le Tourbillon (rendez-vous au **367**), ou la Queue du Dragon (rendez-vous au **319**) ? Mais avant tout il faut décider, dès à présent, si vous allez utiliser votre Force Intérieure (à la condition qu'il vous en reste), ou non.

69

Vous placez rapidement une Fléchette Empoisonnée sur votre langue tout en faisant un saut périlleux qui vous amène à quelques pas de votre adversaire. A peine êtes-vous retombé sur vos pieds que, visant Yaémon, vous crachez le dard. A votre grand étonnement, Yaémon vous regarde en conservant la plus parfaite immobilité. Il se contente de souffler sur la Fléchette avant qu'elle ne l'atteigne, pour la détourner de sa trajectoire ! Sous votre regard médusé il s'accroupit, puis bondit à une hauteur incroyable dans les airs, la jambe gauche tendue prête à vous décocher un Cheval Ailé en pleine tête. Il pousse alors un cri terrifiant et vous comprenez qu'il va utiliser sa Force Intérieure. Si vous possédez la discipline de l'Acrobatie, rendez-vous au **350**. Sinon vous ne pouvez qu'essayer de parer son attaque. Votre DEFENSE est de 8. Si vous réussissez, rendez-vous au **411**. Si vous échouez, rendez-vous au **24**.

70

La Fortune prend sa source dans une étroite vallée encaissée dans les hauteurs des Monts des Visions. Au fur et à mesure que vous grimpez, l'air devient plus frais et la neige commence à tomber. Vous retournez alors votre costume de Ninja, de manière à être vêtu de blanc et à vous fondre dans ce paysage d'une étincelante blancheur. Enfin, vous atteignez la Passe de la Fortune et, vous glissant à l'abri d'une large fissure de rocher, vous ne tardez pas à tomber dans un sommeil réparateur qui vous fait gagner 4 points d'ENDURANCE. Le jour vient à peine de se lever lorsqu'un cri vous réveille en sursaut. Sans perdre un instant, vous rassemblez votre équipement, et vous vous faufilez en restant à l'abri des rochers vers le lieu d'où ce cri semblait provenir. Légèrement en contrebas, vous ne tardez pas à apercevoir un guerrier qui, l'épée à la main, se défend vaille que vaille contre de terribles Hommes-Oiseaux, les Arocs. Soudain, un éclair vert jaillit de son arme et foudroie l'une des créatures. Mais les Arocs sont nombreux... Vous pouvez prêter main-forte au guerrier si vous le désirez (rendez-vous au **271**), ou rester caché en attendant que les Hommes-Oiseaux s'éloignent (rendez-vous au **284**).

71

Après avoir rapidement choisi l'adversaire que vous allez combattre, vous avancez d'un pas vers lui et, levant brusquement la jambe droite tout en vous inclinant légèrement en arrière, vous essayez de lui porter un coup de pied au visage.

	DEF.	END.	DOM.
Premier PRÊTRE	4	12	1D + 1
Deuxième PRÊTRE	5	14	1D + 1
Troisième PRÊTRE	5	13	1D + 1

Si vous êtes vainqueur, et qu'il s'agisse là de votre dernier adversaire, rendez-vous au **55**. Maintenant, s'il est toujours vivant, si vous avez raté votre coup, ou si plusieurs prêtres sont toujours en vie, préparez-vous à subir une sévère riposte avec une DEFENSE de 7 pour trois adversaires encore présents, de 8 pour deux adversaires, et de 9 s'il n'en reste qu'un. Bien entendu, pour le cas où il y aurait plus d'un prêtre encore en vie, un seul vous attaque. Si vous parvenez à sortir indemne de ce combat, vous pourrez à nouveau passer à l'attaque en tentant les Dents du Tigre (rendez-vous au **63**), la Morsure du Cobra (rendez-vous au **82**), ou un nouveau coup de pied (revenez alors au début du paragraphe).

72

D'un mouvement souple de la main, le Mage trace un signe dans l'air, créant aussitôt un champ de force lumineux devant lui. Vous lancez le Shuriken avec toute l'énergie dont vous êtes capable, espérant ainsi pouvoir vaincre le bouclier de lumière. Jetez deux dés. Si le résultat obtenu est supérieur à 6, rendez-vous au **49** ; sinon, rendez-vous au **60**.

73

Vous sautez dans la barque, et vous souquez ferme à travers le marécage en direction de la douve. C'est alors que vous remarquez avec horreur que l'eau pénètre à gros bouillons dans votre embarcation par toutes les fissures de la coque et, lorsque vous atteignez la douve, vous coulez irrémédiablement. Votre situation est d'autant plus précaire qu'ici l'eau est infestée de Bouches Flottantes, d'immondes poissons carnivores plus redoutables encore que des piranhas. Si vous possédez la discipline de l'Escalade, vous avez encore le temps de lancer votre grappin vers la tour, en espérant qu'il s'accrochera au sommet de la muraille, ce qui vous permettrait de vous sortir de ce mauvais pas en vous hissant à l'aide de la corde (rendez-vous au **57**). Si vous possédez la discipline de l'Acrobatie, vous pouvez tenter, par un bond prodigieux, d'atteindre l'autre bord de la douve (rendez-vous au **33**). Enfin, si vous ne possédez aucune de ces disciplines, ou si vous ne désirez pas les utiliser, il ne vous reste plus qu'à nager du plus vite que vous le pourrez (rendez-vous au **64**) !

74

Vous vous hissez sans bruit hors de la douve, et vous entreprenez la périlleuse ascension de la muraille du château à l'aide de vos Griffes de Chat. Le souffle court, vous parvenez au sommet des remparts et vous vous apprêtez à jeter un coup d'œil sur le chemin de ronde, lorsque le bruit des pas d'un garde vous fait vous plaquer contre le mur dans la plus parfaite immobilité. Retenant votre souffle, vous attendez que l'homme se soit éloigné, mais une sueur glacée vous baigne le front lorsqu'il s'arrête juste au-dessus de vous, et se penche pour examiner la douve. Une dizaine de minutes s'écoulent ainsi, et vous ne tardez pas à ressentir une intense douleur dans vos muscles tendus. Le garde finit cependant par s'éloigner et, après avoir encore attendu quelques minutes, vous prenez pied sur le chemin de ronde. Sans perdre un instant, vous vous saisissez du grappin et, l'ayant fixé au mur, vous vous laissez glisser le long de la corde jusque dans la cour. Une légère secousse donnée à la corde suffit à faire retomber le grappin. Mais votre déception est grande, car vous vous rendez alors compte que vous vous trouvez dans la cour extérieure du château ; une autre muraille vous sépare de la cour intérieure où se dresse le Donjon. Non loin de la grille d'accès — qui est actuellement fermée —, vous remarquez, percée dans le mur, une étroite ouverture permettant, sans doute, de faire passer par là armes et vivres. Si vous possédez la discipline de l'Évasion, vous pouvez essayer de vous faufiler dans cette sorte de guichet (rendez-vous au **277**). Sinon, il va falloir faire appel, une fois de plus, à vos talents de grimpeur (rendez-vous au **38**) !

75

Utilisant les griffes de chat, vous grimpez au plafond de la pièce et, sans faire le moindre bruit, vous ouvrez une trappe que vous aviez remarquée et qui débouche sur les toits. *Tentez votre Chance.* Si vous êtes Chanceux, rendez-vous au **94**. Si vous êtes Malchanceux, rendez-vous au **125**.

76

Le prêtre ne semble pas offensé par votre refus d'adorer sa déesse : tout au contraire, il vous mène chez lui, près de la cathédrale au Grand Dôme, où il vous invite à partager son repas. Tout en dévorant à belles dents les mets délicieux qu'il a disposés sur une table, il vous informe que les êtres diaboliques que vous recherchez s'approchent en ce moment même de la cité de Druath Glennan située sur la côte nord de la Mer de l'Étoile. Il se fait tard : aussi acceptez-vous sa proposition de passer la nuit chez lui. Ainsi, vous gagnez 3 points d'ENDURANCE. A votre réveil, vous remarquez que l'un de vos Shurikens est posé sur une chaise, à côté du lit. Il ne semble pas qu'il ait été utilisé, mais vous constatez qu'un symbole magique y est maintenant gravé. Pendant le petit déjeuner, le prêtre vous avise que c'est lui qui a ainsi jeté un sort favorable à votre Shuriken, et qu'il priera pour vous afin que la Chance vous sourie. Désormais, lorsque vous utiliserez ce Shuriken magique, vous pourrez ajouter 1 point au résultat obtenu en lançant les dés. Après l'avoir remercié pour son hospitalité, vous prenez congé du prêtre. Vous n'avez fait que quelques pas dans une étroite allée située non loin de sa demeure quand un char à bœufs débouche d'une ruelle adjacente dans des grincements d'enfer. Tiré par quatre bovins écumants, il fonce vers vous à toute allure. Allez-vous bondir pour essayer d'exécuter un saut qui vous permettrait de le survoler (rendez-vous au **405**), ou bien vous coller contre le mur qui borde l'allée : ce qui ne vous évitera pas d'être heurté par le véhicule ; mais au moins ne vous écrasera-t-il pas (rendez-vous au **416**) ?

77

Avant tout, notez cet Assaut sur votre Feuille d'Aventure. Le fléau d'armes passe à quelques centimètres de votre visage. Rassemblant toute votre énergie, vous lancez votre main, doigts tendus, vers le cou de votre adversaire.

CAPITAINE PIRATE
DEFENSE contre la Morsure du Cobra : 6
ENDURANCE : 12
DOMMAGES : 1D + 2

Si vous êtes vainqueur, rendez-vous au **58**. Si vous venez de lui porter un quatrième Assaut et qu'il soit toujours vivant, rendez-vous au **45**. Autrement, il riposte : votre DEFENSE contre son fléau d'armes est de 7. Si vous survivez à cette attaque, vous pouvez tenter les Dents du Tigre (rendez-vous au **87**), le Tigre Bondissant (rendez-vous au **67**), ou une nouvelle manchette (revenez alors au début du paragraphe).

78

Alors que vous vous apprêtez à bondir sur Tisseur de Runes, il pointe son épée vers vous, tout en murmurant une étrange incantation. Aussitôt, une décharge d'énergie fuse de la pointe de son arme. Si vous possédez la discipline de l'Acrobatie, vous pouvez essayer de bondir au-dessus de l'éclair vert, ce qui vous permettrait de vous retrouver en position favorable pour porter une attaque au magicien-guerrier (rendez-vous au **288**). Si vous ne possédez pas cette discipline — ou si vous ne voulez pas l'utiliser —, vous lancez un Shuriken pour essayer de détourner l'éclair. La DEFENSE de la décharge est de 7. Si vous réussissez, rendez-vous au **292**. Si vous échouez, rendez-vous au **365**.

79

Vous avez réussi à pénétrer au cœur de la Forteresse. Face à vous se dresse l'imposante masse du Donjon. Avec la plus extrême prudence, vous traversez la cour intérieure qui vous en sépare. Mais vous n'avez, malgré tout, pas pris suffisamment de précautions car un garde vous aperçoit et donne l'alerte. Dans la cour illuminée par la pleine lune, vous cherchez en vain un endroit pour vous cacher, alors qu'une armée de gardes surgit du Donjon. Votre seule chance est, peut-être, de faire demi-tour pour suivre le chemin qui vous a amené ici. Mais vous n'êtes pas le seul à avoir eu cette idée : Honoric se dresse devant vous !

A ses côtés, le capitaine des gardes déploie ses hommes d'armes qui, lentement, vous entourent. Dans une tentative désespérée vous vous précipitez vers lui et, avant qu'il n'ait pu esquisser le moindre geste, vous lui portez une violente manchette à la base du cou, qui l'assomme net. Mais ses hommes sont trop nombreux pour vous. Dans peu de temps, vous aurez perdu la vie sous le regard sardonique de Honoric. On ne peut investir aussi facilement la Forteresse de Guen Dach !

80

Vous avancez d'un pas en faisant le geste de l'attaquer mais, brusquement, vous exécutez un saut périlleux, et vous atterrissez à ses côtés. Son poing ne peut que balayer l'air à l'endroit où vous vous teniez quelques secondes auparavant. Décontenancé, Gorobéi se tourne vers vous. Vous êtes maintenant dans une position particulièrement favorable pour lui porter un coup ; aussi vous ajouterez 2 points au résultat obtenu par les dés lors du prochain Assaut. Allez-vous esquisser un coup de poing, mais tenter le Tigre Bondissant (rendez-vous au **17**), faire semblant d'essayer une mise à terre et lui porter une Morsure du Cobra (rendez-vous au **35**), ou feinter un coup de pied pour exécuter un Tourbillon (rendez-vous au **61**) ?

81

Alors que vous progressez péniblement dans la Chaussée des Géants, l'air devient de plus en plus frais ; la neige, même, se met à tomber. Bientôt, toute trace de chemin disparaît, et vous devez suivre de vagues pistes de chèvres des montagnes, qui ne tardent pas à être recouvertes par la neige. Vous parvenez néanmoins au faîte de la passe, presque cachée par les lourds nuages dont elle est environnée. C'est à cet instant que, levant les yeux, un frisson vous parcourt lorsqu'il vous semble remarquer, au sommet d'un pic qui s'élève non loin de vous, une gigantesque statue. Vous pensez, tout d'abord, être la victime d'une illusion : due, peut-être, à la neige qui tombe à présent à gros flocons, aux nuages immobiles dans le ciel, à la demi-obscurité ambiante... mais non ! L'éclair qui vient de jaillir au sommet du pic est bien réel ! Et c'est dans la plus totale panique que vous dévalez la pente, poursuivi par un effroyable rugissement. Le rugissement de l'avalanche qui, bientôt, vous rattrape et vous précipite dans un ravin sans fond. Votre aventure se termine ici.

82

Les doigts tendus, vous essayez de frapper l'un des prêtres, là où sa cotte de mailles ne le protège pas, c'est-à-dire à l'aisselle. Vous pouvez combattre l'adversaire de votre choix en tentant la Morsure du Cobra.

	DEF.	END.	DOM.
Premier PRÊTRE	5	12	1D + 1
Deuxième PRÊTRE	7	14	1D + 1
Troisième PRÊTRE	6	13	1D + 1

Si vous êtes vainqueur, et s'il s'agissait là de votre dernier adversaire, rendez-vous au **55**. Maintenant, s'il est toujours vivant, si vous avez raté votre coup, ou si plusieurs prêtres sont toujours en vie, préparez-vous à subir une sévère riposte avec une DEFENSE de 7 pour trois adversaires encore présents, de 8 pour deux adversaires, et de 9 s'il n'en reste qu'un. Bien entendu, pour le cas où il y aurait plus d'un prêtre encore en vie, un seul vous attaque. Si vous parvenez à sortir indemne de ce combat, vous pourrez à nouveau passer à l'attaque en tentant l'Éclair Brisé (rendez-vous au **71**), les Dents du Tigre (rendez-vous au **63**), ou un nouveau coup de poing (revenez alors au début du paragraphe).

83

La grotte est sombre, très sombre, et vous écarquillez les yeux pour essayer d'y voir quelque chose. Enfin, vous vous habituez à l'obscurité, et vous appelez Togawa. Non loin de vous, le squelette d'un élan géant des Iles de l'Ouest gît sur le sol, les os gigantesques de ses membres brisés pour en extraire, selon toute vraissemblance, la moelle. Retenant votre respiration, vous avancez de quelques pas, mais vous vous immobilisez aussitôt en percevant le souffle de ce qui ne peut être qu'une énorme créature tapie dans l'ombre. Et, en effet, à peine vous êtes-vous mis sur la défensive qu'un Mastodonte des Profondeurs surgit devant vous et vous balaye d'un seul coup de patte. C'est sans douceur que vous vous écrasez contre la paroi de la grotte, ce qui vous fait perdre 4 points d'ENDURANCE. Si vous avez survécu à cette attaque, vous vous jetez au sol, la tête la première et, juste avant de l'atteindre, détendant bras et jambes, vous bondissez comme un ressort vers votre adversaire tout en tournant sur vous-même et en projetant votre

83 *Le Moine frappe le Mastodonte avec une violence telle qu'il s'affale comme une masse sur le sol.*

jambe droite en direction de sa gueule que votre pied heurte de plein fouet en produisant un bruit d'os brisé. Le monstre rugit, mais n'abandonne pas le combat pour autant, et c'est miracle si vous parvenez à résister tant bien que mal à ses furieux assauts. Néanmoins vous êtes bientôt au bord de l'épuisement, vous demandant si vous aurez même la force de tenter de vous enfuir, lorsque soudain l'apparition d'un moine lévitant à une dizaine de centimètres du sol vous prive, de stupéfaction, de vos derniers réflexes. Fort heureusement, le monstre a, lui aussi, aperçu l'homme. Alors, se désintéressant de vous, il se tourne vers lui au moment même où le moine atterrit en douceur, et se précipite vers ce nouvel adversaire toutes griffes en avant. Sans paraître se soucier le moins du monde du danger, le moine, d'un mouvement souple, pivote sur sa jambe gauche présentant ainsi le dos à la créature, et balance sa jambe droite, pied en avant ; décrivant en un éclair un arc de cercle parfait, elle frappe le Mastodonte à la hauteur de l'estomac avec une violence telle qu'il s'affale comme une masse sur le sol sans plus donner le moindre signe de vie. Comme s'il ne s'était rien passé, le moine se tourne vers vous, le visage impassible, et, s'inclinant légèrement, il déclare :
— Mon nom est Togawa. Je vous serais reconnaissant de bien vouloir me suivre.
Traversant la caverne du Mastodonte, vous pénétrez à sa suite dans une grotte de petites dimensions. Rendez-vous au **66**.

84

Pivotant sur votre jambe gauche, vous lancez votre pied droit en direction du visage de Yaémon tout en poussant un hurlement. Mais, anticipant votre coup, il s'est jeté à terre. Se recevant avec souplesse sur le dos, il vous frappe à l'aine de son pied tendu, ce qui vous arrache un cri de douleur. Puis, sans vous laisser le temps d'esquisser le moindre mouvement de défense, ses deux chevilles vous enserrent le cou. Roulant alors sur lui-même, il vous expédie, avec une variante des Dents du Tigre, à quelques mètres de l'endroit où vous vous trouviez. Vous vous attendiez si peu à cette attaque que vous êtes dans l'incapacité la plus totale de bien vous recevoir. Et vous touchez le sol avec une telle brutalité que vous perdez 6 points d'ENDURANCE. Et ce n'est pas le moment de vous apitoyer sur votre sort, car Yaémon est déjà sur vous ! Aussi, bondissant sur vos pieds, vous essayez tant bien que mal d'éviter le Cheval Ailé qu'il s'apprête à vous porter. Si vous possédez la discipline de l'Acrobatie, rendez-vous au **350**. Sinon, vous ne pouvez qu'essayer de parer son coup. Votre DEFENSE est de 7. Si vous réussissez, rendez-vous au **411**. Si vous échouez, rendez-vous au **24**.

85

La décharge vous frappe en plein côté, vous projetant avec une violence extrême contre le mur, ce qui vous fait perdre 8 points d'ENDURANCE. Si vous êtes toujours vivant, vous avez juste le temps de vous remettre sur pied, les traits déformés par la douleur, pour faire face au Barbare qui se rue de nouveau sur vous, sa longue épée haut levée. Il vous faut à tout prix contre-attaquer. Vous pouvez tenter la Morsure du Cobra (rendez-vous au **377**), le Cheval Ailé (rendez-vous au **302**), ou la Queue du Dragon (rendez-vous au **318**). Mais, si vous possédez la discipline des Fléchettes Empoisonnées, il vous est également possible de l'utiliser (rendez-vous au **8**).

86

Aussi silencieux qu'une panthère, vous rampez vers le garde qui s'appuie de l'épaule contre la porte. Allez-vous essayer de le garrotter (rendez-vous au **116**), ou préférez-vous lui envoyer un Shuriken à la gorge (rendez-vous au **105**) ?

87

N'oubliez pas de noter cet Assaut sur votre Feuille d'Aventure.
Vous vous baissez juste à temps pour éviter la boule de fer qui passe en sifflant au-dessus de votre tête puis, bondissant, vous projetez vos jambes en avant dans le but de prendre le cou de votre adversaire entre vos chevilles, et de l'expédier à la mer en tournant sur vous-même.

CAPITAINE PIRATE
DEFENSE contre la mise à terre : 6
ENDURANCE : 12
DOMMAGES : 1D

Si vous êtes vainqueur, rendez-vous au **34**. Si vous venez de porter un quatrième Assaut, et que le capitaine soit toujours vivant, rendez-vous au **45**. Enfin si vous venez d'échouer dans votre tentative de mise à terre, il riposte. Votre DEFENSE contre son fléau d'armes est de 7. Dans ce dernier cas, si vous sortez indemne de ce combat, vous pouvez tenter la Morsure du Cobra (rendez-vous au **77**), ou le Tigre Bondissant (rendez-vous au **67**).

88

Seul Yaémon vous a vu glisser la Fléchette Empoisonnée dans votre bouche. Dans un rapide mouvement, vous vous tournez vers lui et vous soufflez le petit projectile. Votre stupéfaction est intense lorsque vous le voyez lever la main et saisir la Fléchette entre le pouce et l'index au moment même où elle allait se planter dans sa joue !

— Tuez-le, dit-il en souriant cruellement.

Brûlant de faire étalage de ses pouvoirs, Manse, le Mage de la Mort, s'avance d'un pas. Tendant la main vers vous, la paume levée vers le ciel, il agite ses doigts comme s'il vous faisait signe de vous approcher. Dans votre poitrine, vous ressentez au même moment un léger picotement. Soudain, le mouvement de ses doigts s'amplifie ; c'est une véritable douleur qui vous assaille maintenant. Sa main se referme, et vous avez l'impression qu'elle s'est resserrée autour de votre cœur. Vous haletez, le visage inondé d'une sueur glacée. Votre corps est alors secoué de convulsions, avant de s'effondrer sur le sol, sans vie. Votre aventure se termine ici.

89

Vous exécutez une roue qui met Yaémon à votre portée, et vous vous préparez à l'attaque. Vous pouvez choisir le combat au poing (rendez-vous au **266**), au pied (rendez-vous au **390**), ou tenter une mise à terre (rendez-vous au **401**).

90

De la main, Manse trace un signe dans l'air, et aussitôt un bouclier lumineux se matérialise devant lui, arrêtant net la Fléchette dans sa course. Vous le voyez alors remuer les lèvres, les yeux luisants de haine et, vous doutant qu'il s'apprête à jeter un nouveau sort, vous vous précipitez sur lui. Rendez-vous au **413**.

91

La pluie diminue d'intensité alors que vous avancez lentement dans la douve. Soudain, vous tendez l'oreille : un crissement régulier se rapproche de vous. Sans aucun doute s'agit-il de quelqu'un foulant le gravier. Les pas d'un garde ?... Sans hésiter, vous disparaissez sous la surface de l'eau. *Tentez votre Chance.* Si vous êtes Chanceux, il ne vous aperçoit pas. Rendez-vous alors au **74**. Mais si vous êtes Malchanceux, rendez-vous au **108**.

92

Abandonnant toute prudence, Olvar se rue sur vous en faisant décrire à son épée de redoutables cercles au-dessus de sa tête. Pour dire la vérité, il ne semble pas le moins du monde redouter votre attaque. Aussi, vous retrancherez 1 point de tous les DOMMAGES que vous pourriez lui infliger. De votre avant-bras gauche vous parez le coup qu'il vous porte, alors que dans le même mouvement vous tentez de la main droite une terrible Morsure du Cobra.

OLVAR LE BARBARE
DEFENSE contre la Morsure du Cobra : 6
ENDURANCE : 18
DOMMAGES : 1D + 2

Si vous êtes vainqueur, rendez-vous au **47**. Sinon, il se précipite à nouveau sur vous, l'épée pointée vers votre poitrine. Votre DEFENSE contre ce coup est de 8. Si après cet Assaut vous êtes toujours en vie, vous ripostez en tentant un coup de pied (rendez-vous au **23**), une mise à terre (rendez-vous au **39**), ou un autre coup de poing (revenez alors au début du paragraphe).

93

Le pays sauvage fait bientôt place aux prairies qu'arrose la Fortune. Bien qu'aucune créature vivante ne soit visible, l'herbe porte de nombreuses empreintes de pattes et de pas : sans doute ne fait-il pas bon s'aventurer dans les parages la nuit venue... d'autant plus que vous longez maintenant l'orée d'une sombre forêt ! A l'évidence vous gagneriez un temps précieux en la traversant ; mais la sourde angoisse qui vous étreint à présent vous en empêche. Lançant des regards de tous côtés, vous avancez d'un pas rapide. Devant vous, l'herbe de la prairie semble maintenant avoir été foulée par une armée entière. Vous penchant sur les traces, vous en venez à la conclusion qu'une horde d'Orques est passée par là, se dirigeant selon toute vraisemblance vers le Rift. Allons, la ville de Fendil ne doit plus être très éloignée ; et vous ne devriez pas tarder à l'apercevoir... peut-être après avoir dépassé ce dernier bosquet... Vous accélérez encore le pas, en proie à la plus grande inquiétude, et vous vous heurtez presque à un homme que les arbres vous avaient dissimulé jusqu'alors. La surprise créée par la soudaineté de cette rencontre vous a fait bondir en arrière ; l'effroi qui vous a envahi lorsque vous avez réalisé qui se trouvait en face de vous a presque étouffé les battements de votre cœur. C'est un homme. Un homme courbé par les ans. Il est revêtu d'une ample robe bleue en lambeaux, et son visage est maculé de sang. D'un sang qui s'est écoulé de ses orbites maintenant vides. Et le plus effroyable, c'est que, alors que vous étiez presque sur lui, il a hurlé :

– Non ! Je n'ai pas d'or, je n'ai pas d'or ! Non, ne me mangez pas, ne me mangez pas ! Je suis empoisonné, vous n'y survivriez pas !...

Cela vous a pris beaucoup de temps pour le calmer, pour lui faire comprendre que vous n'étiez pas son ennemi, et que l'idée de vouloir le manger ne vous avait jamais effleuré. Enfin, quelque peu rassuré, il s'est assis dans l'herbe, et a commencé à vous conter son histoire. A mots embrouillés qu'il ne vous a pas été facile de comprendre tout d'abord... Ce pauvre hère est un moine de Fendil. Depuis qu'il a perdu la vue, il a senti quatre fois la chaleur du soleil lui brûler le visage. Quatre jours se sont donc écoulés depuis l'instant funeste où, croyant qu'il l'espionnait, un homme répondant au nom de Honoric lui a arraché les yeux.

– Comme à l'accoutumée, je me trouvais non loin des appartements de Yaémon, un Grand Maître de notre Ordre, devant une petite fenêtre donnant sur son salon particulier. Là, je remplissais mes fonctions habituelles : nettoyer le couloir, m'assurer que tout était en ordre. C'est alors que le Grand Maître est entré dans son salon, en compagnie de cet Honoric. Ils parlaient haut, et c'est pourquoi j'ai entendu qu'ils projetaient ensemble un voyage de la plus grande importance, vers le nord, et qu'ils attendaient pour se mettre en route qu'un troisième personnage vienne les rejoindre. Un mage... Oui, c'est cela : le Mage de la Mort. Sans doute ai-je dû à un moment

ou à un autre manifester ma présence, car Honoric a soudain surgit devant moi et, criant à tue-tête que j'écoutais leur conversation, il a levé ses mains vers moi, et mes yeux m'ont quitté comme attirés par un aimant... Et je n'écoutais rien... Maudit soit-il !... Monsieur, soyez bon : je suis affamé ; et de quel côté se trouve la rivière ?
C'est d'une voix étranglée de colère que vous lui indiquez le chemin qu'il vous demande, tout en lui refermant la main sur les dernières noix que vous possédiez. Que pouvez-vous faire de plus pour ce malheureux ? A l'évidence, gagner, du plus vite que vous le pouvez, Fendil, pour réduire à néant ces êtres maléfiques. Rendez-vous au **260**.

94

Vous vous jetez tête la première vers le sol qui se trouve sept mètres plus bas puis, exécutant un prompt rétablissement pendant votre chute, vous atterrissez avec la souplesse d'un chat. Personne ne vous a remarqué, et vous glissez comme une ombre de la nuit vers les portes de la ville que vous franchissez sans attirer l'attention des gardes sommeillant, alors que l'horizon se teinte des premières lueurs de l'aube. Rendez-vous au **65**.

95

Gorobéi vous a décoché un coup de poing sous le menton avec une telle force que vous vous effondrez inconscient sur le sol de granit. C'est un jeune villageois qui vous fait reprendre vos esprits en vous aspergeant le visage d'eau fraîche. Quelques-uns des plus jeunes serviteurs du Temple vous entourent, vous murmurant des paroles de consolation. Une heure plus tard, Gorobéi est de retour dans la salle ; et vous joignez vos applaudissements à ceux des moines et des villageois lorsqu'il est ordonné Grand Maître de l'Ordre Ninja. Rendez-vous au **191**.

96

Avant même que ces maudits prêtres n'aient pu terminer leur incantation diabolique, vous vous précipitez sur eux. Tous sont bien protégés par leurs cottes de mailles, et leurs fléaux d'armes haut levés sont prêts à vous frapper. Mais la rapidité n'est pas leur qualité principale. Allez-vous tenter les Dents du Tigre (rendez-vous au **63**), la Morsure du Cobra (rendez-vous au **82**), ou l'Éclair Brisé (rendez-vous au **71**) ?

97

Un des pirates vous a aperçu. Un poignard à la main, il se précipite vers vous, dans l'intention évidente de vous trancher les doigts. Mais le cliquetis produit par les nombreuses boucles de métal qui pendent à ses oreilles vous a averti à temps... Un prompt rétablissement vous permet de sauter souplement par-dessus le bastingage, et de vous retrouver face à l'homme. Levant dans un réflexe la main droite, vous lui saisissez le bras au moment même où le poignard allait vous atteindre. Puis, exécutant un Tourbillon, vous expédiez le pirate par-dessus bord sans autre forme de procès. La voie est libre, mais vous n'avez pas une seconde à perdre. Vous vous précipitez vers l'échelle de coupée que vous gravissez à toute allure pour atteindre le château arrière d'où le capitaine dirige ses hommes. Vous voyant surgir devant lui comme un diable, il a tout d'abord un mouvement de recul.

Mais il se reprend vite. L'homme est de haute stature, et son visage est à demi caché par une barbe hirsute de couleur rousse. De larges bracelets en or enserrent si fortement ses avant-bras que les veines sur ses muscles sont tendues comme des cordes. Un sourire cruel déforme son visage alors qu'il fait tournoyer son fléau d'armes au-dessus de sa tête. Allez-vous tenter le Tigre Bondissant (rendez-vous au **67**), la Morsure du Cobra (rendez-vous au **77**), ou les Dents du Tigre (rendez-vous au **87**) ?

98

Alors que vous vous avancez dans les eaux fangeuses du marais, le Shaggoth se tourne dans votre direction en produisant un horrible bruit de succion, ce qui permet à l'Elfe Noir d'échapper aux immondes tentacules. Ses yeux en amande brillent de la joie d'avoir recouvré la liberté, et il vous adresse un large sourire de gratitude. Ensemble, vous faites maintenant face au monstre, prêts à en terminer. C'est à ce moment que, profitant de votre naïveté, l'Elfe vous assène en plein dans le dos un violent coup du plat de son épée qui vous expédie dans les replis flasques et putrides de la chair du Shaggoth. Puis, dans un cruel éclat de rire, il se dirige calmement vers la barque. Quant à vous, c'est en vain que vous essayez de vous dégager de l'emprise visqueuse de la créature qui, inexorablement, vous entraîne dans les profondeurs de son royaume. Votre aventure se termine ici.

99

Bien que vous soyez surveillé de près, vous parvenez à examiner la serrure de la porte massive donnant sur la cour intérieure de la Forteresse, et vous remarquez, creusé dans la muraille non loin de la porte, un guichet servant très certainement à passer armes et vivres. Enfin, on vous conduit au Donjon. Tout d'abord, vous pénétrez dans un vaste hall, d'où part un escalier en spirale menant sans aucun doute au sommet de l'édifice où les trois tourelles s'élèvent. Puis vous pénétrez dans une grande salle où Honoric et Yaémon, confortablement installés dans de profonds fauteuils, vident maintes coupes de vin tout en parlant à voix basse. A votre arrivée, ils cessent leur conversation, et vous vous avancez pour les saluer. A leurs côtés sont assis le Capitaine commandant la place et sa femme. Alors que Honoric ne vous prête qu'une attention discrète, il vous semble que Yaémon vous observe avec une attention soutenue. Mais peut-être n'est-ce là que le fruit de votre imagination ?... Sur un signe du Capitaine, vous commencez à chanter une ballade où les actes héroïques de guerriers de l'ancien temps se mêlent à leurs aventures amoureuses. Lorsque vous en avez terminé, de maigres applaudissements vous remercient, et le Capitaine vous gratifie d'une bourse bien garnie, en vous signifiant que vous pouvez maintenant quitter les lieux. Après avoir de nouveau salué l'assemblée, vous vous apprêtez à faire demi-tour, lorsque vous apercevez le Mage de la Mort qui pénètre dans la salle par une porte opposée à celle par laquelle vous êtes entré. Si vous possédez la discipline des Fléchettes Empoisonnées, vous pouvez profiter du fait que l'attention de toutes les personnes présentes s'est reportée sur Manse pour l'utiliser contre Yaémon (rendez-vous au **88**). Mais si vous ignorez cette discipline, ou si vous préférez ne pas vous en servir maintenant, il vous faut suivre les gardes qui vont vous conduire à l'extérieur de la Forteresse (rendez-vous au **418**).

100

Vous êtes maintenant agenouillé devant le grand autel, sous le dôme de la cathédrale. Une étrange torpeur vous envahit, et vous comprenez alors que le Destin vous a accepté comme l'un de ses dévots. Au même moment, vous comprenez aussi que Kwon, votre propre dieu, vient de vous renier ; car votre Force Intérieure vous a quitté, vous laissant dans un état de faiblesse extrême. Mais cela ne vous inquiète pas outre mesure car, ayant perdu toute volonté, et vous en remettant au Destin, le souvenir de votre vie passée s'estompe. Le but de votre mission — réduire Yaémon à l'impuissance — vous paraît même dérisoire, devant ce qui est maintenant pour vous la béatitude absolue : passer le restant de vos jours à Fendil, la cité du rêve, où vous serez un des prêtres du Temple. Un jour, pourtant, une sourde agitation chassera la torpeur qui règne sur la ville. Vous saurez alors que la sombre Légion de l'Épée de Damnation accompagnée des prêtres de l'Ordre de la Mante Écarlate viennent de franchir les Cimes du Présage, en route pour Fendil. Mais il sera trop tard. Car cela signifiera surtout que Kwon a été réduit à tout jamais à l'impuissance. Qu'importe... Votre raison sera trop affaiblie pour que vous ayez conscience de votre traîtrise.

101

Arrivé au bas de l'escalier, vous franchissez la voûte de pierre qui vous sépare du toit du Donjon. Là, vous vous trouvez en présence de Yaémon. Le Grand

Maître de la Flamme, premier dévot de Vile, vous fait face, un sourire moqueur aux lèvres. Sur son avant-bras gauche est tatoué le signe de la Mante Écarlate, et il porte la grande cape de son ordre. C'est un homme dans la force de l'âge, au corps souple et puissant. S'inclinant devant vous, il vous déclare :

— Tu as été bien long, Ninja !

Vous inclinant à votre tour, vous lui répondez :

— Certes. Et ma tâche n'est pas encore terminée.

Le sourire de Yaémon s'élargit.

— J'ai tué ton père spirituel, comme j'ai ôté la vie à ton véritable père alors que tu n'étais encore qu'un nourrisson. Maintenant, ton tour est venu.

Jamais personne ne vous avait parlé de votre père. Et vous ignoriez tout de sa fin tragique. Mais les derniers mots de Yaémon ont fait surgir en vous une foule d'images, de souvenirs lointains. Votre désir de vengeance, qui était déjà immense, a envahi comme une bouffée d'air brûlant votre corps et votre esprit. Cependant, la discipline Ninja vous permet, non sans peine, de contrôler vos passions. Et vous êtes prêt au combat, sachant que l'adversaire qui vous fait face est de toute première force. En effet, Yaémon n'était-il pas déjà Grand Maître de la Flamme bien avant votre naissance ? Personne ne maîtrise la Voie du Néant de la Mante comme lui. Sa force physique est à son summum ; quant à sa volonté, elle est immense. Lentement vous faites quelques pas vers lui, tout en ayant conscience que vous allez livrer le plus formidable combat de toute votre existence. Yaémon possède 20 points d'ENDURANCE. Allez-vous tout simplement vous précipiter vers lui (rendez-vous au **89**), vous en approcher seulement pour lui envoyer une Fléchette Empoisonnée — si toutefois vous possédez cette discipline — (rendez-vous au **69**), ou lancer vers lui trois Shurikens — à la condition qu'il vous en reste suffisamment — (rendez-vous au **51**) ?

102

Vous tendez l'Amulette qui aussitôt se brise en une multitude de morceaux qui étincellent en rebondissant d'une marche sur l'autre. Bien que le Mage de la Mort paraisse effaré que vous ayez pu aussi facilement contrer sa malédiction, il reprend vite ses esprits et, les traits déformés par la fureur, il prononce de nouveau quelques paroles infernales. Aussitôt une sombre brume se forme, puis se tord dans des représentations d'ignobles forces du mal et d'effroyables dieux oubliés depuis longtemps. Si vous possédez la discipline des Fléchettes Empoisonnées, vous pouvez choisir de l'utiliser maintenant. Rendez-vous dans ce cas au **90**. Sinon, allez-vous bondir sur lui (rendez-vous au **413**), ou préférez-vous lancer un Shuriken (rendez-vous au **72**) ?

103

Sans perdre un instant, vous faites demi-tour et vous vous mettez à courir du plus vite que vous le pouvez. Mais les hommes lancent alors une incantation, et votre corps entier s'alourdit subitement. Il vous semble que vos pieds se sont transformés en blocs de pierre ; et ce n'est que par un effort inouï de volonté que vous parvenez, tremblant sous l'effort, à les poser l'un devant l'autre. C'est en chancelant que vous atteignez la rivière, et vos dernières forces vous permettent de vous précipiter sous le couvert des roseaux. Allez-vous vous laisser glisser dans l'eau, pour vous cacher sous sa surface en utilisant votre tuba pour respirer (rendez-vous au **4**), ou faire basculer un gros rocher dans le cours de la rivière pour faire croire que vous venez de plonger, et vous éloigner en essayant de rester caché dans les roseaux (rendez-vous au **123**) ?

104

— Pour sûr, dit le garde, c'est une bien belle ville. J'ai navigué jusque-là, autrefois... Allez, vous pouvez passer.
Après l'avoir remercié, vous passez sous la herse, franchissez le pont-levis et pénétrez dans la cour de la Forteresse. Rendez-vous au **112**.

105

Le Shuriken siffle dans l'air de la nuit, et frappe le garde en pleine gorge. Sans un cri, il s'écroule sur le sol comme un pantin désarticulé. Craignant que d'autres gardes n'aient été témoins de la scène, vous vous précipitez en direction des portes de la ville sans prendre le temps de récupérer votre Shuriken (que vous rayez de votre Feuille d'Aventure). Rendez-vous au **125**.

106

Le Barbare se raidit légèrement en vous voyant placer la Fléchette sur votre langue. Mais vous parvenez à cracher le petit projectile avant qu'il n'ait pu esquisser le moindre geste, et la douleur se lit sur son visage lorsqu'il se plante au beau milieu de sa joue gauche. Mais vous avez affaire à un adversaire dont la constitution défie toutes les lois du monde d'Orb : le poison est pratiquement inefficace contre lui, et il ne perd que 4 points d'ENDURANCE. Profitant de votre stupéfaction, il se précipite vers vous, son épée fendant l'air en direction de votre épaule. Votre DEFENSE contre ce coup est de 8. Dans un réflexe désespéré, vous levez votre avant-bras pour vous protéger. Si vous êtes touché, le Barbare vous inflige 1D + 1 points de DOMMAGES. Si vous survivez à cette attaque, vous pouvez tenter la Morsure du Cobra (rendez-vous au **92**), le Cheval Ailé (rendez-vous au **23**), ou la Queue du Dragon (rendez-vous au **39**).

107

Sans que personne vous aperçoive, vous sautez lestement par-dessus le bastingage, et vous atterrissez sur le pont. Puis, escaladant à toute vitesse l'échelle de coupée menant au château arrière, vous surgissez devant le capitaine occupé à donner des ordres à son équipage. La surprise lui fait faire un pas en arrière ; mais il se reprend vite. L'homme est de haute taille, et son visage est mangé par une barbe hirsute de couleur rousse. De larges bracelets d'or enserrent ses avant-bras, faisant saillir comme des cordes les veines sur ses muscles. Alors que vous vous apprêtez à lui porter une attaque, il commence à agiter son fléau d'armes d'une façon plus que menaçante. Allez-vous tenter le Tigre Bondissant (rendez-vous au **67**), la Morsure du Cobra (rendez-vous au **77**), ou les Dents du Tigre (rendez-vous au **87**) ?

108

Grâce à votre tuba, c'est sans la moindre difficulté que vous pouvez respirer sous l'eau des douves. Mais le froid est trop intense pour que vous puissiez y rester plus d'une dizaine de minutes. Aussi, risquant le tout pour le tout, vous sortez de l'eau et vous expédiez votre grappin vers le sommet de la muraille où il s'accroche sans bruit. Du plus vite que vous le pouvez, vous vous hissez jusqu'aux créneaux où, avec la plus grande prudence, vous avancez la tête pour inspecter le chemin de ronde. Une terreur sans nom s'empare de vous : Honoric est là, l'épée à la main ! Un seul coup lui suffit pour vous ôter la vie. Vous avez été trahi par les grenouilles qui, en cessant de coasser, ont permis à un garde de vous entendre, alors que vous avanciez dans l'eau.

109

Vous attrapez son poignet à deux mains puis, tirant son avant-bras vers vous, vous essayez de le bloquer contre votre poitrine. Une prise que vous réussissez avec le plus grand succès, tant ses réactions sont lentes. Mais vous regrettez vite votre initiative : en effet, son corps semble soudain s'embraser, et vous hurlez sous l'intense douleur causée par les multiples brûlures qu'il vient de vous infliger, et qui vous font perdre 4 points d'ENDURANCE. Vous reculez en titubant, incapable maintenant de tenter le Tourbillon. De plus, il essaye à présent de vous frapper de son poing de feu. Votre DEFENSE contre ce coup est de 6, et s'il réussit, l'Homme-Salamandre vous infligera 2D + 1 points de DOMMAGES. Si après cet Assaut vous êtes toujours vivant, vous pouvez tenter le Poing de

Fer (rendez-vous au **131**), ou le Tigre Bondissant (rendez-vous au **119**).

110

Votre dernier coup a expédié Gorobéi au sol, où il gît maintenant, inconscient. Les applaudissements fusent de partout pour saluer votre victoire, tandis que le Grand Maître de l'Aube s'approche de vous en souriant pour vous adresser maints compliments. Ensemble, vous vous dirigez vers l'extrémité de la salle, où une petite porte est masquée par un rideau de soie. L'ayant écarté, le Grand Maître vous fait pénétrer dans une pièce faiblement éclairée par deux bougies blanches, et ne comportant aucun meuble, mis à part deux gros coffres de cuivre. Des fumées aromatiques s'élèvent d'un encensoir pendant du plafond. Sans un mot, vous vous agenouillez sur une natte de jonc, face aux quatre Grands Maîtres dont le regard semble perdu dans le lointain, attendant, à l'évidence, que vous leur adressiez la parole. Mais, par humilité, vous préférez garder le silence. Une heure plus tard, aucun de vous n'ayant fait le moindre mouvement, le Grand Maître de l'Aube déclare :

— Kwon connaît ton désir de le servir, car il sait lire dans les cœurs. Mais je dois te poser deux questions. Tout d'abord, veux-tu sincèrement servir Kwon plus que tout au monde, ou le désir de venger ton père adoptif, Naijishi, est-il le plus fort ? Ensuite j'aimerais que tu me dises ce que, d'après toi, un Ninja redoute le plus : échouer dans sa mission, ou être capturé par un ennemi qui pourra utiliser la torture afin qu'il lui révèle ses secrets ?

Vous savez qu'au fond de votre cœur la soif de vengeance vous dévore ; mais vous savez également qu'un Grand Maître se doit de consacrer sa vie entière à Kwon. Quant à la seconde question, mieux vaut laisser votre bon sens vous guider. Vous pouvez répondre :

— Je désire servir Kwon plus que tout, et ne redoute que d'échouer dans une mission (rendez-vous au **139**).

— Je brûle de venger le père qui m'a adopté et aimé, et je redoute la torture plus que tout (rendez-vous au **151**).

— Je brûle de venger le père qui m'a adopté et aimé, et ne redoute que d'échouer dans une mission (rendez-vous au **177**).

— Je désire servir Kwon plus que tout, et ne redoute que la torture (rendez-vous au **128**).

111

L'immense carcasse du Géant des Neiges s'effondre sur la glace qui craque sous son poids. A présent, il repose parfaitement immobile sur la surface gelée qui, peu à peu, se teinte du rouge de son sang. Tout en essayant de reprendre votre souffle, vous jetez un coup d'œil autour de vous. Le chevalier est mort, lui aussi, empoisonné par l'Homme-Cobra qui maintenant s'est lancé à la poursuite de l'homme revêtu de la robe bleu et or. Sans perdre de temps, vous vous dirigez vers la rive de la douve. Là, vous détachez un gros bloc de glace et, après lui avoir donné une forte impulsion en direction de la rive opposée, vous sautez dessus à pieds joints. Lentement, vous dérivez sur l'eau dans laquelle nagent de redoutables poissons carnivores, des Bouches Flottantes, toutes dents tendues vers vous ! Sur la rive, l'homme vêtu de bleu et or s'est saisi d'une longue perche. Prononçant quelque formule magique, il s'élance. Puis, plantant sa perche dans le sol, il s'élève dans les airs sous les murmures étonnés de la foule. C'est ensemble que vous atteignez l'autre rive. Rendez-vous au **372**.

112

Traversant la cour en direction de la salle où se trouve l'intendant, vous passez à proximité d'un endroit où Honoric et le Mage de la Mort, dans leur noire tenue de voyage, sont en grande conversation avec le Capitaine des gardes de la Forteresse et quelques-uns de ses hommes. Soudain, vous vous arrêtez net : Honoric, homme à la stature impressionnante et à l'air arrogant et cruel, vient de se saisir de l'épée du Capitaine et défie les gardes. Plusieurs d'entre eux, tirant leurs armes, commencent à croiser le fer avec lui. Mais que faire contre un pareil combattant ? En quelques secondes, trois hommes ont été désarmés ; et leurs compagnons reculent pied à pied, ne pouvant rien faire d'autre que se défendre, et parer tant bien que mal les formidables coups de Honoric, qui pourrait tout aussi bien les tuer s'il le voulait. Impassible jusqu'alors, Manse sourit maintenant. Et un geste lui suffit pour transformer l'épée de Honoric en une grosse tulipe d'un rouge écarlate. A la vue du colosse ferraillant une fleur à la main, le Capitaine ne peut s'empêcher d'éclater de rire, ce qui plonge aussitôt Honoric dans une effroyable colère. Jetant la tulipe à ses pieds, il dégaine son épée, l'Épée de Damnation. Une fumée empoisonnée s'échappe de sa sombre lame, et vous ne pouvez réprimer un frisson d'horreur. Les yeux agrandis par la peur, les gardes ont reflué à l'extrémité de la cour, tandis que Honoric, tendant son épée maléfique vers la fleur, lui redonne son apparence première.

— Où est passée ta magie, Mage de la Mort ? Damnation est hors de son fourreau, et tes incantations ne sont plus que balbutiements de nouveau-né, hurle Honoric.

L'inquiétude peut se lire dans les yeux du Mage dont le visage est devenu cireux. Tendant la main, doigts en avant, il murmure une brève incantation. Mais rien ne se produit. Sans dire un mot, Honoric tourne alors les talons. Puis, rengainant son épée, il se dirige à grands pas vers le Donjon. La lourde porte de la cour intérieure s'ouvre pour le laisser passer, ce qui vous permet de remarquer que l'une des tours du mur d'enceinte, celle qui est la plus éloignée de vous, est à demi effondrée. Vous devriez pouvoir l'escalader sans peine. Mais, pour l'instant, mieux vaut ne pas vous attarder en ces lieux. L'intendant vous déclare qu'un barde est déjà prévu pour le lendemain. Mais il assure vous avoir entendu chanter et a apprécié vos talents de jongleur. Aussi il vous propose de donner une représentation le soir même. En attendant, il vous demande de patienter dans la cour. Rendez-vous au **99**.

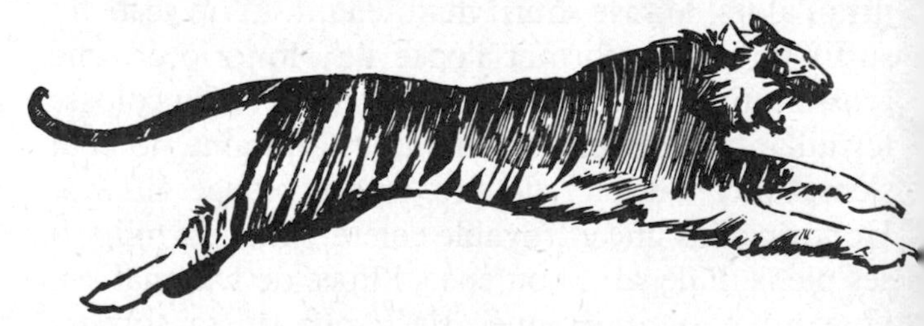

113

Tant bien que mal, glissant dans les éboulis de pierre, vous descendez vers la Passe de la Fortune. Allez-

112 *Un geste suffit à Manse pour transformer l'épée de Honoric en une tulipe rouge.*

vous prendre la direction du sud pour gagner, après avoir contourné les montagnes, la ville de Fendil (rendez-vous au **122**), ou traverser la Passe (rendez-vous au **70**) ?

114

Une seconde peut-être avant que votre coup ne l'atteigne, il a deviné que vous alliez le tuer. Pourtant il n'a rien fait pour l'éviter, acceptant sa mort avec stoïcisme. Bien que vous lui ayez brisé la nuque, il parvient à murmurer :

— Il était écrit qu'un jour tu me tuerais, Ninja.

Agissant ainsi, vous avez cependant mécontenté la Déesse du Destin. Cet ermite était l'un de ses dévots et, bien qu'elle connût par avance son avenir, votre geste sans pitié fait que, maintenant, elle vous tourne le dos. Ce qui vous fait perdre 2 points de Destin (qui peuvent être négatifs, ne l'oubliez pas). C'est en ruminant cette malchance que vous pénétrez dans la ville. Vous croisez à présent des hommes et des femmes qui vous sourient, ce que vous n'avez encore jamais remarqué dans les lieux déjà traversés. En fait, tous semblent perdus dans une douce torpeur. Le calme, bien illusoire, de ceux qui croient à l'enseignement de la Déesse : « Ce qui doit arriver arrivera forcément un jour. » Rendez-vous au **185**.

115

A la nuit tombée, vous faites des efforts désespérés pour vous débarrasser de vos liens. Mais tout ce que vous obtenez est un violent coup de fouet qui vous zèbre le dos. Épuisé, vous tombez de sommeil avant l'aube. A votre réveil, vous vous retrouvez les mains enchaînées par des menottes, et la taille prise dans un gros anneau de fer relié à la rame par une chaîne. Seule la mort vous libérera de ces liens. Vous avez échoué dans votre mission.

116

Comme une ombre, vous vous dressez derrière le garde, et vous lui glissez le garrot autour du cou. Seul un rauque murmure s'échappe de sa gorge avant qu'il ne glisse à terre, inconscient. Maintenant la voie est libre. Sans perdre un instant, vous vous faufilez hors des baraquements, et vous arrivez rapidement aux portes de la ville que vous franchissez sans attirer l'attention des hommes d'armes qui en assurent la protection. Rendez-vous au **65**.

117

La poudre se mêle aux flammes, donnant naissance à une aveuglante lueur qui éblouit Olvar. Baissant la main avec laquelle vous protégiez vos yeux, vous le voyez reculer en titubant hors de la cabane. Vous en profitez pour lui expédier un violent Cheval Ailé en pleine poitrine, qui le jette à terre. Sans doute lui avez-vous cassé quelques côtes, car il se tord de douleur dans la neige. Vous pouvez soustraire 5 points de son total d'ENDURANCE. Alors que vous vous apprêtez à bondir sur lui pour en terminer, un éclair bleuté jaillit de la pierre qu'il porte au front. Dans un réflexe désespéré, vous accomplissez un saut périlleux, ce qui vous permet de l'éviter de justesse. Mais Olvar en a profité pour se relever, et il se rue sur vous, avec des intentions qu'il vous est facile de deviner ! Allez-vous tenter de lui porter un Cheval Ailé (rendez-vous au **302**), une Morsure du Cobra (rendez-vous au **377**), ou une Queue du Dragon (rendez-vous au **318**) ? Mais si vous possédez la discipline des Fléchettes Empoisonnées, et si vous désirez l'utiliser, rendez-vous au **8**.

118

Du tranchant de sa main droite, Yaémon vous applique une violente manchette sur le côté gauche de votre cou. Vous grimacez de douleur, mais vous trouvez néanmoins les ressources suffisantes pour balayer l'air de gauche à droite avec votre pied. Vous repoussant sans difficulté, il vous applique une nouvelle manchette, sur le côté droit du cou, cette fois. C'est en vain que vous avez essayé d'amortir le coup de votre avant-bras : Yaémon est beaucoup plus rapide que vous. Maintenant, le poing droit fermé, il se prépare à vous expédier un coup dans le nez. Avec l'énergie du désespoir, vous parvenez à tendre le bras devant votre visage au moment même où il allait vous frapper. Les coups pleuvent à présent de toutes parts, et vous essayez de les parer tant bien que mal. Soudain, il tente de vous porter un Cheval Ailé en pleine poitrine. Mais vous l'aviez prévu. Et, tendant la main, vous réussissez à dévier son pied en le frappant à la cheville. Emporté par son élan, Yaémon accomplit un tour complet sur lui-même, et vous en profitez pour vous mettre hors de portée. Les traits déformés par la fureur, il vous fait face une fois de plus. Mais, sans lui laisser le temps de reprendre l'initiative, vous contre-attaquez. Allez-vous tenter un coup de pied (rendez-vous au **301**), un coup de poing (rendez-vous au **266**), ou une mise à terre (rendez-vous au **401**) ?

119

C'est un Homme-Salamandre qui se trouve maintenant face à vous. Néanmoins, son corps paraît toujours aussi lourd et massif. Aussi vous sera-t-il peut-être possible de lui porter un coup de pied. Si vous y parvenez, vous vous brûlerez, quelle que soit votre rapidité, et vous perdrez 1 point d'ENDURANCE.

HOMME-SALAMANDRE
DEFENSE contre le Tigre Bondissant : 5
ENDURANCE : 22
DOMMAGES : 2D + 1

Si vous êtes vainqueur, rendez-vous au **197**. Sinon, la créature va riposter en essayant de vous frapper de ses deux énormes poings. Votre DEFENSE est de 7. Si vous survivez à cet Assaut, vous pouvez tenter le Poing de Fer (rendez-vous au **131**), le Tourbillon (rendez-vous au **109**), ou un nouveau coup de pied (revenez alors au début du paragraphe).

120

C'est sans faire le moindre bruit que vous sortez de l'eau, et vous entreprenez aussitôt l'escalade de la tour qui ne vous pose pas de grandes difficultés. Le visage dégoulinant de pluie, vous arrivez à la hauteur des créneaux, et vous avancez la tête, prudemment. Deux gardes sont postés au sommet de la tour sous une toile goudronnée, sous laquelle brûle un feu. Un peu plus loin, vous distinguez le sommet de l'escalier menant à la cour intérieure où se dresse le Donjon. Profitant de ce qu'un nuage cache la lune, vous prenez pied sur le sommet de la tour. Allez-vous lancer un Shuriken sur l'un des gardes et vous précipiter sur l'autre pour le garrotter (rendez-vous au **11**), jeter une petite pierre dans le feu (rendez-vous au **355**) ou, à la condition que vous en possédiez, lancer une pincée de Poudre Éclair dans le feu (rendez-vous au **415**) ?

121

Vous attrapez la barque au moment où le Shaggoth commence à s'enfoncer dans les eaux boueuses, entraînant le malheureux Elfe Noir avec lui. Bientôt, il n'en reste plus que quelques bulles qui viennent crever à la surface. Puis plus aucune ride ne trouble la surface du maléfique marécage. C'est alors que vous réalisez que la coque de votre embarcation est dans un triste état : pleine de fissures, elle est déjà à moitié remplie d'eau. Allez-vous néanmoins sauter dedans et ramer vers la douve (rendez-vous au **73**), ou l'abandonner et vous diriger vers les dunes du désert (rendez-vous au **134**) ?

122

Vous avancez avec peine, manquant de vous rompre les os à chaque pas. Les pentes des Monts des Visions sont traîtres, et vous progressez bien plus lentement que vous ne l'aviez imaginé. A la fin de la plus rude de vos journées de marche, une lune rouge se lève. Une lune vous annonçant que vous avez trop tardé. Orb est maintenant plongé dans une nuit éternelle, et Kwon, votre dieu, est emprisonné à jamais. Avec horreur, vous sentez votre Force Intérieure vous échapper, alors que vous êtes gagné par une effroyable langueur qui vous rend totalement impuissant à combattre les forces du mal. Vous avez échoué dans votre mission.

123

Les prêtres se ruent vers la rive et, arrivés à l'endroit exact où vous avez fait basculer le rocher, ils s'arrêtent pour examiner avec attention la surface de l'eau. L'un d'entre eux s'est même débarrassé de sa cotte de mailles pour pénétrer dans la rivière et en explorer le fond. Votre artifice a réussi, et vous en profitez pour vous éloigner, à l'abri des roseaux. Bientôt il vous est possible de vous enfoncer à l'intérieur des terres, et vous ne tardez pas à arriver aux premières pentes des collines qui cernent Mortvalon. Poursuivant votre chemin, vous retrouvez la route et la suivez jusqu'à ce que vous aperceviez, dans un virage, l'entrée d'une grotte située à flanc de colline, un peu au-dessus de vous. Si vous voulez continuer à marcher vers Mortvalon, rendez-vous au **283**. Si vous préférez explorer cette grotte, rendez-vous au **275**.

124

— Tiens, tiens, je reviens moi-même de Druath Glennan. Quelle malchance de ne pas vous y avoir rencontré. Mais où chantiez-vous ?
Question pour le moins embarrassante. Vous pouvez répondre que vous vous produisiez à l'hostellerie du Shaggoth (rendez-vous au **62**), à la taverne de la Gorgone (rendez-vous au **22**), ou sur la place principale (rendez-vous au **48**).

125

Malgré toute la prudence dont vous avez fait preuve pour descendre du toit, on vous a entendu. Derrière vous, dans le baraquement que vous venez de quitter, vous entendez les hurlements des gardes. Des torches s'allument sur la tour contrôlant les portes de la ville, et certaines d'entre elles sont même lancées dans la rue, non loin de vous. Soudain, vous entendez un claquement sec, et vous devinez qu'un trait d'arbalète vient d'être décoché contre vous. Si vous possédez la discipline de l'Œil d'Aigle, rendez-vous au **201**. Sinon, rendez-vous au **136**.

126

Lorsque les pirates vous ont ligoté, vous avez contracté vos muscles. Et maintenant, en vous détendant, la corde se relâche autour de vous. Avec une souplesse étonnante, vous vous tortillez pour vous débarrasser de vos liens. Puis, les jugeant suffisamment détendus, vous désarticulez l'une de vos épaules, ce qui vous permet de vous libérer un bras. Le reste n'est plus qu'un jeu d'enfant. Sans perdre un instant, vous vous faufilez alors parmi les rameurs endormis, en prenant grand soin de ne pas attirer l'attention du garde dont vous vous approchez. Une chaîne traîne à vos pieds : vous vous en saisissez et, l'utilisant comme un garrot, vous la passez autour du cou du forban qui se débat quelque peu avant de s'affaisser sans bruit sur le plancher. Il ne vous faut qu'un instant pour mettre la main sur votre équipement de Ninja, avant de libérer les prisonniers les uns après les autres, tout en leur intimant l'ordre de ne pas dire un mot, et de n'agir qu'à votre signal. Rapidement, vous vous dirigez vers la cabine du capitaine ; grimpant les marches qui mènent au pont, vous attendez que la lune soit cachée par un nuage, puis vous vous ruez vers la cabine. Possédez-vous la discipline du Crochetage des Serrures ? Si tel est le cas, et si vous désirez l'utiliser, rendez-vous au **153**. Sinon, il vous faudra faire appel à votre Force Intérieure pour essayer d'enfoncer la porte de cette cabine d'un coup de poing. Rendez-vous dans ce cas au **137**.

127

L'éclair vous manque de peu et s'écrase sur les planches disjointes de la cabane dans un claquement sec, en produisant une légère fumée. Malheureusement pour lui, Tisseur de Runes était proche d'Olvar lorsque l'éclair a jailli. Et la lumière a été si intense, et l'éblouissement tel, qu'il ne recouvrera certainement pas la vue avant de nombreuses minutes. Vous êtes donc seul, maintenant, face au Barbare qui secoue la tête pour dissiper les effets de l'éclair. Vous bondissez sur lui, mais il vous attend de pied ferme, l'épée à la main. Allez-vous tenter la Morsure du Cobra (rendez-vous au **92**), le Cheval Ailé (rendez-vous au **23**), ou la Queue du Dragon (rendez-vous au **39**) ? Mais si vous possédez la discipline des Fléchettes Empoisonnées et que vous désiriez l'utiliser, rendez-vous au **106**.

128

Le Grand Maître secoue la tête. Et, sans que la moindre émotion se lise sur son visage, il déclare :
— Vous n'avez répondu ni avec honnêteté ni avec sagesse. Car vous ne pouvez dissimuler votre désir de venger Naijishi qui vous a aimé et vous a enseigné à révérer Kwon. Surtout à nous, qui sommes si pro-

ches de vous depuis votre plus jeune âge. La vengeance est un sentiment haïssable ; et quand bien même il vous semble avoir les meilleures raisons pour éprouver ce sentiment, chassez-le de votre esprit et tournez votre cœur vers Kwon. Alors, le jour viendra où vous vous retrouverez face à Yaémon que vous exécrez et, l'espril libre, vous pourrez le vaincre sans qu'il puisse rien tenter contre vous. Quant à la torture, ne faut-il pas tout d'abord qu'un Ninja ait échoué dans sa mission pour y être confronté ? Échouer dans une mission, c'est avoir commis une erreur à un moment ou à un autre ; c'est avoir fait preuve de faiblesse. Il faut donc devenir fort face à la torture. Fort jusqu'à y perdre la vie sans révéler le moindre de ses secrets. Vous venez d'échouer dans la partie la plus importante du chemin qui aurait pu vous mener au but suprême : celui de devenir l'un des Grands Maîtres des Cinq Vents. Allons, retournez dans la grande salle et dites à Gorobéi de venir nous rejoindre.

Quelque peu désappointé, vous regagnez la salle où moines et villageois vous attendent. Vous voyant vous diriger, tête basse, vers Gorobéi, de sourds murmures s'élèvent de leurs rangs. Vous n'avez pas à prononcer le moindre mot : Gorobéi a compris. Posant son bras autour de vos épaules, il vous dit :

— Ne sois pas triste, jeune Ninja. Tu auras encore l'occasion de prouver ta valeur.

Puis, traversant la salle, il disparaît derrière le rideau de soie. Une heure plus tard, il est de retour, le visage rayonnant. Et vous ne pouvez vous empêcher de mêler vos acclamations à celles des autres en comprenant que le dernier Maître des Cinq Vents vient d'être choisi. Rendez-vous au **191**.

129

Le cheval, lui aussi, subit les effets de l'incantation. Son pas se ralentit et il pousse des hennissements de frayeur. Rassemblant toute votre volonté, vous essayez de faire un mouvement ; mais votre corps, maintenant agité de tremblements, ne bouge pas d'un pouce. Les prêtres — car vous savez maintenant que vous n'avez pas affaire à de simples guerriers — vous rattrapent et vous font tomber de selle avant de vous ligoter. Si vous avez un Anneau serti d'une opale, ils vous en défont (et vous pouvez alors le rayer de votre Feuille d'Aventure). Si vous possédez la discipline de l'Évasion, rendez-vous au **21**. Sinon, rendez-vous au **37**.

130

Vous franchissez la massive voûte de pierre, pour vous retrouver devant l'escalier en spirale menant au sommet de la tour où flotte la bannière à l'effigie du Tourbillon Noir. Au fur et à mesure que vous montez

les marches, vous êtes entouré par une étrange lueur verte et, alors que vous atteignez le haut de l'escalier, un œil rouge, flottant dans cette luminescence, apparaît devant vous. Il luit avec une telle intensité que le blanc qui l'entoure semble lui-même rouge sang. Soudain... non, vous ne vous trompez pas, l'œil cligne ! Et il disparaît, alors que la porte située en haut de la dernière marche commence à s'ouvrir silencieusement. Une main pousse cette porte : celle de Manse, le Mage de la Mort, dont la paleur est encore accentuée par la lumière verte. Ses yeux injectés de sang luisent effroyablement, et il tient à la main un bâton d'ébène dont le pommeau de jade sculpté est une tête de cobra au capuchon déployé. Avant que vous n'ayez pu esquisser le moindre geste, il pointe son doigt vers vous en criant :
— Meurs ! ! !
Si vous possédez l'Amulette qui protège du Doigt de la Mort, rendez-vous au **102**. Sinon, rendez-vous au **140**.

131

La créature est si massive que vous pouvez difficilement la manquer. La seule chose que vous redoutez, c'est de vous brûler lorsque vous la frapperez. Et en effet, si vous la touchez, vous perdrez 1 point d'ENDURANCE.

HOMME-SALAMANDRE
DEFENSE contre le Poing de Fer : 4
ENDURANCE : 22
DOMMAGES : 2D + 1

Si vous êtes vainqueur, rendez-vous au **197**. Sinon, le

130 *Une main pousse la porte et Manse, le Mage de la Mort, apparaît.*

monstre essaie de vous enfoncer son poing de feu en pleine poitrine. Votre DEFENSE est de 7. Si vous survivez à cet Assaut, vous contre-attaquez. Vous pouvez alors tenter le Tigre Bondissant (rendez-vous au **119**), le Tourbillon (rendez-vous au **109**), ou un nouveau coup de poing (revenez alors au début du paragraphe).

132

La pluie s'apaise peu à peu, alors que vous traversez le plus silencieusement possible la douve. Soudain, vous vous arrêtez net en entendant les graviers crisser sous les pas d'un garde. Sans doute alerté par le brusque silence des grenouilles, il s'approche de l'eau. Retenant votre souffle, vous vous laissez glisser au fond de la douve. *Tentez votre Chance.* Si vous êtes Chanceux, rendez-vous au **120**. Si vous êtes Malchanceux, rendez-vous au **108**.

133

Un rocher forme un surplomb juste au-dessus de vous, et vous réalisez l'extrême danger que représenterait son escalade. Si toutefois vous désirez prendre ce risque, il faut alors vous en remettre au destin. Rendez-vous au **173**. Mais personne ne vous en voudrait si vous décidiez de rebrousser chemin ; dans ce cas, cependant, vous perdriez à tout jamais la chance de rencontrer Togawa, à supposer qu'il soit toujours en vie. Si vous choisissez cette dernière solution, rendez-vous au **113**.

134

Alors que vous vous approchez de la plate-forme séparant le marais du désert, vous remarquez un bouillonnement inquiétant dans la vase, non loin de vous. Mieux vaut changer de direction ! D'autant plus que vous avez repéré un petit tertre recouvert de mousse... Sans hésiter, vous vous y hissez et, prenant votre élan, vous vous propulsez dans les airs, passant haut au-dessus de la barrière hérissée de pointes de fer. Ce qui déclenche, une fois de plus, les cris d'approbation de la foule. Lestement, vous atterrissez sur le sable où vous vous immobilisez pour observer l'arène. L'Elfe Noir ainsi que le Shaggoth sont, pour l'instant, invisibles. L'homme revêtu de la robe bleu et or a tué le Géant des Neiges. Quant au chevalier, il est étendu au pied d'une dune dans une étrange position, l'Homme-Cobra debout à ses côtés. Un long bâton est planté non loin de lui. Après avoir mûrement réfléchi, vous en venez à la conclusion que la meilleure solution est d'attaquer l'Homme-Cobra pour vous emparer du bâton dont vous pourrez vous servir comme d'une perche pour franchir les douves. Comme s'il avait deviné vos pensées, l'Homme-Cobra se tourne vers vous. Et il agite la tête dans un lent mouvement hypnotique, ses yeux fixés sur les vôtres. A l'évidence, il attend que vous soyez à sa portée pour vous frapper. Allez-vous tenter la Patte du Tigre (rendez-vous au **42**), le Cheval Ailé (rendez-vous au **25**), ou les Dents du Tigre (rendez-vous au **13**) ?

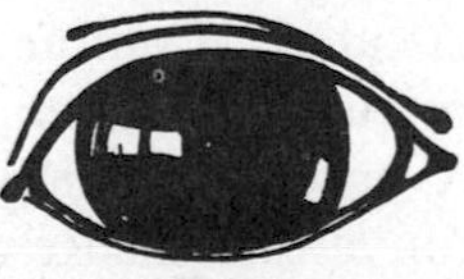

135

Mettant pied à terre, les prêtres se dirigent lentement vers vous, tout en prononçant une étrange incantation. Aussitôt, il vous semble que vos membres s'alourdissent. Vite, il n'y a pas une minute à perdre ! Allez-vous vous ruer sur eux (rendez-vous au **44**), courir vers la rivière où vous pourrez essayer de les tromper en poussant un rocher dans l'eau tandis que vous vous dissimulerez dans les roseaux (rendez-vous au **123**), ou vous jeter dans la rivière et rester sous la surface de l'eau en respirant à l'aide de votre tuba (rendez-vous au **4**) ?

136

Vous vous jetez sur le côté, mais trop tard. En sifflant, le trait d'arbalète s'est planté dans le gras de votre hanche, vous faisant perdre 4 points d'ENDURANCE. Heureusement, la blessure n'est pas trop grave, et vous vous remettez sur vos pieds sans trop de peine. Mais les gardes de la porte sont déjà sur vous. Si vous possédez la discipline de l'Acrobatie, rendez-vous au **144**. Sinon, rendez-vous au **285**.

137

Bien campé sur vos jambes, face à la porte, vous prenez par trois fois une profonde inspiration. Puis, dans un cri libérateur, vous projetez votre poing contre le panneau de bois. Dans un craquement sourd, la porte sort de ses gonds et est projetée en plein milieu de la cabine. Comme vous avez utilisé votre Force Intérieure, n'oubliez pas de modifier votre Feuille d'Aventure en conséquence. Le capitaine pirate se trouve bien là. Réveillé par le tintamarre que vous avez produit, il bondit hors de sa couchette, tout en saisissant d'une main un poignard caché sous son oreiller, et de l'autre une couverture dans laquelle il essaye de vous emprisonner. Mais vous avez déjà lancé un Shuriken dans sa direction. Sa DEFENSE contre cette arme est de 5. Si vous réussissez, rendez-vous au **164**. Si vous échouez, rendez-vous au **175**.

138

Alors que vous vous approchez des douves du château, il vous semble percevoir un son étouffé provenant du haut des remparts. Nul doute, vous avez été découvert. Vous vous immobilisez aussitôt, mais ce repos forcé n'est que de courte durée. En effet, les hurlements d'une meute de lévriers se font bientôt entendre, et se rapprochent à grande vitesse. En courant, vous faites demi-tour pour vous mettre à couvert de la forêt où c'est alors un jeu d'enfant de vous jouer des chiens qui vous poursuivent. Vous vous cachez là le restant de la nuit et, le jour suivant, vous revenez vers la Forteresse. Rendez-vous au **166**.

139

Le Grand Maître sourit, tout en secouant la tête.
— Vous avez répondu avec intelligence, mais sans honnêteté. Sans honnêteté, car vous ne pouvez dissimuler votre désir de venger Naijishi qui vous a aimé, et vous a enseigné à révérer Kwon. Surtout à nous, qui sommes si proches de vous depuis votre plus jeune âge. La vengeance est un sentiment haïssable ; et quand bien même pensez-vous avoir de bonnes raisons d'éprouver ce sentiment, chassez-le de votre esprit, et tournez votre cœur vers Kwon. Alors, le jour viendra où vous vous retrouverez face à ce Yaémon que vous exécrez et, l'esprit libre, vous pourrez le vaincre sans qu'il puisse rien tenter contre vous.

Avec intelligence, car vous avez raison de dire qu'un Ninja doit redouter l'échec d'une mission plus que tout. Échouer dans une mission, c'est avoir commis une erreur à un moment ou à un autre ; c'est avoir fait preuve de faiblesse. Voilà ce qu'il faut redouter : la faiblesse. La torture n'en est que le prix à payer. Un prix bien léger comparé aux conséquences de l'échec. Bien que vous n'ayez pas tout à fait répondu ainsi que nous l'espérions, je ne peux dire que vous avez échoué à l'épreuve spirituelle. Je dirais plutôt que vous êtes une lame aiguisée qui brûle de sortir de son fourreau. Sans doute vous manque-t-il la sagesse pour atteindre à la perfection ; la sagesse que seule l'expérience vous donnera. Mais je n'ai pas l'intention de laisser dans son fourreau une arme de cette trempe. Aussi, je considère que vous avez réussi. C'est très cérémonieusement que les Grands Maîtres vous accompagnent dans la vaste salle du Temple où villageois et moines attendent avec impatience. Voyant votre visage rayonnant, tous s'agenouillent, adressant des prières silencieuses à Kwon pendant votre intronisation en tant que Grand Maître des Cinq Vents. La cérémonie terminée, Gorobéi est le premier à venir vous féliciter. Nul doute qu'il ne restera pas longtemps un Initié du Cercle Intérieur, et que le jour n'est pas loin où il vous rejoindra. Rendez-vous au **191**.

140

Sans que vous puissiez le contrôler, vous sentez votre cœur battre de plus en plus fort dans votre poitrine.

Bientôt son rythme est si endiablé qu'il vous semble que votre corps s'est transformé en un énorme tambour. Le Mage, maintenant, a replié la main, et les battements de votre cœur ont aussitôt cessé. Un froid intense vous gagne et vous vous effondrez, sans vie, sur les marches de l'escalier, que votre corps dévale sans que rien puisse le retenir. La magie de Manse était trop puissante pour vous. Vous avez échoué dans votre mission.

141

D'un pas rapide, vous traversez le toit du Donjon et vous pénétrez dans la tourelle au sommet de laquelle flotte la bannière ornée du Tourbillon Noir. L'Épée de Damnation glissée dans son fourreau accroché dans votre dos, vous grimpez quatre à quatre les marches d'un escalier en spirale baigné d'une étrange lueur verte. Soudain, vous vous arrêtez net : juste au-dessus de la dernière marche, devant une porte, un œil rouge flotte dans l'espace. Et il brille si intensément que le blanc qui l'entoure semble injecté de sang. Vous hésitez quelque peu, mais vous reprenez vite votre ascension. L'œil semble clignoter au fur et à mesure que vous en approchez, pour disparaître aussi soudainement qu'il était apparu. Sans hésiter, vous ouvrez la porte à la volée. A votre arrivée, Manse, encore revêtu de son ample cape dont la couleur noire ne fait qu'accentuer la pâleur de ses traits, se lève d'un bond du lit sur lequel il était allongé. D'un geste, vous tirez Damnation de son fourreau. A la vue de l'arme maudite, il recule d'un pas, l'air terrorisé. En bégayant presque, il prononce un dernier sortilège, mais en vain : il ne se passe rien. Vous jetez alors l'épée à ses pieds, ce qui lui fait faire un

bon de dément alors que ses yeux deviennent aussi rouges que celui qui flottait dans l'escalier. Et c'est d'une voix basse et sifflante qu'il vous dit :
— Tue-moi, et cette épée impitoyable s'emparera de ton âme.
Sans prêter attention à ce qu'il vient de vous dire, vous avancez dans sa direction. Tremblant de peur, il marmonne ses sortilèges que la présence de l'épée annihile aussitôt. Maintenant, il est à votre portée, et une simple chiquenaude suffit à le faire s'effondrer sur le sol. L'émotion a été trop forte, même pour un si puissant magicien : jamais plus Manse, le Mage de la Mort, ne terrorisera qui que ce soit. Jamais plus il ne fera d'épouvantables sacrifices à son dieu, Némésis. Grâce à l'épée de Honoric, vous venez de vaincre le plus redoutable sorcier du monde d'Orb. La sombre épée fume sur le sol de la pièce. L'abandonnant, vous redescendez l'escalier de la tourelle. Maintenant le temps est venu de vous attaquer à Yaémon. Rendez-vous au **305**.

142

L'éclair vous cingle le côté, vous brûlant les chairs et vous projetant contre les planches disloquées de la cabane comme un fétu. Vous perdez 8 points d'ENDURANCE. Mais ce n'est pas le moment de vous attendrir sur votre sort, car Olvar se préci-

141 *A la vue de l'épée maudite, Manse recule d'un pas, l'air terrorisé.*

pite déjà sur vous, l'épée à la main. Pour lui échapper, vous ne pouvez que bondir dans les airs, ce que vous faites en hurlant de douleur pour atterrir dans son dos. Tisseur de Runes, quant à lui, a été complètement ébloui par l'éclair ; et il lui faudra certainement quelque temps avant de recouvrer la vue. Il vous faut donc compter sur vous seul. Olvar s'approche à nouveau de vous. Allez-vous tenter la Morsure du Cobra (rendez-vous au **92**), le Cheval Ailé (rendez-vous au **23**), ou la Queue du Dragon (rendez-vous au **39**) ? Enfin, si vous possédez la discipline des Fléchettes Empoisonnées et si vous désirez l'utiliser, rendez-vous au **106**.

143

Alors que vous vous approchez de l'entrée d'une grotte s'ouvrant dans la paroi abrupte, la corniche sur laquelle vous vous appuyiez cède sous vos pieds, vous précipitant dans le vide. C'est en vain que vous essayez de vous raccrocher aux racines et aux pierres saillantes. Votre aventure se termine ici.

144

L'air désabusé, vous attendez l'arrivée des gardes sans faire un geste, comme si vous vous rendiez. Mais, au moment même où ils vont vous faire prisonnier, vous exécutez un saut périlleux ; ce qui vous permet d'atterrir dans leur dos et de vous enfuir en courant vers les portes de la ville éclairées par les premiers rayons du soleil. En jurant, les soldats font demi-tour pour se lancer à votre poursuite. Mais vous êtes beaucoup plus rapide qu'eux. Se rendant compte qu'ils ne vous rattraperont jamais, ils s'arrêtent bientôt et regagnent le poste de garde, la tête basse. Rendez-vous au **254**.

145

Vous n'allez pas très loin : vous profitez en effet d'un léger monticule pour surveiller le poste de garde à l'abri des regards, en attendant la tombée de la nuit. Maintenant, la pleine lune brille, et il y a si peu de vent que les bannières des trois tours pendent contre leur hampe. Allez-vous profiter de cette nuit pour essayer de réduire à l'impuissance les trois ennemis du Bien — Yaémon, Honoric et Manse ? Si vous en décidez ainsi, rendez-vous au **79**. Si vous préférez attendre un jour de plus en espérant que la nuit prochaine vous sera plus favorable, rendez-vous au 7.

146

Hélas pour vous, vous aviez oublié que vous vous déplaciez sur une surface de glace. Vous glissez et, perdant l'équilibre, vous ne pouvez empêcher le Géant des Neiges de vous piétiner atrocement le visage. Ce qui vous fait perdre 6 points d'ENDURANCE. Avec les plus grandes difficultés, vous parvenez néanmoins à vous remettre debout, serré de près par le monstre. Sur les gradins, les spectateurs se sont levés, et hurlent, espérant que le combat connaîtra une fin sanglante. Le Géant vous fait face dans l'intention évidente d'en terminer avec vous, et c'est avec l'énergie du désespoir que vous tentez un Poing de Fer.

GÉANT DES NEIGES
DEFENSE contre le Poing de Fer : 5
ENDURANCE : 22
DOMMAGES : 1D + 3

Si vous êtes vainqueur, rendez-vous au **111**. Sinon votre adversaire contre-attaque en essayant de vous saisir entre ses puissants bras pour vous écraser contre sa poitrine. Votre DEFENSE est de 6. Si vous survivez à cet Assaut, vous ripostez en tentant l'Éclair Brisé (rendez-vous au **184**), la Queue du Dragon (rendez-vous au **202**), ou un nouveau coup de poing (rendez-vous au **160**).

147

Vous jetez une pleine poignée de poudre sur l'eau de la douve, et aussitôt les grenouilles coassent de plus belle. Rendez-vous au **120**.

148

Silencieux comme un chat, vous vous dirigez vers la tourelle et, après en avoir franchi la porte voûtée, vous vous retrouvez au bas de l'escalier menant à son sommet. Redoutant un traquenard, vous en gravissez les marches avec la plus grande prudence. Rendez-vous au **361**.

149

L'Être de Feu — un Homme-Salamandre —, vous domine de toute sa hauteur. Des flammes lèchent son corps qui rougeoie comme un soleil couchant. Lentement, il tend son bras vers vous, et des gouttes de feu grésillantes s'en écoulent. Il vous faut agir sans attendre. Allez-vous tenter le Poing de Fer (rendez-vous au **131**), le Tourbillon (rendez-vous au **109**), ou le Tigre Bondissant (rendez-vous au **119**) ?

150

Après avoir jeté un coup d'œil à Yaémon, vous vous approchez de lui en vous déplaçant comme un crabe, et vous lui portez brusquement un Éclair Brisé à l'aine. Mais il ne sera pas dit qu'il se laissera surprendre une seconde fois : bondissant dans l'air, il évite votre coup, puis, détendant ses jambes comme un ressort, il vous frappe des deux pieds en plein visage. La violence du choc vous fait reculer, alors qu'il atterrit souplement devant vous. Sans vous laisser le temps de reprendre vos esprits, il entoure vos deux chevilles de sa jambe droite et vous donne une violente poussée de la main sur la poitrine, ce qui vous expédie à terre. Impuissant, vous le voyez prendre son élan et retomber, genoux en avant, sur votre estomac. La douleur est atroce, et vous perdez 11 points d'ENDURANCE. Il ne vous faut qu'une seconde pour réaliser que, si vous ne réagissez pas, le monde d'Orb comptera un Ninja de moins ! Avec l'énergie du désespoir, vous roulez sur vous-même pour vous mettre hors de portée et, dans le même mouvement, vous parvenez à vous remettre sur pied. Mais Yaémon se rue de nouveau sur vous, poings en avant. Si vous possédez la discipline de l'Acrobatie, rendez-vous au **181**. Sinon, vous ne pouvez rien faire d'autre qu'essayer d'éviter cet Assaut. Votre DEFENSE est de 6. Si vous réussissez, rendez-vous au **118**. Si vous échouez, rendez-vous au **308**.

151

Le Grand Maître sourit tout en secouant la tête :

— Vous avez répondu avec honnêteté, ce qui montre que vous avez le cœur pur ; quand bien même vos réponses n'étaient pas les bonnes ! Il est tout à fait compréhensible que vous brûliez de vous venger de Yaémon qui a tué votre père adoptif Naijishi. Mais la vengeance est un sentiment haïssable qu'il faut chasser de votre esprit. Tournez votre cœur vers Kwon,

comme vous l'a enseigné Naijishi. Alors le jour viendra où vous vous retrouverez face à ce Yaémon que vous exécrez et, l'esprit libre, vous pourrez le vaincre sans qu'il puisse rien faire contre vous. Quant à la torture, ne faut-il pas tout d'abord qu'un Ninja ait échoué dans sa mission pour y être confronté ? Échouer dans une mission, c'est avoir commis une erreur à un moment ou à un autre ; c'est avoir fait preuve de faiblesse. Voilà ce qu'il faut redouter : la faiblesse. La torture n'en est que le prix à payer. Un prix bien léger comparé aux conséquences de l'échec. Votre cœur est encore tendre, mais le temps et l'expérience lui apporteront la sagesse que nous y devinons. De plus, vous maîtrisez la Voie du Tigre avec une si rare perfection que nous ne pouvons laisser dans son fourreau une lame d'une telle qualité. Aussi, je considère que vous avez réussi.
C'est très cérémonieusement que les Grands Maîtres vous accompagnent dans la salle du Temple où villageois et moines attendent avec impatience. Voyant votre visage rayonnant, tous s'agenouillent, adressant des prières silencieuses à Kwon pendant votre intronisation en tant que Grand Maître des Cinq Vents. La cérémonie terminée, Gorobéi est le premier à venir vous féliciter. Nul doute qu'il ne restera pas longtemps un Initié du Cercle Intérieur, et que le jour n'est pas loin où il vous rejoindra. Rendez-vous au **191**.

152

L'éclair vous frappe le côté gauche avec une telle intensité qu'une affreuse odeur de chair carbonisée s'élève dans les airs, alors que vous êtes projeté avec une violence extrême contre les planches disloquées de la cabane. Vous perdez 8 points d'ENDURANCE. Grimaçant de douleur, vous trouvez néanmoins l'énergie suffisante pour exécuter un saut périlleux qui, tout en vous permettant de vous retrouver debout, vous éloigne quelque peu du Barbare. Mais ce dernier se rue sur vous, sa longue épée en main. Sans hésiter, Tisseur de Runes accourt à votre aide, son arme décrivant de terribles moulinets. C'est lui qui porte le premier Assaut contre Olvar, dont la DEFENSE est de 8. Si votre compagnon réussit à toucher le Barbare, il lui infligera 1D + 1 points de DOMMAGES. L'Assaut terminé, c'est à votre tour de porter une attaque. Allez-vous tenter la Morsure du Cobra (rendez-vous au **92**), le Cheval Ailé (rendez-vous au **23**), ou la Queue du Dragon (rendez-vous au **39**) ? Mais si vous possédez la discipline des Fléchettes Empoisonnées, et si vous désirez l'utiliser, rendez-vous au **106**.

153

Il ne vous faut que quelques secondes pour venir à bout de la serrure à l'aide d'une petite lime. Un léger déclic vous en avertit, et vous poussez doucement le battant qui pivote sans bruit sur ses gonds bien huilés. Le capitaine pirate est bien présent dans la cabine. Pour l'heure, il est allongé sur une couchette, et il dort paisiblement. A moins qu'il ne soit ivre mort, ce qui est probable à en juger par l'abominable odeur de rhum qui vous saisit à la gorge. Quoi qu'il en soit, il est plus prudent de se débarrasser de ce peu recommandable personnage, ce que vous faites sans regret en lui expédiant une Fléchette Empoisonnée dans le cou. Prenant alors la tête de l'équipage, vous vous élancez vers les pirates.

La surprise est totale, et quelques minutes suffisent pour réduire à l'impuissance ces gredins, dont beaucoup ont d'ailleurs préféré sauter à la mer. C'est avec la plus grande joie que vous retrouvez Glaivas que l'un des matelots vient de libérer. Rassemblant tous les pirates faits prisonniers, il ordonne de les attacher aux rames, voulant sans doute ainsi leur faire goûter leur propre médecine... Au petit matin vous mettez à la voile, et vous naviguez bientôt à bonne allure. Rendez-vous au **26**.

154

La porte s'ouvre dans un effroyable grincement, vous permettant de pénétrer dans la chambre de Honoric. Il est allongé, sans vie, sur le sol, et les vapeurs du poison qu'il a absorbé s'exhalent encore en minces filets de sa bouche écumante. Près de lui repose Damnation dont la sombre lame luit, non loin de son fourreau, dans la pénombre de la pièce. Réprimant le sentiment de terreur que l'épée vous inspire, vous vous baissez pour vous en saisir et, en prenant grand soin de retenir votre respiration, vous sortez de cet endroit maudit. Tout en fixant l'arme dans votre dos, vous jetez un coup d'œil à l'extérieur par une meurtrière. Car vous devez maintenant choisir la tourelle vers laquelle vous allez vous diriger. Si vous souhaitez vous rendre à la tourelle au sommet de laquelle flotte la bannière de la Mante Écarlate, rendez-vous au **361**. Si vous préférez celle surmontée de la bannière du Tourbillon Noir, rendez-vous au **141**.

155

Vous faites face à Yaémon, bien campé sur vos jambes légèrement fléchies, les poings en avant. Vous devez décider, dès maintenant, si vous allez ou non utiliser votre Force Intérieure — à la condition qu'il vous en reste — avant de tenter la Morsure du Cobra (rendez-vous au **340**), le Poing de Fer (rendez-vous au **330**), ou la Patte du Tigre (rendez-vous au **410**).

156

Contournant la Forteresse, vous vous arrêtez à l'ombre de la tour nord. Vue sous cet angle, elle paraît en plus mauvais état qu'il ne vous avait semblé au premier abord, et les nombreuses fissures qui zèbrent sa muraille vous permettront à l'évidence d'en entreprendre l'escalade sans grands problèmes. D'autant plus que vous avez repéré une étroite fenêtre à mi-hauteur... Soudain, vous tendez l'oreille : bien que le coassement des grenouilles soit assourdissant, votre oreille exercée a décelé un bruit de pas qui pourraient bien être ceux d'un garde. Sans hésiter, vous rejoignez les grenouilles dans l'eau froide de la douve ; mais sans doute les batraciens n'apprécient-ils pas votre arrivée, car ils deviennent subitement silencieux. Si vous possédez de la poudre de Triton de feu, rendez-vous au **147**. Sinon, rendez-vous au **132**.

157

Le coup est si violent qu'il bouscule votre garde, et s'écrase sur le côté de votre tête, ce qui vous fait perdre 10 points d'ENDURANCE. Déséquilibré, vous vous écroulez sur le sol en vous tenant le crâne à pleines mains tant la douleur est atroce. Si vous possédez la discipline de la Mort Feinte, et que vous désiriez l'utiliser, rendez-vous au **376**. Sinon, il ne vous reste plus qu'à vous traîner comme vous le pourrez vers la rivière (rendez-vous au **103**).

158

Vous laissez filer la cordelette enduite de cire jusqu'à ce qu'elle frôle la bouche du Maréchal de la Légion puis, après avoir débouché la fiole, vous l'utilisez comme un fil conducteur pour faire absorber à ce magicien des ténèbres quelques gouttes du terrible poison. Tout d'abord, rien ne se passe, puis soudain le corps de l'homme est secoué d'un violent spasme : aucune force au monde ne saurait le sauver de la mort, maintenant. Honoric, le Grand Maréchal de la Légion de l'Épée de Damnation, ne tourmentera plus les habitants du monde d'Orb. Rendez-vous au **305**.

159

La force du coup est telle qu'il vous semble, l'espace d'un instant, que votre tête s'est détachée de votre corps. Projeté dans les airs, vous reprenez lourdement contact avec le sol, à moitié assommé. Yaémon, quant à lui, vous regarde fixement, un sourire cruel aux lèvres. Et vous savez que son prochain Assaut sera pour vous le dernier. Votre aventure se termine ici.

160

Quelque peu haletant, vous faites un pas en arrière pour reprendre votre souffle. Puis, prenant votre élan, vous tentez de frapper le Géant d'un formidable coup de poing.

GÉANT DES NEIGES
DEFENSE contre le coup de poing : 5
ENDURANCE : 22
DOMMAGES : 1D + 3

Si vous êtes vainqueur, rendez-vous au **111**. Sinon, la créature essaye de vous griffer le visage d'un ample mouvement de bras. Votre DEFENSE est de 6. Si vous survivez à cet Assaut, vous ripostez en tentant l'Éclair Brisé (rendez-vous au **184**), la Queue du Dragon (rendez-vous au **202**), ou un nouveau coup de poing (revenez dans ce cas au début du paragraphe).

161

Le Shuriken ensorcelé traverse l'air comme un éclair dans un sinistre sifflement, avant de se planter en plein dans la poitrine de l'Homme-Salamandre. Une immense flamme enveloppe alors le corps de la créature, une flamme qui se résorbe aussitôt, comme si elle se dissolvait dans l'espace. Devant vous, il n'y a plus trace de l'Être de Feu ; vous venez en effet de le réexpédier dans un univers qu'il n'aurait jamais dû quitter, la Dimension du Feu. Malheureusement, votre Shuriken fait maintenant partie de ce monde, et vous pouvez le rayer définitivement de votre Feuille d'Aventure. Il est temps de reprendre votre route, à présent. Mais allez-vous vous diriger vers l'ouest pour franchir les Monts des Visions par la Chaussée des Géants (rendez-vous au **81**), ou préférez-vous remonter le cours de la Fortune jusqu'à la Passe du même nom, et traverser la chaîne montagneuse par cette voie (rendez-vous au **70**) ?

162

A peine avez-vous dit au garde que vous étiez ménestrel et jongleur qu'il vous répond d'un ton excité qu'une grande fête est prévue pour le lendemain, en l'honneur d'invités de marque. Puis il vous demande dans quelle ville vous avez donné votre dernière représentation. Allez-vous lui répondre :

A Solangle ?	Rendez-vous au **104**
A Mortvalon ?	Rendez-vous au **354**
A Druath Glennan ?	Rendez-vous au **124**

163

Le fléau résonne sur les lames de fer de votre manche comme un marteau sur une enclume. Mais vous avez réussi à saisir le poignet de l'homme et, le tirant fermement vers vous, vous désarçonnez le cavalier qui tombe lourdement à terre. Dans sa chute, sa tête a heurté une pierre, et il se passera longtemps avant qu'il ne reprenne connaissance. Ses compagnons ont mis pied à terre et ils s'approchent de vous en chantant sourdement. A l'évidence, vous avez affaire à des prêtres ; et leur attitude ne vous dit rien qui vaille. Allez-vous les attaquer sans attendre (rendez-vous au **96**), ou jugez-vous plus prudent de prendre la fuite (rendez-vous au **103**) ?

164

Lancé de main de maître, le Shuriken file à toute allure vers la gorge du capitaine dans laquelle il s'enfonce, transformant en un ignoble gargouillement le cri qui allait en jaillir. Vous n'attendez même pas que le corps sans vie de l'homme se soit écroulé sur le plancher pour donner à vos hommes le signal de l'attaque. Surgissant par toutes les écoutilles, armés de chaînes et des poignards de leurs gardes, ils se ruent sur les pirates en poussant des hurlements. La surprise est totale, et nombreux sont les pirates que la terreur pousse à se jeter par-dessus bord. C'est avec la plus grande joie que vous retrouvez Glaivas que l'un des matelots vient de libérer. Rassemblant tous les prisonniers, il ordonne qu'ils soient attachés aux rames, voulant ainsi leur faire goûter leur propre médecine... Au petit matin vous mettez à la voile, et vous naviguez bientôt à bonne allure. Rendez-vous au **26**.

165

L'éclair vous manque de peu. Sifflant à vos oreilles, il frappe les planches disjointes de la cabane dans un claquement sec. Profitant de la surprise du Barbare, Tisseur de Runes se précipite sur lui, l'épée à la main. C'est donc votre compagnon qui portera le premier Assaut contre Olvar, dont la DEFENSE est de 8. Si Tisseur de Runes parvient à porter un coup à son adversaire, il lui infligera 1D + 1 points de DOMMAGES. L'Assaut terminé, c'est à votre tour de porter une attaque. Allez-vous tenter la Morsure du Cobra (rendez-vous au **92**), le Cheval Ailé (rendez-vous au **23**), ou la Queue du Dragon (rendez-vous au **39**) ? Mais si vous possédez la discipline des Fléchettes

Empoisonnées, et si vous désirez l'utiliser, rendez-vous au **106**.

166

Vous passez la journée suivante à observer la Forteresse ; mais personne n'en sort. Dans dix jours, la conjonction des planètes rendra la lune rouge ; et les préparatifs vont bon train dans la cour extérieure car c'est demain que Yaémon, Honoric et Manse doivent se mettre en route vers les Colonnes du Bouleversement. Vous agenouillant, vous adressez une supplique silencieuse à Kwon, lui demandant que la nuit soit sombre, venteuse et pluvieuse. Vous êtes certain que votre prière a été entendue, et vous décidez que cette nuit verra l'achèvement de votre mission, ou la fin de vos jours. Et en effet, en fin de journée, des nuages noirs envahissent le ciel, poussés par un vent de tempête. Bientôt des rafales de pluie cinglent votre visage. Ainsi, vous devriez pouvoir pénétrer dans la Forteresse sans être vu. Mais par quel chemin ? Si vous possédez la discipline de l'Escalade, vous pouvez, si vous le désirez, essayer de vous hisser en haut des murailles (rendez-vous au **392**). Mais si vous décidez d'escalader la tour nord qui vous a semblé être en ruine, cette discipline ne vous sera pas nécessaire (rendez-vous au **156**). Enfin, peut-être la grille que vous avez remarquée non loin des douves cache-t-elle un chemin moins dangereux ? Rendez-vous alors au **402**.

167

Un roulé-boulé vous permet de vous retrouver debout. Une roue vous amène face à Yaémon qui retrouve difficilement son équilibre. Allez-vous maintenant tenter un coup de poing (rendez-vous au

266), un coup de pied (rendez-vous au **390**), ou une mise à terre (rendez-vous au **401**) ?

168

Vous faites quelques pas en direction des deux moines d'Avatar, tout en leur demandant de cesser de tourmenter le pauvre homme. Pour toute réponse, l'un d'eux l'expédie à terre d'un violent coup de pied à l'estomac. Puis, sans vous laisser le temps de protester davantage, il se précipite sur vous, aussi rapide que l'éclair. Votre DEFENSE contre le coup de pied qu'il essaye de vous porter est de 6. S'il vous frappe, vous subirez 1D + 2 points de DOMMAGES. Si vous survivez à cet Assaut, vous voyez votre agresseur reculer. Ce qui ne vous rassure pas pour autant, car son compagnon et lui se déplacent maintenant vers vous d'une façon qui vous en dit long sur leurs qualités de combattant ! Mais ce qui vous rassure aussi, car ils ont tellement confiance en eux qu'au lieu de se jeter sur vous ensemble ils décident de vous attaquer l'un après l'autre. Et c'est l'adversaire que vous avez déjà combattu qui, le premier, s'avance vers vous. Allez-vous tenter la Patte du Tigre (rendez-vous au **322**), l'Éclair Brisé (rendez-vous au **335**), ou les Dents du Tigre (rendez-vous au **312**) ?

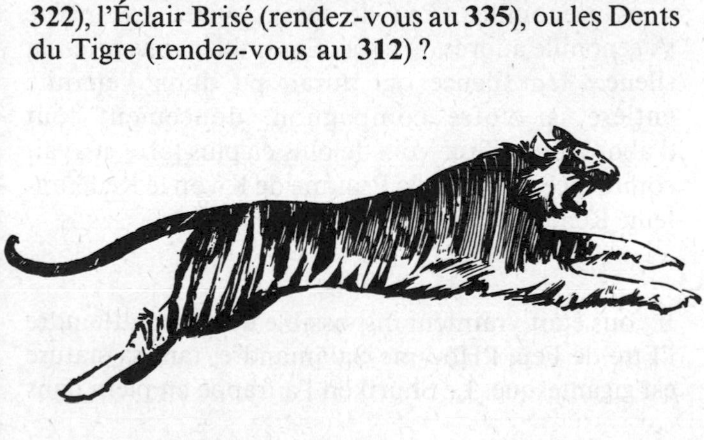

169

C'est d'un pas de promeneur que vous franchissez les portes de la ville, tout en lançant d'aimables salutations aux gens que vous croisez. Vous passez un bon moment à parcourir les rues de la ville, jusqu'à ce que votre cœur semble enfin se réveiller alors que vous arrivez à proximité d'un jardin planté de roses et d'arbres d'agrément. Charmé, vous y pénétrez, et votre promenade vous conduit bientôt devant la porte d'un petit monastère dédié à Kwon. Heureux d'avoir trouvé un lieu de paix où méditer, vous en poussez la porte et, une fois dans le temple, vous vous agenouillez. Peu de temps après, un moine s'agenouille auprès de vous. Ensemble, vous priez en silence. Un silence qui aurait pu durer l'éternité entière, si votre compagnon, doucement tout d'abord, puis d'une voix de plus en plus forte, n'avait commencé à chanter le Psaume de Kwon le Rédempteur. Rendez-vous au **221**.

170

Il vous était vraiment impossible de ne pas atteindre l'Être de Feu, l'Homme-Salamandre, tant sa stature est gigantesque. Le Shuriken l'a frappé en plein dans la poitrine, mais, au contact de cet Être de Feu, il commence à fondre, pour se sublimer totalement. Vous pouvez, bien entendu, le rayer de votre Feuille d'Aventure. Mais vous pouvez également retrancher 2 points du total d'ENDURANCE de la créature pour le combat qui va suivre. Car, malgré les apparences, vous l'avez bel et bien blessé. Rendez-vous au **149**.

171

Le cavalier n'est plus, maintenant, qu'à quelques mètres de vous, son fléau d'armes tournoyant au-dessus de sa tête. Dans un réflexe désespéré, vous vous protégez la tête de votre avant-bras. Votre DEFENSE contre ce coup est de 8. Si vous réussissez, rendez-vous au **163**. Si vous échouez, rendez-vous au **157**.

172

Vous pataugez dans les eaux verdâtres du marécage où vous vous enfoncez jusqu'à la taille. Et c'est avec les plus grandes difficultés que vous dégagez vos pieds, l'un après l'autre, de la vase visqueuse qui voudrait les retenir, pour vous diriger vers la barque qui paraît figée au milieu des lentilles d'eau qui l'entourent. Un peu plus loin, vous remarquez que l'Elfe Noir, lui aussi, a eu la même idée que vous. Mais avec moins de chance, car devant lui l'eau bouillonne soudain, avant de laisser le passage à d'immondes tentacules. Les tentacules d'un Shaggoth, mieux connu sous le nom d'Horreur des Marais. Déjà, le Shaggoth a pris l'Elfe dans son piège visqueux. Un coup d'œil vous suffit pour voir que, dans le désert, le combat fait rage entre le chevalier et l'Homme-Cobra. Allez-vous vous précipiter pour venir en aide à l'Elfe Noir (rendez-vous au **98**), essayer d'atteindre la barque (rendez-vous au **121**), ou tenter de rejoindre le désert (rendez-vous au **134**) ?

173

Tentez votre Chance. Si vous êtes Malchanceux, rendez-vous au **143**. Si vous êtes Chanceux... oh ! bien sûr, vous tremblez lorsqu'une corniche s'effondre sous vos pieds. Mais vous retrouvez vite votre équilibre et, bientôt, vous parvenez à l'entrée d'une grotte. Rendez-vous au **83**.

174

Vous plaquant contre la muraille, vous escaladez le Donjon comme une araignée, en prenant soin de ne pas perdre de vue le garde qui fait sa ronde dans la cour intérieure. Le vent et la pluie couvrent le léger raclement des griffes de chat, et l'obscurité environnante vous rend pratiquement invisible ; ce qui fait que vous atteignez sans encombre les créneaux, et que vous prenez pied sans difficulté sur le toit du Donjon. Les trois tourelles, au sommet desquelles flottent les bannières, vous paraissent maintenant plus massives. Certes, vous en êtes beaucoup plus proche que vous ne l'avez jamais été ; mais surtout leur base est illuminée par le rougeoiement d'un brasero auprès duquel se tient le Capitaine des gardes. Il est revêtu d'une armure noire de la plus belle facture et, de temps à autre, il marche d'une tourelle à une autre avant de venir se réchauffer devant les charbons ardents. A présent, il vient de retirer son casque et, fermement campé sur ses deux jambes, il tend ses mains au-dessus des flammes. Allez-vous attendre

172 *Déjà, le Shaggoth a pris l'Elfe Noir dans son piège visqueux.*

qu'il se dirige de nouveau vers les créneaux pour essayer de le pousser dans le vide (rendez-vous au **331**), lui envoyer sans plus de manière un Shuriken à la tête (rendez-vous au **269**), essayer de vous approcher de lui pour tenter de le garrotter (rendez-vous au **247**), ou lui envoyer une Fléchette Empoisonnée — si toutefois vous en possédez la discipline — (rendez-vous au **230**) ?

175

Votre Shuriken a été arrêté par la couverture du capitaine ! Et c'est bien la première fois qu'une telle mésaventure vous arrive. Pire, il lance maintenant vers vous d'autres couvertures dans lesquelles vous vous empêtrez, tout en s'égosillant à appeler à l'aide... Non sans mal, vous parvenez à vous débarrasser de ces encombrants lainages, et à éviter les coups de poignard dont le fourbe voulait vous larder. Mais, malheureusement, vous prêtez attention un peu tard au bruissement inquiétant que vous avez entendu dans votre dos. Car la lame effilée du kriss du commandant en second, l'âme damnée du capitaine, vous traverse le dos pour se planter ensuite dans votre cœur. Votre aventure se termine ici.

176

Vous faites comme si de rien n'était, ce qui n'arrête cependant pas les insultes de fuser de plus belle vers vous. A tel point que la moitié des soldats présents dans l'auberge se sont levés et se dirigent maintenant vers vous avec la ferme intention d'en découdre. Jugeant qu'il est plus sage de prendre le large, vous commencez à opérer une prudente retraite vers la porte. C'est alors que le jeune capitaine se dresse en brandissant son épée. L'éclat sombre de la lame sortant de son fourreau vous arrête net, alors qu'un frisson vous parcourt l'échine. Et c'est en proie à la plus grande terreur que vous commencez à réciter le Ninja No Chigiri — le Serment Ninja — pour recouvrer courage et sang-froid. Vous reprenez vite possession de vous-même, mais un peu tard. Car le Capitaine et deux de ses hommes vous coupent toute retraite. Impossible d'échapper au combat. Aussi, allez-vous tenter le Cheval Ailé (rendez-vous au **256**), le Poing de Fer (rendez-vous au **248**), ou le Tourbillon (rendez-vous au **237**) ?

177

Un léger sourire éclaire le visage du Grand Maître, alors qu'il vous déclare :

— C'est bien. Vous avez réussi l'épreuve. Vous avez répondu avec sagesse et avec clairvoyance. Vous n'avez pas caché le fait que vous brûliez de vous venger de celui qui est responsable de la mort de Naijishi, votre père adoptif. Si le sentiment de vengeance est haïssable, l'amour que vous portez à Naijishi, et celui que vous portez à Kwon vous apprendront à libérer votre esprit, et à trouver en vous la sagesse qui vous fera oublier ce Yaémon que vous exécrez, mais que vous retrouverez lorsque le moment sera venu. Votre force sera alors telle qu'il sera impuissant face à vous. Quant à la torture, elle est le prix à payer lorsque l'on a échoué dans une mission. Et échouer dans une mission, c'est avoir commis une erreur à un moment ou à un autre, avoir fait preuve de faiblesse. La faiblesse : voilà le plus grand ennemi du Ninja. Un ennemi qui peut lui donner de mauvais conseils, mais jamais au point de trahir les secrets dont il est le dépositaire. Jamais. Vous avez toutes les qualités requises pour devenir un Grand Maître des Cinq Vents sans que nous ayons à en rougir. Aussi, je dois vous révéler les préceptes de notre ordre. Qu'ils soient toujours présents en votre mémoire ; car nombreuses seront les occasions où vous pourrez les mettre en pratique.

JE SUIS UN NINJA
Mes parents sont le Ciel et la Terre
Ma demeure est mon corps
Ma force est la fermeté
Ma magie est l'unité
Ma vie et ma mort sont hors du temps
Mon corps est ma demeure
Mes yeux sont le soleil et la lune
Mes oreilles n'entendent rien
Ma seule loi est l'attention
Ma force est l'amour
Ma seule ambition est d'aimer
Mon amie est ma sensibilité
Mon ennemi est l'insouciance
Ma protection est d'agir sans détour
Mes armes sont tout ce qui existe
Ma stratégie est la réflexion
Ma Vérité est Kwon
MON CHEMIN EST LA VOIE DU TIGRE

Au fur et à mesure qu'il a prononcé ces mots, ils se sont inscrits dans votre mémoire, telles des lettres de feu. Mais, comme il arrive parfois que la mémoire fasse défaut, inscrivez le numéro de ce paragraphe sur votre Feuille d'Aventure, car ces préceptes pourraient se révéler de la plus grande importance pour le succès de votre mission. Après être resté silencieux quelques instants, le Grand Maître tire un anneau de l'annulaire de sa main droite. Une bague en or sertie d'une opale qu'il vous tend en vous déclarant :

— Ceci également pourra vous être utile.

Vous inclinant, vous prenez l'Anneau que vous glissez à votre doigt. Un long silence s'ensuit, avant que les Grands Maîtres ne vous accompagnent dans la salle du Temple, où moines et villageois attendent avec impatience. Voyant votre visage rayonnant, tous s'agenouillent, adressant des prières silencieuses à Kwon, alors que vous êtes intronisé Grand Maître des Cinq Vents. La cérémonie terminée, Gorobéi est le premier à venir vous féliciter. Nul doute qu'il ne restera pas longtemps un Initié du Cercle Intérieur, et que le jour n'est pas loin où il vous rejoindra. Rendez-vous au **191**.

178

Le Capitaine, comprenant le sort que vous voulez lui faire subir, se baisse pour éviter le garrot mais trop tard ! Un cri rauque s'échappe de sa gorge, et il s'effondre, inconscient. Vous pouvez maintenant examiner les trois tourelles en toute quiétude. Elles sont extérieurement identiques, comportant toutes trois une porte voûtée ouverte sur un escalier en spirale. Allez-vous vous diriger vers la tourelle où flotte la bannière de l'Épée de Damnation (rendez-vous au **320**), celle où flotte la bannière de la Mante Écarlate (rendez-vous au **148**), ou celle où flotte la bannière du Tourbillon Noir (rendez-vous au **130**) ?

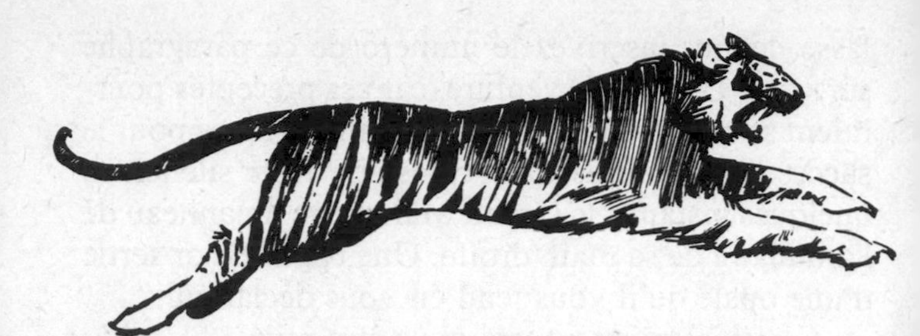

179

La route que vous suivez serpente maintenant dans un paysage vallonné. Après quelques heures de marche, vous apercevez au loin un mince filet de fumée s'élevant vers le ciel. Vous en approchant, vous constatez qu'il provient de quelques bûches achevant de se consumer dans un foyer. Un camp a été dressé en cet endroit, et ses occupants l'ont abandonné depuis peu. Un rapide examen du sol vous permet de constater que trois cavaliers se sont éloignés dans la direction que vous suivez, et vous reprenez votre chemin sans attendre, espérant les rattraper avant qu'ils ne soient à l'abri des murs de Guen Dach. Car il s'agit peut-être des hommes que vous recherchez. Les Cimes de la Dent du Lutin — pics de granit noir aux parois vertigineuses — se découpent bientôt à l'horizon. Et vous ne pouvez vous empêcher de frissonner au souvenir de toutes les légendes dont elles sont à l'origine. Devant vous, la route s'incurve doucement vers la droite pour contourner une colline. Perdu dans vos pensées, vous vous engagez dans cette courbe, et c'est avec un temps de retard que vous réalisez qu'*elle* vous fait face. Elle : la Forteresse de Guen Dach. Onze tours reliées entre elles par d'épaisses et hautes murailles, cernant un formidable donjon coiffé de trois tourelles, chacune surmontée d'une bannière qui claque au vent. Une large douve l'entoure, et son pont-levis est protégé par un puissant poste de garde fermé par une herse. Le souffle coupé, vous vous arrêtez, car jamais il ne vous a été donné de voir une forteresse de cette importance, une citadelle aussi lugubre, tant paraît noir le noir granit dont elle est bâtie. La herse du poste de garde vient de se lever pour laisser passer les trois cavaliers que vous poursuiviez : vous ne vous étiez pas trompé. Pour la première fois, vous voyez vos trois ennemis mortels : un homme revêtu d'une ample robe rouge écarlate, flanqué de deux hommes de haute stature vêtus de noir, l'un mince et l'autre massif comme un ours des montagnes. De chaque côté de la route menant à la forteresse, de gros pieux plantés dans le sol soutiennent, accrochés à des chaînes, des vierges de fer — ces terribles sarcophages dont l'intérieur est hérissé de pointes de fer. Quelques-unes sont fermées ; et vous tremblez en imaginant la raison. Levant les yeux vers le Donjon, vous constatez que chacune des bannières est frappée d'une marque particulière. Celle flottant au sommet de la tourelle nord porte le symbole de la Mante Écarlate ; l'Épée de Damnation orne la bannière de la tourelle ouest tandis que le Tourbillon Noir, symbole de Némésis, figure sur la bannière de la tourelle est. Alors que vous vous approchez du poste de garde, la herse se lève pour laisser passer un homme, poussé sans ménagement par deux soldats. Prenant un petit chemin sur leur gauche, ils s'arrêtent devant une grille scellée dans le sol, non loin des douves. L'un des soldats tire la grille, et son compagnon pousse le pauvre être, qui hurle en tombant dans ce qui doit être une fosse.

— A table ! crie le soldat en éclatant de rire.

Qu'allez-vous faire maintenant ? Attendre la nuit pour essayer de pénétrer dans la Forteresse sous couvert de l'obscurité (rendez-vous au **145**), ou tenter votre chance au poste de garde en vous faisant passer pour un ménestrel (rendez-vous au **162**) ?

180

Au moment où vous introduisez la Fléchette dans votre bouche, l'Être de Feu agite ses bras, ce qui a pour effet de donner encore plus de vigueur aux flammes qui lèchent son corps. La Fléchette siffle dans l'air, avant de s'enfoncer dans la poitrine de la créature, où elle se consume dans l'instant, sans causer le moindre dommage. Maintenant, l'Être s'approche et referme ses bras sur vous. Les flammes commencent à vous entourer de toutes parts mais, curieusement, elles ne vous brûlent pas. Peu à peu, le monde d'Orb disparaît dans une brume rougeoyante, alors que semble en sortir un paysage dans lequel vous distingue les murs de feu d'une cité. Des trompes hurlantes se font alors entendre ; une véritable fanfare qui vous accueille dans votre nouvel univers, la Dimension du Feu, où vous passerez le reste de vos jours.

181

Après avoir pris votre élan, vous exécutez une roue qui vous amène derrière Yaémon au moment même où il allait vous frapper du tranchant de la main. Quelque peu décontenancé par votre réaction, il se retourne d'un bloc pour faire front à votre attaque. Allez-vous tenter de lui porter un coup de poing (rendez-vous au **266**), un coup de pied (rendez-vous au **390**), ou préférez-vous risquer une mise à terre (rendez-vous au **401**) ?

182

Vous vous jetez à terre, et les chevaux sautent par-dessus vous dans un bruit de tonnerre. Rendez-vous au **135**.

183

Le prêtre réplique :

— Même si nous n'étions pas occupés comme nous le sommes actuellement par les soins que nous donnons au malheureux jeune homme que vous avez aperçu, nous ne vous viendrions pas en aide. Car ceux qui suivent la stricte règle d'un monastère, ainsi que vous le faites, font obstacle à la liberté, et retardent de ce fait le moment de la venue de l'ère de félicité sur Orb.

En remarquant la lueur de fanatisme qui brille dans le regard de l'homme, vous comprenez rapidement qu'il ne vous servirait à rien d'avancer vos arguments théologiques. Aussi, allez-vous lui révéler votre mission et lui demander à nouveau de l'aide (rendez-vous au **297**), ou préférez-vous quitter le Temple pour vous diriger vers l'arche d'obsidienne (rendez-vous au **6**) ?

184

A deux reprises, vous tentez de porter un coup de pied à ce monticule de fourrure, le visant aux côtes et à la tempe, mais sans succès. *Tentez votre Chance*. Si vous êtes Malchanceux, rendez-vous au **146**. Sinon, vous essayez de le frapper à nouveau.

GÉANT DES NEIGES
DEFENSE contre l'Éclair Brisé : 6
ENDURANCE : 22
DOMMAGES : 1D + 3

Si vous êtes vainqueur, rendez-vous au **111**. Sinon, la créature, profitant de votre peu d'assurance à vous déplacer sur la surface glacée, essaye de vous labourer les chairs de ses redoutables griffes. Votre DEFENSE contre cette attaque est de 5. Si vous survivez à l'Assaut, vous contre-attaquez en tentant la Queue du Dragon (rendez-vous au **202**), le Poing de Fer (rendez-vous au **160**), ou un autre coup de pied (revenez alors au début du paragraphe).

185

Remontant la rue principale de la ville, le chemin des Rêveurs, vous tournez au bout d'une centaine de mètres à droite, dans la rue des Songes. Tout est étonnamment calme autour de vous, ce qui rend encore plus inquiétants les éclats de voix qui, soudain, se font entendre devant vous. Pressant le pas jusqu'à un carrefour, vous découvrez dans une rue adjacente un étrange spectacle. Deux hommes, portant autour du cou une chaînette retenant une croix renversée entourée d'un serpent — le symbole d'Avatar —, viennent de tirer hors de son échoppe un fabricant de poupées, et commencent à le malmener sérieusement. Devant eux, une petite fille pousse des hurlements, alors que, sur le trottoir d'en face, les passants continuent leur chemin comme si de rien n'était. Maintenant, les deux hommes ont immobilisé le pauvre hère, et l'un d'eux essaye de lui ouvrir de force la bouche dans laquelle l'autre se prépare à lui enfourner des marionnettes de tissu ! Aucun doute n'est permis : les deux tortionnaires sont des dévots de Vile. Allez-vous intervenir pour porter secours à l'artisan (rendez-vous au **168**), ou préférez-vous adopter l'attitude des passants, c'est-à-dire ne pas prêter attention à cette scène (rendez-vous au **299**) ?

186

Le jeune soldat ricane et, vous jetant un regard méprisant, il vous traite de rat pestiféré. Ce qui ne vous fait ni chaud ni froid. Sans lui prêter attention, vous vous installez à une table, dans un coin de la taverne. Bien que le bruit des conversations des consommateurs soit à la limite du soutenable, votre sens auditif exercé vous permet de surprendre la discussion de deux hommes. Ils attendent le retour de Honoric, le grand Maréchal de la Légion de l'Épée de Damnation, avant de se mettre en route pour livrer bataille aux Cimes du Présage. D'après ce qu'il vous semble comprendre, il se dirige actuellement vers le nord en compagnie de Yaémon. Malheureusement, vous ne pouvez en apprendre plus. Car un soldat, probablement ivre, s'est levé de la table voisine de la vôtre et, s'arrêtant devant vous, les mains sur les hanches, il vous déclare que si vous tenez à rester en vie vous auriez tout intérêt à vider les lieux sans tarder ! Si vous décidez de ne pas bouger d'un pouce, rendez-vous au **176**. Mais si vous préférez suivre ses recommandations, vous pouvez louer une chambre à l'étage supérieur pour y passer la nuit (rendez-vous au **225**).

187

La poudre se mêle aux flammes en produisant une lueur intense. Vous avez pris la précaution de fermer les yeux, mais Olvar et Tisseur de Runes, quant à eux, sont complètement éblouis. En poussant un formidable grognement, le Barbare se rue, mains en avant, vers la porte de la cabane, et vous en profitez pour lui porter un violent Cheval Ailé en plein dans le dos, qui le projette, dans un hurlement, au-dehors où il s'affale dans la neige. Vous pouvez déduire 5 points de son total d'ENDURANCE. Vous vous précipitez pour en terminer avec lui, lorsqu'un aveuglant éclair bleu jaillit de la pierre qu'il porte au front. Dans un réflexe désespéré, vous vous jetez à terre pour essayer de l'éviter. Votre DEFENSE contre cette décharge d'énergie est de 6. Si vous parvenez à l'esquiver, rendez-vous au **127**. Sinon, rendez-vous au **142**. Mais, quoi qu'il en soit, soyez maintenant extrêmement prudent. Car Olvar a recouvré la vue.

188

Avec la rapidité d'un cobra, vous tendez les bras puis, les écartant brusquement, vous déviez la course des traits d'arbalète vers les murs contre lesquels ils se brisent. Vous vous dirigez alors le plus silencieusement possible vers l'escalier et, là, vous vous arrêtez un instant pour bien avoir la certitude que personne n'a entendu le claquement des flèches de métal. Rassuré sur ce point, vous montez les marches quatre à quatre. Rendez-vous au **399**.

189

Malgré le vent, la pluie qui vous cingle le visage, et l'obscurité qui vous entoure, le rougeoiement du brasero vous suffit pour bien ajuster votre cible, distante d'une dizaine de mètres. Atteint en pleine gorge par votre Shuriken, le Capitaine des gardes s'effondre sans un cri. Et une bourrasque de vent emporte le bruit de son armure résonnant sur la pierre. A présent, vous remarquez que chacune des tourelles est percée d'une porte voûtée donnant sur un escalier en spirale. Allez-vous tout d'abord vous diriger vers la tourelle où flotte la bannière de l'Épée de Damnation (rendez-vous au **320**), celle où flotte la bannière de la Mante Écarlate (rendez-vous au **148**), ou celle où flotte la bannière du Tourbillon Noir (rendez-vous au **130**) ?

190

Le plancher se soulève aisément, révélant un sol de terre noirâtre. Par chance, un léger courant d'air, juste au niveau du sol et sous la fumée, vous permet de respirer sans difficulté pendant que vous creusez. Bientôt le trou est suffisamment important pour que vous puissiez vous y glisser. Puis, après vous être recouvert de terre, vous utilisez votre tuba pour continuer à respirer, tout en réduisant votre consommation d'oxygène au minimum. La chaleur devient rapidement à la limite du supportable, et vous transpirez abondamment. Néanmoins, la couche de terre qui vous recouvre vous offre une protection suffisante. Enfin le feu diminue d'intensité et s'apaise.

Au-dessus de vous, des hommes viennent de pénétrer dans la pièce dévastée. Les auteurs de l'incendie, sans aucun doute, qui vous attendaient dehors en pensant que vous tenteriez de fuir le brasier. Maintenant, ils doivent vous croire mort. Tout en inspectant les décombres, ils parlent entre eux de l'imminente arrivée à Guen Dach de Yaémon, Honoric, et Manse, le Mage de la Mort, redoutable sorcier serviteur de Némésis, le Suprême Principe du Mal. En riant, ils ajoutent que la nouvelle de votre mort ne manquera pas de les réjouir. Enfin, vous les entendez s'éloigner, ce qui vous permet de sortir de cette véritable tombe, et de gagner la route qui, après avoir dépassé une taverne, sort de la ville en direction des Monts de la Dent du Lutin, non loin desquels se dresse la forteresse de Guen Dach. Rendez-vous au **179**.

191

La cérémonie terminée, vous quittez le Temple en compagnie de la foule. Sur le sable, à l'extérieur de l'édifice, un repas de riz et de fruits a été préparé par les villageois et les moines. Vous vous en régalez rapidement, souhaitant vous retirer pour méditer avant de vous endormir. La méditation semble en effet calmer votre esprit et votre corps, et bientôt vous sombrez dans un profond sommeil, qui ne tarde pas, cependant, à être agité par un rêve étrange : un fin navire aux longues rames s'éloigne du Pays de l'Abondance. Un homme à la taille élancée et à l'air résolu se tient, debout, à sa proue, les jambes légèrement pliées pour résister au roulis. Une ample cape de lainage de couleur vert sombre, retenue autour de son cou par des agrafes d'argent, flotte derrière lui ; et le soleil se reflète si intensément sur la boucle de métal du ceinturon qui maintient son épée que vous en êtes ébloui. Soudain une voix — sans doute celle d'un matelot — prononce un nom : « Glaivas ». L'homme tourne alors légèrement la tête comme s'il allait plonger son regard dans le vôtre. Mais sa forme s'estompe avant de disparaître, de même que le ciel d'un bleu limpide se charge en quelques instants de lourds nuages mauves, sur lesquels se découpe maintenant la silhouette menaçante d'une sombre forteresse. Trois tourelles plantées au sommet d'un massif donjon noir, semblent vouloir crever les nuages pour s'élancer, plus haut, à la conquête du ciel. Vous vous dirigez vers la forteresse ; et vous savez que, derrière ses murs, vous poursuivrez une importante et dangereuse mission.

Lorsque, au petit matin, vous vous éveillez, ces rêves sont encore si présents dans votre esprit que vous avez l'impression que leurs images sont peintes sur les murs de votre cellule de moine. Votre sommeil n'a pas été aussi calme que vous l'auriez souhaité ; néanmoins vous vous sentez frais et dispos, ce qui vous permet de regagner tous les points d'ENDURANCE que vous avez perdus au cours du combat qui vous a opposé à Gorobéi. Sans perdre un instant vous vous apprêtez puis, sortant de votre cellule, vous vous dirigez vers le Temple. Mais à peine avez-vous fait quelques pas que le bruit d'une grande agitation provenant de la plage se fait entendre. Deux pêcheurs hors d'haleine vous dépassent en courant, et vous apprennent à mots hachés qu'un navire vient de jeter l'ancre au large. La curiosité vous fait vous diriger vers l'océan. Lorsque vous atteignez le rivage, les Grands Maîtres des Cinq Vents sont déjà là en

compagnie de nombreux moines, entourant un homme qui vient de débarquer d'un canot. S'inclinant respectueusement devant eux, ce dernier leur déclare se nommer Glaivas et demande à parler au Grand Maître de l'Ordre seul.
— Vous pouvez parler devant tous ceux qui sont ici présents, lui répond le Grand Maître de l'Aube. Les secrets n'existent pas sur l'Ile des Songes Paisibles.
— Surtout depuis que vous avez perdu les Parchemins de Kettsuin, rétorque sombrement Glaivas.
— Que savez-vous de ces Parchemins ? réplique aussitôt le Grand Maître.
Tous les moines se sont tus, immobiles telles des statues, littéralement pendus aux lèvres de l'homme. Ce dernier, après les avoir dévisagés avec la plus extrême attention, reprend :
— A celui qui pourra les déchiffrer les Parchemins de Kettsuin révéleront le Mot du Pouvoir. Un Mot qui, s'il est prononcé à l'extrême nord du monde d'Orb, en un lieu situé dans le Pays des Neiges connu sous le nom des Colonnes du Bouleversement, fera disparaître à tout jamais Kwon. Voilà de nombreuses années, ces manuscrits vous ont été volés par Yaémon, le Grand Maître de la Flamme de l'Ordre de la Mante Écarlate. Je sais que Yaémon, s'il ne l'a déjà fait, parviendra à lire le Mot dans les jours qui viennent. Et le mois de la Mère de Toute Splendeur vient aujourd'hui de commencer ; un mois au cours duquel la lune prendra la couleur rouge trois nuits d'affilée sous l'influence de la grande conjonction des planètes qui ne se produit que tous les cinq siècles. Si, durant l'une de ces nuits, le Mot est prononcé aux Colonnes du Bouleversement, alors Kwon, votre dieu, sera précipité au plus profond des crevasses de feu dans

lesquelles il se consumera, laissant les moines dévots de Vile, l'esprit du mal, dominer à tout jamais le monde d'Orb.

Un murmure a parcouru l'assemblée des moines au nom de Yaémon. Mais, comme s'il n'avait rien remarqué, Glaivas poursuit :

— Yaémon a terminé ses préparatifs. Et il s'apprête à quitter la Cité des Maléfices pour se mettre en route vers le nord. Bien que les Gardes Célestes soient en alerte dans les étendues sauvages qui bordent le Rift, ils ne sont pas de taille à lutter contre lui. Aussi suis-je venu en ce lieu dans un but précis. Existe-t-il parmi vous quelqu'un qui soit capable de faire échouer ce démon dans son entreprise ?

Au fur et à mesure que Glaivas racontait son histoire, vous avez senti monter en vous une force qui n'a fait que s'amplifier. Car tout ce qu'il disait ne faisait que réveiller une certitude qui, en réalité, ne vous avait jamais quitté : celle que, un jour ou l'autre, il vous serait donné de vous retrouver face à face avec Yaémon. Et puis, ce Glaivas... n'est-ce pas là l'homme que vous avez vu en rêve ? Aussi c'est presque inconsciemment que vous faites un pas en avant.

— J'arrêterai Yaémon, dites-vous.

— Tu es bien jeune, répond Glaivas d'un ton perplexe. Peux-tu réussir là où moi, qui suis Seigneur des Gardes Célestes, échouerais à coup sûr ?

— Je suis un Ninja, Seigneur.

A ces mots, Glaivas vous regarde avec plus d'attention. Le Grand Maître de l'Aube sourit légèrement et s'adresse à lui :

— Ce jeune homme a pour nom de Ninja « le Vengeur ». S'il existe dans le monde d'Orb quelqu'un

ayant ne serait-ce qu'une chance de réussir dans cette mission, c'est lui.
Se tournant alors vers vous, il ajoute :
— Et vous le devez, pour le salut de l'humanité. Allez.
Sans ajouter un mot, le Grand Maître fait quelques pas en direction du Temple et, après s'être assis sur le sable de la plage, il entre dans une profonde méditation.
La Cité des Maléfices se dresse sur la côte ouest du pays de Manmarch, d'après la carte que vient de vous remettre Glaivas, sur laquelle figurent également les nombreuses villes ainsi que les étranges contrées qui la séparent du Pays des Neiges. Un long voyage aux multiples dangers... Vous passez le reste de la journée en préparatifs divers, vérifiant la solidité des lames de fer dans les manches de votre costume de Ninja, rassemblant toutes les pièces de votre équipement. Enfin prêt, vous consacrez encore quelques heures à la méditation et à la prière, avant de monter à bord du navire de Glaivas qui n'attend que la force de la marée pour mettre à la voile. A présent, votre destin est tracé : vous devez trouver Yaémon et le neutraliser avant qu'il ne puisse atteindre les Colonnes du Bouleversement. Ou mourir. Rendez-vous au **232**.

192

Au moment même où les lions s'apprêtent à bondir sur vous, vous vous élancez dans le saut le plus extraordinaire que vous ayez jamais tenté. La foule médusée hurle alors que vous les survolez avant d'atterrir dans leur dos pour vous précipiter vers le marais. Les fauves se sont arrêtés net et, faisant demi-tour sur place, ils s'élancent à nouveau vers vous. Déjà, vous sentez leur souffle sur vos talons, au moment même où vos pieds commencent à s'enfoncer dans un sol spongieux. Sans doute est-ce cela qui vous sauve la vie car, répugnant à sauter dans le marécage, ils cessent de vous poursuivre. Rendez-vous au **172**.

193

Après avoir fixé les griffes de chat à vos mains, vous entreprenez l'escalade des éboulis, en prenant garde d'éviter les endroits où la roche semble la plus friable. Enfin, vous arrivez à la hauteur de l'entrée d'une grotte. Rendez-vous au **83**.

194

Vous vous asseyez à sa table, et il commande alors une pleine barrique d'hydromel qui lui est apportée dans l'instant. Vous adressant un sourire, il plonge deux chopes dans le liquide puis, après vous en avoir tendu une, trinque de bonne humeur avec vous avant de vider la sienne d'un trait. Vous l'imitez sans hésiter, et des applaudissements vous saluent lorsque, dans un bel ensemble, vous reposez vos chopes sur la table. Le jeune capitaine emplit une nouvelle fois les récipients, que vous videz de même à la grande satisfaction des soldats qui vous entourent. Si vous possédez la discipline de l'Immunité aux Poisons, rendez-vous au **214**. Sinon, rendez-vous au **206**.

195

Un pas de côté vous permet d'éviter la boule de fer. Puis, exécutant un saut périlleux au-dessus de l'homme revêtu de la cotte de mailles, vous sautez en croupe derrière lui. Le cheval se cabre alors que vous tentez de désarçonner le cavalier qui, se tournant sur sa selle, balance son fléau d'armes vers vous. Vous l'évitez une nouvelle fois, et ripostez en essayant de le frapper d'un coup de poing. Sa DEFENSE est de 5. Si vous réussissez à le toucher, rendez-vous au **387**. Sinon, rendez-vous au **407**.

196

Après avoir gravi les quelques marches qui vous en séparent, vous pénétrez à l'intérieur du Temple, accueilli par une douce lumière irisée provenant de vitraux colorés enchâssés dans le toit. Un étrange tableau, accroché à l'un des murs, attire aussitôt votre attention : il représente, en effet, les ruines fumantes d'un château devant lequel dansent soldats et paysans. La présence de cette peinture vous paraît pour le moins étrange en ce lieu. Vous remarquez quelques prêtres, mais le jeune homme et le cadavre de l'homme assassiné ont disparu. Soudain, l'un des prêtres s'approche de vous, et vous en profitez pour lui demander s'il peut vous donner quelques renseignements. Vous fixant droit dans les yeux, il réplique :

— Êtes-vous un dévot du Bienheureux ?

Allez-vous lui répondre que vous êtes un dévot de Kwon (rendez-vous au **183**), de la Mère de toute chose (rendez-vous au **46**), ou du Bienheureux (rendez-vous au **56**) ? Mais vous pouvez également ignorer sa question, et quitter le Temple pour vous mettre à la recherche du vieil homme (rendez-vous au **36**).

197

Vous avez vaincu l'Être de Feu qui, se transformant en une immense flamme, s'élève maintenant dans le ciel où il disparaît à votre vue. Sans doute a-t-il regagné son univers : la dimension du Feu Élémentaire. Maintenant vous pouvez reprendre votre chemin. Mais allez-vous vous diriger vers l'ouest, et traverser les Monts des Visions en empruntant la Chaussée des Géants (rendez-vous au **81**), ou remonter le cours de la Fortune et traverser ces mêmes Monts par la Passe de la Fortune (rendez-vous au **70**) ?

198

Deux flèches viennent de jaillir d'une ouverture pratiquée dans le mur. Totalement pris au dépourvu, vous ne pouvez éviter que la première. L'autre se fiche, en vibrant, en plein dans votre cœur. La vie vous quitte en un instant, et plus personne ne pourra maintenant empêcher Yaémon, Honoric et Manse d'accomplir leur sinistre mission.

199

A cette distance, le coup que vous allez tenter est déjà difficile. Mais, le vent et la pluie s'en mêlant, il est presque impossible. D'autant plus que le brasero n'éclaire que faiblement votre cible... Vous vous concentrez donc longuement avant de lancer le Shuriken qui heurte l'armure du Capitaine des gardes avec une force telle qu'elle en est transpercée. L'homme pousse un cri de douleur ; mais vous ne lui avez infligé qu'une blessure superficielle et, au moment même où vous vous précipitez sur lui pour l'attaquer, il donne l'alarme. D'un bond, vous sautez par-dessus le brasero. C'est alors que vous apercevez la sombre silhouette d'un homme se tenant au sommet de la tourelle est. Une terreur sans nom s'empare de vous lorsque vous reconnaissez Manse, le Mage de la Mort. Un sourire cruel se peint sur son visage, et vous voyez ses lèvres frémir pendant qu'il prononce l'incantation qui vous paralyse dans l'instant. Honoric vient de surgir par la porte de la tourelle ouest. Calmement, il s'approche de vous, se saisissant au passage de l'épée du Capitaine. L'éclair qui brille dans son regard ne vous laisse aucun doute : votre aventure se termine ici...

200

Franchissant la porte de la taverne des Volontaires, vous êtes surpris de vous retrouver dans une grande salle circulaire convenablement éclairée, comportant en son centre un comptoir circulaire lui aussi. Dix longues tables sont disposées dans la salle, entourées de sièges fixés au plancher. A votre arrivée, la porte a produit un tel grincement que toutes les conversations se sont tues, et que tous les regards se sont fixés sur vous. De l'une des tables, un homme se lève et vous fait signe d'approcher. Sur sa robe est brodée une roue à dix rayons. Quand vous parvenez à sa hauteur, il s'incline en vous saluant comme Ninja, et vous invite à vous asseoir à son côté. Ce que vous faites, tout en lui demandant comment il a pu deviner que vous étiez Ninja.

— Nous, adorateurs de la Déesse du Destin, savons les événements avant qu'ils ne se produisent, répond-il. Notre Maître, le Grand Voyant, sait prévoir la venue des étrangers.

— Avec un tel pouvoir, répliquez-vous, il pourrait gouverner le Manmach sans le moindre problème.

— Nous ne voyons que ce que nous sommes destinés à voir, reprend l'homme, et il n'est pas inscrit dans la destinée du Grand Voyant qu'il doive, un jour, régner sur le Manmach.
Vous le mettez alors au courant de la conspiration des adorateurs des forces du mal, visant à réduire en esclavage la population du monde d'Orb tout entier. A votre grande surprise, l'homme hoche la tête en vous répondant qu'il n'ignore rien de cela. Et quand vous vous inquiétez de savoir quelle va être l'attitude des serviteurs de sa déesse pour s'élever contre ce dessein, il ne peut que baisser les bras dans une attitude de désespoir.
— Ce qui doit arriver arrivera forcément un jour, dit-il sombrement. Et, quoi que nous fassions, nous ne pourrons échapper à ce qui est écrit. Nous savons parfaitement que les Cimes du Présage sont la première cible de ces êtres maudits, et qu'alors la Grande Cathédrale du Destin ne saura être un rempart contre leur horde. Soyez sûr que nous sommes de tout cœur avec vous, car nous connaissons la mission que vous vous êtes assignée. Acceptez d'être l'instrument du Destin et de rejoindre les héros qui ont été élus pour servir notre déesse. Car elle surpasse toutes les déités de notre monde, décidant du sort de chacun de nous.
Vous avez entendu parler de ces élus. Ils sont peu nombreux, et c'est un grand honneur pour vous que d'avoir été choisi pour en faire partie. Un autre homme vient de se lever et s'approche de vous. En s'inclinant légèrement, il vous dit qu'il doit maintenant se rendre à la Grande Cathédrale. Il ajoute qu'il se ferait un plaisir de vous introduire auprès de ses prêtres, pourvu que vous vouliez l'accompagner.

Si vous acceptez d'être, à partir de maintenant, un dévot de la Déesse du Destin, rendez-vous au **100**. Mais si vous préférez refuser poliment, rendez-vous au **76**.

201

Détendant votre bras, vous écartez la flèche du tranchant de votre main. Puis, vous laissant tomber à terre, vous roulez dans l'obscurité. Vous restez ainsi quelques instants, vous demandant ce que vous allez bien pouvoir faire pour vous sortir de ce mauvais pas, lorsque tout à coup vous entendez un véritable remue-ménage provenant d'une ruelle adjacente, alors que des cris s'élèvent dans la nuit.

— Au voleur ! Au voleur !

Un homme vient d'apparaître dans la lueur des torches qui brûle toujours à terre. Il court à toutes jambes. Aussitôt, les gardes se lancent à sa poursuite, et vous en profitez pour franchir, sans être vu, les portes de la ville. Rendez-vous au **65**.

202

Glissant sur la surface gelée, vous arrivez à toute allure vers le Géant et, entourant sa taille de vos deux jambes, vous tournez sur vous-même dans l'intention de lui faire perdre l'équilibre. Autour de vous, la foule hurle de joie.

GÉANT DES NEIGES
DEFENSE contre la Queue du Dragon : 6
ENDURANCE : 22
DOMMAGES : 1D + 3

Si vous réussissez cette prise, vous pouvez maintenant tenter l'Éclair Brisé (rendez-vous au **184**), ou le Poing de Fer (rendez-vous au **160**), après avoir ajouté 3 points à votre Habileté au poing et au pied, mais pour le prochain Assaut seulement. Si vous échouez, le colosse essaye de vous porter un coup de pied à la tête. Votre DEFENSE est de 7, et il ne vous est pas possible de tenter une parade sur cette surface qui ne vous est pas favorable. Si vous survivez à cet Assaut, vous contre-attaquez en tentant l'Éclair Brisé (rendez-vous au **184**), ou le Poing de Fer (rendez-vous au **160**).

203

Autour de votre doigt, vous sentez que la température de l'anneau augmente rapidement, alors que l'opale dont il est serti devient presque transparente tout en semblant grossir. Le visage d'un homme apparaît maintenant dans la pierre ; un visage d'une pâleur extrême, au long nez crochu et aux joues creuses. Ses yeux d'une couleur rouge sang semblent vouloir jaillir hors du joyau, comme pour apercevoir un être ou une chose, tant leur éclat est intense. Puis ils se rétrécissent au point de n'être plus que deux taches minuscules, alors que de profondes rides se creusent sur son front. Une imprécation sort alors de ses lèvres, et le son de sa voix vous fait frémir lorsque vous l'entendez déclarer :

— Il m'est impossible de vous voir, serviteur. Mais sachez que personne ne peut résister à la sorcellerie de Manse, le Mage de la Mort.

Le visage s'écarte alors, vous laissant apercevoir un homme revêtu d'une robe écarlate, serrée à la taille par une ceinture noir et or. Un homme qui n'est autre que Yaémon, le Grand Maître de la Flamme. Aussitôt, vous accélérez le pas : il est vital que vous rattrapiez les deux hommes. Si vous décidez de vous diriger vers l'ouest pour traverser les Monts des Visions en empruntant la Chaussée des Géants, rendez-vous au **81**. Si vous préférez remonter le cours de la Fortune pour franchir les Monts par la Passe de la Fortune, rendez-vous au **70**.

204

Les yeux du Barbare ne quittent pas les vôtres, tandis qu'il vous soulage de votre bourse. Puis, en éclatant de rire, il réclame votre équipement de Ninja. C'en est trop ! Poussant un juron, vous bondissez sur lui. Aussitôt, un éclair de couleur bleue jaillit, dans un claquement sec, de la pierre qu'Olvar porte sur le front. Votre DEFENSE contre cette décharge d'énergie est de 5. Si vous parvenez à l'éviter, rendez-vous au **406**. Sinon, rendez-vous au **85**.

205

Vous n'allez pas très loin : vos vêtements prennent feu immédiatement, et il vous est impossible d'aspirer la moindre bouffée d'oxygène. Toussant, pleurant, suffoquant, vous tombez sur le plancher dévoré par les flammes. Mais rassurez-vous : votre agonie sera de courte durée, car une poutre vient de s'effondrer sur vous, vous tuant net. Votre aventure se termine ici.

206

Aucun doute n'est permis : de l'Alcool Maléfique a été versé dans l'hydromel. Si le vin de la région de la Cité des Maléfices est excellent, il n'en est pas de même en ce qui concerne l'alcool obtenu en distillant ses raisins : certains même osent affirmer qu'il rend fou ! Toujours est-il que la tête vous tourne, et que vous vous effondrez sur le sol. C'est avec beaucoup de difficultés que vous parvenez à ouvrir les yeux le lendemain matin, et ce que vous découvrez n'est guère réjouissant. Vous êtes en effet allongé dans un caniveau, vos vêtements maculés de boue. Et si vous n'aviez pas caché 5 Pièces d'Or dans la doublure de l'une de vos manches, il ne vous resterait plus rien ; car on vous a dérobé votre bourse. Comme vous a été dérobé — si toutefois vous le possédiez — l'Anneau serti d'une opale... La situation n'est guère brillante, et vous vous maudissez d'être tombé dans un piège aussi grossier. Faisant contre mauvaise fortune bon cœur, vous vous relevez, la tête lourde. Et c'est presque en vous tenant le crâne à deux mains que, quittant la Cité, vous prenez la route du nord en direction de Mortvalon. En aucun cas, Yaémon ne doit atteindre les Colonnes du Bouleversement avant vous. Rendez-vous au **65**.

207

Prudemment, vous vous approchez de l'escalier, espérant qu'il vous permettra d'atteindre le sommet du Donjon. Soudain, un déclic vous tire de vos réflexions : sous vos pieds, une dalle s'est légèrement enfoncée, actionnant, à n'en pas douter, quelque mécanisme secret. Et, en effet, un nouveau déclic se fait entendre sur votre droite, dû à une pierre qui vient de pivoter dans le mur, libérant deux flèches qui sifflent vers vous. Si vous possédez la discipline de l'Œil d'Aigle, rendez-vous au **188**. Sinon, rendez-vous au **198**.

208

Passant entre les colonnes de marbre, vous débouchez dans une cour entourée d'arcades sur trois de ses côtés, alors que le quatrième — qui vous fait face — est un escalier aux larges marches menant à la porte d'un bâtiment aux lignes aériennes ; d'après son architecture, ce ne peut être qu'un temple. Un jeune guerrier, le torse pris dans une lourde cuirasse, se traîne péniblement sur les marches. Entendant le bruit de vos pas, il se tourne vers vous :
— Bienvenue au Sanctuaire, étranger, dit-il. Mais sache qu'ici on ne dégaine pas l'épée.
A peine a-t-il prononcé ces mots qu'un moine revêtu d'une longue robe jaune sort du temple et se dirige vers lui dans le but évident de l'aider. Se penchant sur le jeune homme, il va le saisir par les épaules lorsque, soudain, un bruit de galop se fait entendre. Franchissant le portail, un cavalier à l'armure noire fait alors irruption dans la cour. Au grand galop, il escalade les marches du temple et, tirant son épée, il tranche net la tête du moine ! Le vacarme produit par l'arrivée du cavalier a alerté d'autres moines qui surgissent au haut des marches. L'un d'eux lève la main, tout en marmonnant une sorte de litanie ; une formule magique, à l'évidence, car à l'instant même le cheval se cabre, cherchant à désarçonner l'homme en armure noire. A ce moment précis, deux nouveaux cavaliers pénètrent à leur tour au grand galop dans la cour, semblables en tous points au premier qui continue à faire des efforts désespérés pour ne pas être jeté à bas de sa monture. Vous remarquez alors que tous trois sont équipés d'un bouclier frappé d'une épée d'argent pendue à un fil d'argent également. Sans hésiter, l'un des nouveaux venus se dirige vers le

208 *Un cavalier escalade les marches du temple et, tirant son épée, il tranche la tête du moine !*

cheval qui se cabre toujours en poussant des hennissements aigus. Au vol, il en saisit les rênes et, non sans effort, parvient à le maîtriser. Tournant alors la tête vers le jeune homme, le premier cavalier commence à l'invectiver d'une voix où la colère se mêle à la frayeur. Car il paraît maintenant tout à fait impuissant devant lui. Enfin, remettant leurs chevaux au galop, les trois hommes disparaissent sous le portail. Les moines en profitent pour s'approcher de leur compagnon, dont ils emportent le cadavre à l'intérieur de l'édifice. S'appuyant sur l'épaule d'un autre moine, le jeune homme les a suivis, et a disparu derrière eux. Seules, les marches tachées de sang témoignent encore de l'incroyable scène qui vient de se dérouler sous vos yeux. Mais vous n'êtes pas au bout de vos surprises car, avant que vous n'ayez pu reprendre vos esprits, un vieil homme courbé par les ans vient à son tour d'apparaître dans la cour. Il porte autour du cou un collier de cristal, qui oscille au rythme de sa démarche clopinante. S'arrêtant au bas des marches, il lève la tête vers le temple et se met à hurler :
— Je l'avais prédit ! Mais m'avez-vous écouté, moi qui sais lire l'avenir ? Non ! Croyez-vous que Béatan le Bienheureux soit maintenant satisfait, prêtres damnés ?...
Faisant alors brusquement demi-tour, il retraverse la cour de son pas traînant, et disparaît dans une petite chapelle de bois. Ainsi, le moine décapité était-il un dévot de Béatan... Vous savez peu de chose sur cette secte, sinon que ses adeptes veulent instaurer le paradis sur Orb en menant une vie de probité, et en ignorant toute loi entravant la liberté de l'esprit.
Allons ! Il faut dorénavant prendre une décision.

Allez-vous pénétrer à la suite des moines dans le temple dédié à Béatan (rendez-vous au **196**), quitter ce lieu pour le moins inquiétant pour vous diriger vers l'arche d'obsidienne (rendez-vous au **6**), ou essayer de retrouver le vieil homme qui affirme prédire l'avenir (rendez-vous au **36**) ?

209

Faisant un pas de côté, le Capitaine des gardes esquive facilement votre coup et, emporté par votre élan, vous ne pouvez éviter le violent coup de coude qu'il vous porte au creux de l'estomac. Grimaçant de douleur, vous heurtez le brasero dont les charbons ardents s'éparpillent sur le sol. C'est alors que vous remarquez une ombre au sommet de l'une des tourelles ; et vous ne pouvez vous empêcher de sursauter de frayeur en reconnaissant Manse, le Mage de la Mort, qui, les bras levés vers le ciel, est en train de prononcer une incantation. Aussitôt, vos membres se paralysent. Et c'est dans l'impuissance la plus totale que vous voyez Honoric déboucher de la porte d'une autre des tourelles. Sûr de lui, un sourire cruel au coin des lèvres, il se dirige vers vous. En arrivant à la hauteur du Capitaine, il se saisit de son épée. Et la lueur qui brille maintenant dans ses yeux ne vous laisse aucun doute : votre aventure va bientôt s'achever...

210

Au matin du troisième jour suivant votre départ de Mortvalon, la Passe de la Fortune n'est toujours pas en vue, quoique vous soyez maintenant à une altitude élevée. L'air est vif et agréablement parfumé par l'odeur des bruyères qui couvrent les premières pentes des Monts Gwalor, une chaîne de pics aux sommets déchiquetés. Vous avancez sur une pente raide et caillouteuse, vous agrippant aux troncs des pins pour ne pas glisser. Mais bientôt les arbres se font de plus en plus rares, avant de disparaître complètement. Vous faites face à un véritable éboulis où le moindre faux pas pourrait vous être fatal. Si vous possédez la discipline de l'Escalade, rendez-vous au **193**. Sinon, rendez-vous au **133**.

211

Au moment où les fauves bondissent sur vous dans un bel ensemble, vous faites un pas de côté en essayant de frapper celui qui est le plus proche de vous d'un violent coup de pied. Mais il esquive sans peine votre attaque, alors que son compagnon s'élance en rugissant. Bientôt vous êtes projeté à terre, dans la plus totale impuissance, et de gigantesques crocs s'enfoncent dans votre cou. Autour de vous, la foule hurle. Et ses cris redoublent au spectacle des lions déchirant vos chairs de leurs puissantes griffes. Votre agonie sera heureusement de courte durée... mais vous avez échoué dans votre mission.

212

Vous poursuivez votre chemin sans incident notable, croisant de temps à autre des voyageurs se déplaçant à pied ou à cheval, ou des caravanes marchandes, vous nourrissant de baies sauvages et de noix que vous cueillez au bord de la route. Le soir venu, vous vous allongez à l'abri d'épais buissons, et vous vous endormez d'un sommeil léger qui vous fait gagner 2 points d'ENDURANCE. Au petit matin, vous reprenez votre marche, espérant atteindre Mortvalon avant la

212 *Le monstre à tête de cobra tient entre ses mains un jeune garçon qui cherche à se dégager.*

fin de la journée. Au bout de quelques heures, vous vous engagez dans les collines qui entourent la ville, et la route monte légèrement en serpentant. Soudain, alors qu'elle contourne un gros bloc de pierre, vous vous arrêtez net en entendant un sifflement aigu, suivi d'un cri de détresse. Vite, vous vous engagez dans le virage, pour découvrir une scène qui vous glace d'horreur. Un chariot est en effet arrêté en plein milieu de la route. Il porte une grande cage qui est pour l'instant ouverte, d'où sort une chaîne à l'extrémité de laquelle est attaché un colosse à la peau sombre... et à tête de cobra ! Sans doute le monstre s'est-il échappé ? Toujours est-il qu'il tient entre ses mains un jeune garçon qui hurle, tout en cherchant à se dégager, mais en vain. De toute évidence, les minutes de l'enfant sont comptées car ce ne sont pas les deux hommes qui se trouvent de part et d'autre du chariot qui risquent d'intervenir : ils sont trop terrifiés pour cela. Allez-vous abandonner le jeune garçon à son sort (rendez-vous au **357**), ou vous précipiter vers l'Homme-Cobra pour tenter de lui porter un coup de pied (rendez-vous au **315**) ?

213

Les murs croulants des remparts de Fendil ont peu à peu disparu derrière vous, et vous marchez d'un bon pas lorsqu'une bouffée d'air brûlant vous frappe en plein visage, alors qu'une forme se dessine devant vous. L'apparition se précise, maintenant, et si votre mission n'était de la plus haute importance, vous auriez déjà pris vos jambes à votre cou sans hésiter. En effet, vous vous trouvez face à une créature gigantesque dont la tête s'orne de deux hideuses et longues cornes. De sa bouche jaillissent des crocs aussi effilés

213 *Vous vous trouvez face à une créature gigantes-que dont la tête s'orne de deux hideuses cornes.*

que des lames de poignard. Mais ce qui rend l'apparence de ce monstre encore plus effrayante, ce sont les flammes qui lèchent son corps. C'est d'une voix rauque et incroyablement basse qu'il s'adresse à vous :
— Mon maître, Manse, le Mage de la Mort, m'a ordonné de vous conduire dans mon univers, la Dimension du Feu. De gré ou de force.
Là mort, elle-même, serait plus douce que le sort qu'il vous réserve. Aussi, vous vous préparez à vendre chèrement votre vie. Mais allez-vous bondir sur l'Être de Feu sans attendre (rendez-vous au **149**), lui expédier une Fléchette Empoisonnée, si toutefois vous possédez cette discipline (rendez-vous au **180**), ou utiliser un Shuriken ? Dans ce dernier cas, vous pouvez choisir de lancer un Shuriken magique si vous en avez un en votre possession (rendez-vous au **161**), ou un Shuriken ordinaire (rendez-vous au **170**).

214

Pour un Ninja, l'alcool est considéré, à juste titre d'ailleurs, comme un poison. Aussi vous êtes-vous entraîné pour vous immuniser contre ses effets. Vous avez donc les idées claires et la pleine possession de vos moyens, mais il n'en est pas du tout de même pour le pauvre capitaine ! Le jeune homme a bientôt le plus grand mal à suivre le fil de ses idées, et à articuler convenablement. De plus, il commence à tituber sérieusement. Vous en profitez pour déclarer à ses compagnons que vous êtes un dévot de Vile et, aussitôt, leur attitude change du tout au tout : ils vous entourent en vous donnant de grandes tapes dans le dos, vous considérant comme l'un des leurs. Se cramponnant à la table, le jeune capitaine vous interroge à propos du voyage que Honoric a entrepris avec Yaémon, et vous lui répondez que Yaémon se dirige vers le nord pour accomplir une mission de la plus haute importance. Ce qui le fait rire aux éclats car, pour lui, il ne fait aucun doute que c'est Honoric qui a, dans cette affaire, le rôle le plus important. Vous apprenez que lui aussi connaît un mot dont le pouvoir est suffisant pour emprisonner un dieu pour l'éternité. Et que tous deux ne doivent plus être très éloignés du Pays des Neiges. Bientôt vous vous levez, prétendant être quelque peu étourdi par les nombreuses chopes d'hydromel que vous avez vidées. Vos nouveaux compagnons vous pressent alors de passer la nuit à la taverne et, pensant qu'il est plus prudent d'accepter, vous louez une chambre pour la nuit pour le prix de 2 Pièces d'Or. Vous dormez d'un sommeil léger, les sens en alerte, mais rien ne vient vous déranger. Au petit matin vous vous éveillez frais et dispos, ce qui vous fait gagner 1 point d'ENDURANCE et, quittant la ville, vous prenez la route menant à Mortvalon. Rendez-vous au **65**.

215

Prudemment, vous vous approchez du pied de l'escalier tout en examinant soigneusement les dalles du passage. L'une d'entre elles vous semblant légèrement plus haute que les autres, vous inspectez soigneusement la surface des murs. Et vous ne tardez pas à découvrir, dans celui de droite, une mince fissure. Une petite porte est dissimulée là. Vous l'ouvrez avec les plus grandes précautions, et vous découvrez une niche dans laquelle se trouve une double arbalète armée. Si vous aviez mis le pied sur la dalle, nul doute que vous auriez été transpercé de part en part... Après avoir retiré les deux flèches qui vous visaient, vous reprenez votre chemin vers l'escalier que vous escaladez le plus silencieusement possible. Rendez-vous au **399**.

216

Tout en vous délestant de votre bourse, le Barbare ne vous quitte pas une seconde des yeux. Puis, en ricanant, il vous ordonne de lui remettre votre équipement Ninja. C'en est trop pour Tisseur de Runes qui, dégainant son épée, se précipite vers Olvar, tout en vous traitant de lâche. Mais à peine a-t-il fait quelques pas qu'un éclair bleuté jaillit de la pierre que le Barbare porte au front, le frappant en pleine poitrine. Le choc a été d'une telle violence que Tisseur de Runes est projeté vers le mur contre lequel il s'écrase, mort. Maintenant, Olvar se tourne vers vous et, avant que vous n'ayez pu esquisser le moindre geste, un nouvel éclair jaillit de la pierre. Dans un réflexe désespéré, vous essayez d'éviter la terrible décharge d'énergie. Votre DEFENSE est de 6. Si vous réussissez dans votre tentative, rendez-vous au **406**. Sinon, rendez-vous au **85**.

217

Descendant du grenier, vous passez devant la pièce où repose le corps de Honoric, puis, après avoir regagné le toit du Donjon, vous grimpez l'escalier de la tourelle où flotte la bannière de la Mante Écarlate. Rendez-vous au **397**.

218

A cette distance, il va vous falloir faire preuve d'une grande adresse si vous voulez atteindre votre cible.

D'autant plus que les rafales de vent ainsi que la pluie qui vous cingle le visage compliquent singulièrement votre tâche. Après avoir soigneusement visé, vous lancez le Shuriken, qui frôle le visage du capitaine avant de rebondir contre la muraille de pierre. Par miracle, l'homme ne s'est aperçu de rien. Allez-vous maintenant attendre qu'il se dirige vers les créneaux pour vous précipiter derrière lui, et essayer de le pousser dans le vide (rendez-vous au **331**), utiliser une Fléchette Empoisonnée, si toutefois vous en possédez la discipline (rendez-vous au **230**), vous approcher furtivement de lui pour tenter de le garrotter (rendez-vous au **247**), ou attendre qu'il vienne vers vous pour lui lancer un autre Shuriken ? Dans ce dernier cas, lancez deux dés. Si vous faites de 2 à 6, rendez-vous au **199**. Si vous faites de 7 à 12, rendez-vous au **189**.

219

La brise marine vous apporte des effluves de sel et d'algues, alors que vous longez la côte ouest de la Mer de l'Étoile. Pour gagner du temps, vous décidez de traverser à la nage l'étroit estuaire situé à l'extrême ouest de la mer. L'eau froide vous fouette le sang et vous revigore tant et si bien qu'une seule journée de marche vous est ensuite suffisante pour atteindre Druath Glennan. La ville est un véritable lacis de sombres ruelles pavées, bordées de maisons de brique grise hautes et étroites, dont les balcons de bois sont serrés les uns contre les autres. Vous vous félicitez d'avoir revêtu un déguisement de pêcheur grâce auquel vous passez inaperçu. Car, à l'évidence, les gardes sont ici à la solde des moines de Vile dont le monastère, reconnaissable à ses volets rouges, est situé, comme vous le découvrez rapidement, sur l'un des côtés de l'esplanade des dieux, face au temple dédié à la Mère Originelle. Remarquant les nombreux mendiants qui hantent les lieux, vous changez de déguisement dans une ruelle avoisinante, puis vous vous mêlez à eux, espérant ainsi pouvoir vous approcher du monastère sans attirer l'attention. Il vous faut en effet à tout prix savoir si Yaémon se trouve encore ou non dans la ville. Vous n'avez pas fait deux pas qu'un homme en haillons, un manchot, se dresse devant vous.

— Éloigne-toi de ce lieu maudit, l'ami. Tu risquerais d'y perdre un bras comme moi. Voilà quelques jours encore, je travaillais dans ce monastère. Et puis... C'est vrai, j'avais un peu trop abusé du vin qu'ils font dans la Cité des Maléfices ; mais il faut dire qu'il est fameux, l'ami... Enfin, toujours est-il qu'ils m'ont jeté à la porte. Mais j'avais entendu dire que Yaémon, le Grand Maître de la Flamme, devait venir visiter le monastère. Aussi je me suis posté devant la porte, et j'ai attendu. Comme je te le dis, l'ami ; jour et nuit. Et lorsqu'il est arrivé, je me suis précipité vers lui. Car il ne faut pas être injuste envers les honnêtes gens, pas vrai ? Je lui ai raconté mon histoire ; et que crois-tu qu'il m'a répondu ? que les caniveaux étaient encore trop beaux pour moi ! Alors, que veux-tu, la colère m'a saisi et j'ai levé le bras pour le frapper. Ce Yaémon n'était pas seul. Il était accompagné d'une espèce d'homme dont la noirceur de l'âme pouvait se lire sur son visage. Un

homme aux yeux rouges étincelant de méchanceté. Manse... le Mage de la Mort... Oui, c'est ainsi qu'il s'appelle. Au moment où j'allais donner à ce maudit Yaémon le coup de poing qu'il méritait, les yeux de son ami se sont comme mis à lancer des éclairs. On aurait dit que le feu lui sortait de la tête. Et, avant même que j'aie pu réaliser ce qui m'arrivait, je n'avais plus de bras. Plus de bras, l'ami... Non, rien... plus rien...
La tête basse, l'homme s'éloigne sans même attendre que vous lui ayez dit un mot. Ainsi, Manse a rejoint Yaémon. Voilà déjà une précieuse information. Allant d'un groupe de mendiants à un autre, vous apprenez que Yaémon est arrivé dans la ville en compagnie de Honoric et que, après avoir rencontré Manse, tous trois se sont immédiatement mis en route vers la forteresse de Guen Dach située au sud-est des Pics de la Dent du Lutin. Vous en savez maintenant suffisamment. De plus, il est tard, et vous ressentez la fatigue du voyage que vous avez accompli ces derniers jours. Aussi, vous vous dirigez vers une misérable auberge pour y passer la nuit. Vous ne dormez que depuis une heure ou deux lorsque vous êtes réveillé en sursaut par une âcre odeur de fumée qui vous prend à la gorge. L'auberge est en feu ! Vous vous précipitez vers la porte de votre chambre que vous ouvrez à toute volée, mais vous devez vite battre en retraite devant le véritable mur de feu que vous découvrez. A présent, la pièce est pleine d'une fumée qui vous fait suffoquer. C'est à ce moment que vous réalisez qu'il n'existe aucune fenêtre, aucune issue. Pour vous sortir de ce mauvais pas, allez-vous tenter de franchir les flammes (rendez-vous au **205**), ou préférez-vous arracher les lattes de

bois du plancher pour essayer de creuser une fosse dans laquelle vous pourriez vous enfouir (rendez-vous au **190**) ?

220

Vous vous précipitez vers la surface de glace et, sautant dessus à pieds joints, vous glissez rapidement hors de portée des fauves. Derrière vous les lions n'ont pas ralenti leur allure. Et, en mettant les pattes sur la glace, ils ont commencé à glisser, eux aussi. Mais cet élément leur est pour le moins étranger, et vous ne pouvez vous empêcher d'éclater de rire en voyant leurs gestes maladroits, et l'expression ahurie qui se peint sur leur gueule. A petits pas, pour ne pas perdre l'équilibre, vous revenez vers eux. C'est en vain qu'ils essayent de bondir pour vous attraper, de la façon la plus comique qui soit : chacune de leurs tentatives se terminant inéluctablement à plat ventre, et les pattes écartées. A toute allure, vous traversez l'étendue herbeuse, et vous vous engagez dans le marais. Rendez-vous au **172**.

221

Bientôt, vous êtes plongé dans une méditation si profonde que votre corps et votre âme se fondent dans la mansuétude de Kwon le Rédempteur. Et les ondes d'énergie qui vous traversent sont si intenses que vous gagnez 3 points de Force Intérieure. Votre compagnon, qui se présente sous le nom de Mérod, est si impressionné par la lumière et la force qui émanent de tout votre être qu'il vous presse de venir prêcher devant ses frères avant qu'ils ne se rendent au réfectoire pour y prendre leur dîner. Mais vous déclinez son offre, préférant le mettre au courant de l'objet de

votre mission. En apprenant qu'il fait face à un Ninja, il hoche la tête, comprenant que seul le Grand Maître du temple et lui-même doivent connaître la raison de votre présence en ces lieux. Le Grand Maître Réméner, homme de haute taille au visage émacié, écoute votre récit sans vous interrompre. Au fur et à mesure que vous parlez, l'expression de sagesse qui baignait son visage fait place à une expression de peur. Une fois que vous avez terminé, il vous déclare qu'il a entendu dire que Yaémon avait traversé la ville de Mortvalon, voilà de cela huit jours, se dirigeant, d'après ce qu'il a cru comprendre, vers le monastère des adorateurs de Vile, qui se dresse dans la ville de Fendil. Il ajoute que si vous franchissez rapidement la Passe de la Fortune, vous avez encore quelque chance d'atteindre les Étendues Glacées avant le Grand Maître de la Flamme. Puis, vous prenant par l'épaule, il vous déclare :
— Un homme vit dans les montagnes. Il a certes fait vœu de solitude, mais c'est un adepte de la Voie du Tigre ; aussi, si vous réussissez à le rencontrer, peut-être vous aidera-t-il. Il est beaucoup plus âgé que je ne le suis ; néanmoins, par la grâce de Kwon, son corps possède encore toute son agilité et sa force. Son nom est Togawa ; voilà bien longtemps, il était, dans l'Ile des Songes Paisibles, le Grand Maître de l'Aube. Il habite une caverne qui s'ouvre quelque part dans les flancs du Mont Gwaldor. Là, il passe le plus clair de son temps à méditer et à explorer les plans passés, présents et à venir de l'existence. Lui pourrait certainement vous dire où se trouve exactement Yaémon.
Mérod vous conduit alors à une petite cellule où, après avoir pris un maigre dîner, vous ne tardez pas à

tomber dans un profond sommeil qui vous fait gagner 4 points d'ENDURANCE. Au petit matin vous quittez la ville par la porte nord. Vous avez un sérieux retard sur Yaémon et, si vous voulez le rattraper, il faut faire vite, et surtout choisir le bon chemin. Aussi allez-vous vous diriger vers la ville de Fendil (rendez-vous au **260**), prendre la direction du nord vers la Chaussée des Géants (rendez-vous au **81**), ou prendre la route de la Passe de la Fortune pour essayer de trouver le mystérieux Togawa (rendez-vous au **210**) ?

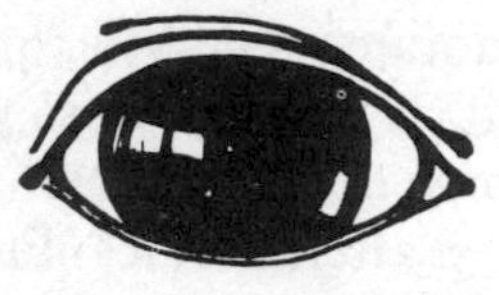

222

Sous la violence de votre coup, la tête du moine sursaute brutalement vers l'arrière dans un horrible craquement, avant de retomber sur sa poitrine dans une position identique à celle des marionnettes du fabricant de jouets dont vous venez de sauver la vie. Ce dernier est d'ailleurs en train de reprendre connaissance et, réalisant ce que vous avez fait pour lui, il vous sourit tout en vous remerciant chaleureusement. La petite fille – sa fille –, quant à elle, vous a saisi la main qu'elle couvre de baisers. Mais vous n'oubliez pas ce qui vous a amené en ces lieux. Aussi demandez-vous à l'homme s'il a entendu dire que Yaémon, le Grand Maître de la Mante Écarlate, s'est trouvé à un moment ou un autre présent dans la ville.

– Impossible de vous renseigner, répond-il. Vous

savez, il n'y a plus de gardes aux portes de la ville. Aussi personne ne peut dire qui y entre ou en sort. Après l'avoir remercié, vous quittez Fendil sans attendre, avant que les adorateurs de Vile n'apprennent le sort que vous avez réservé à deux de leurs frères. Rendez-vous au **289**.

223

Vous poursuivez votre chemin, croisant de temps à autre des voyageurs isolés se déplaçant à pied ou à cheval, ou des caravanes marchandes. Pour ne pas perdre de temps, vous ne vous arrêtez dans aucune auberge, préférant vous nourrir de baies sauvages et de noix que vous cueillez au bord de la route, et dormir à l'abri de quelques buissons. Deux jours et deux nuits s'écoulent ainsi, ce qui vous repose agréablement de tous les traquenards que vous avez dû déjouer, et vous fait gagner 2 points d'ENDURANCE. Dans la matinée du troisième jour, l'aspect étrange d'une caravane qui s'avance vers vous vous fait inconsciemment ralentir l'allure. Elle est composée de quatre lourds chariots, gardés par quatre cavaliers revêtus de cotte de mailles et, fait inhabituel, armés de fléaux d'armes. Elle ne se trouve plus qu'à une dizaine de mètres de vous lorsque l'un des cavaliers, vous apercevant, hurle : « Le Ninja ! » Tous s'élancent alors vers vous au grand galop. Vous avez eu le temps de remarquer que leur bouclier était frappé du symbole du Tourbillon Noir. Si vous possédez la discipline de l'Acrobatie, vous pouvez sauter de côté pour éviter le premier cavalier, avant d'essayer de monter en croupe derrière lui (rendez-vous au **195**). Sinon, vous pouvez essayer de parer le premier coup en vous protégeant de votre manche renforcée de lames de fer, puis tenter de désarçonner le cavalier (rendez-vous au **171**), ou vous jeter à terre, sachant que les chevaux éviteront de vous piétiner (rendez-vous au **182**).

224

Le coup que vous venez de lui porter précipite le bourreau diabolique dans l'eau, où il reste immobile, le dos à l'air. Comprenant que leur tortionnaire vient de rendre l'âme, les prisonniers vous supplient alors de les libérer. Voilà une belle occasion de créer une diversion ! Vous cédez donc à leurs prières, leur demandant seulement d'attendre trois minutes après que vous avez quitté la salle avant de vous suivre. Rendez-vous au **270**.

225

Le propriétaire de l'auberge vous demande 2 Pièces d'Or pour vous louer une chambre pour la nuit et, lorsque vous vous êtes acquitté de cette somme, il vous conduit à une chambre située au premier étage de son établissement. Vous dormez d'un sommeil léger, prêt à répondre à toute alerte ; ce qui fait que l'irruption soudaine de trois hommes ne vous prend nullement au dépourvu. Quelques coups bien placés assomment pour le compte deux d'entre eux. Quant au troisième, il ne demande pas son reste, et s'enfuit à toutes jambes dans le couloir. Rapidement, vous ligotez vos deux agresseurs et vous les enfermez dans une grande armoire de bois, avant de reprendre votre somme. Bien que vous ne dormiez que d'un œil, la nuit vous est profitable, et vous gagnez 1 point d'ENDURANCE. Le matin venu, vous quittez la ville en direction de Mortvalon. Rendez-vous au **254**.

226

Vous vous élancez vers Olvar qui, négligemment, secoue la tête. Aussitôt un éclair bleuté jaillit de la pierre qu'il porte au front. Votre DEFENSE contre cette décharge d'énergie est de 6. Si vous parvenez à l'éviter, rendez-vous au **406**. Sinon, rendez-vous au **85**.

227

L'Homme-Cobra siffle et se tortille au bout de sa chaîne. Le jeune garçon profite de sa distraction pour lui échapper et s'enfuir. Les deux hommes, des brutes épaisses n'ayant rien à envier aux bœufs qui tirent le chariot, vous expliquent alors qu'ils conduisent la créature au zoo de Mortvalon.

— Nous l'avons trouvé dans une grotte, non loin d'ici, ajoute l'un d'eux en vous indiquant du doigt le flanc de la colline dans lequel vous distinguez, en effet, une sombre ouverture surplombée par un rocher. Nous ne nous sommes pas aventurés très loin dans ce repaire du diable, mais il y a des trésors là-dedans. Pour sûr !

Sur ces mots, il donne un coup de trique à son attelage qui s'éloigne bientôt, traînant le monstre derrière lui. Le jeune garçon est assis tout en haut du chariot, les pieds dans le vide. Vous adressant un signe de la main, il crie :

— Merci ! Merci ! Surtout, ne serrez pas la main du jeune magicien !

A ces mots, vous entendez les deux hommes qui éclatent de rire, et bientôt vous vous retrouvez seul, libre d'interpréter à votre guise cet énigmatique avertissement. Si vous voulez poursuivre votre route vers Mortvalon, vous dépassez bientôt l'attelage. Rendez-vous au **283**. Mais si vous préférez explorer tout d'abord la grotte, rendez-vous au **275**.

228

Vous vous jetez à terre, projetant devant vous vos jambes qui enserrent dans un ciseau celles de Yaémon. Avant qu'il ne comprenne ce qui lui arrive, vous vous tournez sur le côté, lui faisant ainsi perdre l'équilibre. Un cri de douleur s'échappe de sa gorge lorsqu'il heurte le sol. Et cette chute lui fait perdre 2 points d'ENDURANCE. Si vous venez de tuer Yaémon, rendez-vous au **420**. Sinon, il réagit à la vitesse de l'éclair : vous venez à peine de ramener vos jambes pliées contre votre poitrine pour vous remettre debout d'une forte détente qu'il vous domine déjà de toute sa taille. Ce qui ne vous empêche nullement de vous retrouver sur vos pieds, et de garder l'initiative. Allez-vous maintenant tenter la Queue du Dragon (rendez-vous au **245**), le Tourbillon (rendez-vous au **367**), un coup de poing (rendez-vous au **266**), ou un coup de pied (rendez-vous au **390**) ?

229

Déroulant la cordelette enduite de cire, vous l'amenez juste au-dessus de la bouche ouverte du Grand Maréchal. Puis, après avoir ouvert la fiole, vous laissez couler quelques gouttes sur le fil, qui glissent en fumant avant de tomber au fond de la gorge de Honoric. L'homme émet un cri rauque et porte les mains à son cou, le visage tordu par la douleur. Mais il ne faut que quelques secondes pour que le poison agisse, et bientôt son corps se raidit, avant de retomber sur le lit où il demeure immobile. Vous venez de mettre fin aux jours du Grand Maréchal de la Légion de l'Épée de Damnation, l'un des hommes les plus puissants du monde d'Orb. Allez-vous maintenant pénétrer dans la chambre pour vous emparer de son épée, la terrible Damnation (rendez-vous au **154**), ou préférez-vous revenir sur le toit du Donjon ? Dans ce dernier cas, vous pourrez vous diriger vers la tourelle où flotte la bannière du Tourbillon Noir (rendez-vous au **130**), ou vers celle où flotte la bannière de la Mante Écarlate (rendez-vous au **217**).

230

Une forte rafale de vent s'abat soudain sur le Donjon, en même temps qu'un lugubre hurlement s'élève au milieu des claquements des bannières qui flottent au sommet des tourelles. Le cri vous a fait dresser les cheveux sur la tête, et c'est un miracle si vous n'avez pas lâché la pierre à laquelle vous vous cramponnez. Vous poussez un soupir de soulagement lorsque, enfin, vous en comprenez l'origine : ce hurlement est tout simplement produit par le vent s'engouffrant dans une étroite meurtrière de l'une des tourelles ! Mais le Capitaine des gardes a été tout aussi effrayé que vous ; et lui cherche encore à comprendre. Il faut en profiter. Glissant une Fléchette sur votre langue, vous la soufflez dans sa direction. Bien que la pluie vous ait quelque peu gêné, et que la lumière diffusée par le brasero soit bien trop faible pour que vous ayez pu viser convenablement, la Fléchette atteint l'homme en pleine gorge. Sans un cri, il s'effondre, et le vacarme de son armure touchant le sol est emporté par le vent. A présent, vous pouvez prendre pied sur le toit. Regardant tout autour de vous, vous constatez que chacune des tours comporte à sa base une ouverture donnant sur un escalier en spirale. Vers quelle tourelle allez-vous vous diriger ? Celle portant la bannière de l'Épée de Damnation (rendez-vous au **320**), celle surmontée de la bannière de la Mante Écarlate (rendez-vous au **148**), ou celle au sommet de laquelle flotte la bannière du Tourbillon Noir (rendez-vous au **130**) ?

231

Les lions se ruent vers vous, et vous comprenez alors que vous n'êtes pas de taille à lutter contre ces redoutables tueurs. Si vous possédez la discipline de l'Acrobatie, rendez-vous au **192**. Sinon, rendez-vous au **211**.

232

L'*Aquamarine* est un navire de cent rames, comportant deux mâts. Un bâtiment conçu pour affronter la haute mer et ses tempêtes. Les vents vous sont favorables et, pendant les deux semaines suivantes, la mer est si calme que vous croiriez presque naviguer sur un lac, si ce n'était le goût du sel sur vos lèvres. Les hommes doivent ramer dix heures par jour ; mais ce sont des hommes libres et ils ne sont pas enchaînés aux bancs de nage. Deux d'entre eux ont le corps couvert de cicatrices, témoins du temps où, capturés par les pirates, ils durent ramer sous la menace du fouet. La plupart sont de véritables colosses ; d'autres, trop tôt mis à l'ouvrage, ont le torse musculeux et les jambes presque atrophiées, ce qui leur donne l'apparence de gnomes des montagnes. Vous avez dépassé depuis quelque temps le Pays de l'Abondance par le sud, et vous êtes en vue de l'Ile de la Déesse des Magies, lorsque la vigie signale une voile à l'horizon. Craignant une mauvaise rencontre, le capitaine ordonne au timonier de changer de cap,

232 *Le monstre s'élance en faisant tournoyer au-dessus de sa tête une masse de bois hérissée de pointes de fer.*

alors que le lourd tambour donnant la cadence aux rameurs accélère son rythme. Mais le bateau aperçu est plus rapide que l'*Aquamarine*, et bientôt vous pouvez distinguer les détails de sa longue coque peinte en vert et rouge, et remarquer qu'il arbore une bannière rouge au sommet de son grand mât. Glaivas, qui se tient à vos côtés, accoudé au bastingage, vous déclare sombrement :

— Ce bateau arrive du Port des Forbans ; inutile d'essayer de lui échapper.

En disant cela, il a tiré son épée. De leur côté, les rameurs accélèrent encore plus la cadence. Mais ils ne peuvent rien contre les esclaves qui manient les rames du bateau pirate, encouragés par les chats à neuf queues de leurs gardes. Très vite, le capitaine de l'*Aquamarine* se rend à l'évidence.

— Préparez-vous à repousser l'abordage ! hurle-t-il.

En effet, votre agresseur aurait pu vous éperonner facilement ; mais, au dernier moment, il a viré de bord et commence lentement à vous remonter sur bâbord. Vous pouvez voir maintenant la face grimaçante des pirates, perchés dans les haubans, le cimeterre à la main et le poignard dans la bouche. A leur tête se trouve une espèce de monstre, haut de plus de trois mètres. Sans même attendre que les grappins aient immobilisé l'*Aquamarine,* il s'élance en faisant tournoyer au-dessus de sa tête une énorme masse de bois hérissée de pointes de fer. Il ne vous faut pas longtemps pour vous rendre compte que l'équipage ne pourra résister à la meute des forbans. Allez-vous grimper dans les gréements pour lancer un Shuriken sur le monstre (rendez-vous au **257**), ou l'attaquer sans attendre dès qu'il aura mis le pied sur le pont (rendez-vous au **280**) ?

233

Tisseur de Runes est étendu, sans vie, à vos pieds, son épée plantée dans le plancher à côté de lui. Vous vous en saisissez, mais vous réalisez vite qu'elle ne vous sera d'aucune utilité. Seul, un magicien serait capable de lui faire cracher ses décharges d'énergie. Quelque peu désappointé, vous caressez du bout des doigts les hiéroglyphes d'Eldritch qui sont gravés dessus, mais vous ressentez alors une vive douleur qui vous fait jeter l'arme au loin. Elle a dû être forgée par les Elfes Noirs dans les profondeurs du Rift, et son maniement demande une longue et dangereuse initiation. Épuisé par les combats que vous venez de livrer, vous vous endormez comme une masse dans un coin de la cabane, ce qui vous fait gagner 3 points d'ENDURANCE. Au petit matin, vous vous remettez en route, abandonnant derrière vous les inutiles trésors qui vous encombreraient plus qu'ils ne vous seraient d'une aide quelconque. Quelques heures plus tard, vous descendez à grands pas l'autre versant de la Passe de la Fortune. Allez-vous maintenant prendre la direction du nord-est vers la Mer de l'Étoile et la ville de Druath Glennan (rendez-vous au **219**), vous diriger plein nord vers la Cité des Neiges (rendez-vous au **313**), ou traverser le Pays des Trolls, à l'est, pour gagner la ville de Solangle où vous pourrez sans doute trouver un navire qui vous emmènera à Druath Glennan (rendez-vous au **59**) ?

234

— Oh ! mais vous étiez attendu ! Le Grand Voyant sait déjà tout de vous. Ce qui n'est pas le cas des adorateurs de Vile, car il n'est pas écrit qu'ils doivent savoir.
Il fait une pause, avant d'ajouter :
— Tout du moins, pas encore...
— Qui est le Grand Voyant ? demandez-vous.
— Le Maître du Destin, le gouverneur de Fendil. Tu en sais peu, étranger. Aussi je vais te donner un conseil. Suis-le, et tu ne le regretteras pas, car c'est un conseil qui vaut de l'or.
Pointant alors son doigt vers le bas de la rue principale, il reprend :
— Rends-toi à la taverne des Volontaires. Tu y entendras quelque chose qui te concerne. Car n'oublie pas que nous attendions ta venue.
Sur ces mots, il éclate d'un rire joyeux. Ne voulant pas plus attirer l'attention, vous le quittez et, descendant le chemin des Rêveurs, vous arrivez après une cinquantaine de mètres devant une taverne portant une enseigne représentant un jeune guerrier agenouillé, recevant une épée d'un homme revêtu d'une robe rouge, au visage caché derrière un masque d'or. Si vous décidez de suivre le conseil de l'ermite, vous pénétrez dans la taverne des Volontaires (rendez-vous au **200**). Mais vous pouvez également poursuivre votre chemin. Rendez-vous dans ce cas au **185**.

235

Vous nourrissant de noix et de raisins, vous traversez les vignes qui, bientôt, font place à une vaste étendue inculte. En fin d'après-midi, vous parvenez au pied des collines couvertes de cyprès, et vous décidez de passer la nuit dans les branchages de l'un de ces arbres. Une bonne nuit de sommeil vous fait gagner 2 points d'ENDURANCE, et vous vous éveillez au petit matin frais et dispos. Allez-vous maintenant poursuivre votre route vers le nord (rendez-vous au **341**), ou préférez-vous obliquer vers l'ouest pour retrouver la route menant à Mortvalon (rendez-vous au **212**) ?

236

Le second moine marque un temps d'hésitation en vous voyant vous jeter à terre, jambes en avant. Si vous tentez une mise à terre pour la première fois, sa DEFENSE n'est que de 5 (et non de 6).

SECOND ADORATEUR DE VILE
DEFENSE contre la Queue du Dragon : 6
ENDURANCE : 12
DOMMAGES : 1D

Si vous parvenez à le mettre à terre, vous vous relevez sans perdre une seconde pour tenter un coup de pied (rendez-vous au **264**), ou un coup de poing (rendez-vous au **244**), en ajoutant pour cet Assaut seulement 1 point à votre Habileté au pied ou au poing. Si vous échouez, il profite de sa supériorité pour contre-attaquer en essayant de vous porter un coup de poing. Votre DEFENSE est de 7. Si vous survivez à cet Assaut, vous ripostez en tentant un coup de poing (rendez-vous au **244**), ou un coup de pied (rendez-vous au **264**).

237

Vous prenez votre élan pour tenter une mise à terre sur l'un de vos assaillants qui, ayant quelque peu abusé de la boisson, ne peut vous opposer une forte résistance. Sa DEFENSE est de 7. Si vous réussissez, rendez-vous au **296**. Sinon, tous vos adversaires encore en vie se ruent sur vous. Votre DEFENSE est de 7 s'ils sont trois, de 8 s'il n'en reste que deux, de 9 s'il n'y en a plus qu'un. Ils vous attaquent à tour de rôle, et vous ne pourrez essayer de parer le coup que d'un seul. A chaque fois que vous serez touché, 1D + 1 points de DOMMAGES vous seront infligés. Si vous survivez à ces Assauts, vous contre-attaquez en tentant un Cheval Ailé (rendez-vous au **256**), ou un Poing de Fer (rendez-vous au **248**).

238

Alors que le tranchant de votre main s'abat sur lui, le bourreau essaye de parer votre coup de son avant-bras, sa hache se balançant au bout d'une lanière de cuir attachée à son poignet.

BOURREAU
DEFENSE contre la Patte du Tigre : 6
ENDURANCE : 15
DOMMAGES : 1D

Si vous êtes vainqueur, rendez-vous au **224**. Sinon, votre adversaire esquisse le geste de vous frapper avec sa hache, pour essayer de vous porter un violent coup de son autre poing. Votre DEFENSE est de 7. Si vous survivez à cet Assaut, vous ripostez en tentant le Tigre Bondissant (rendez-vous au **249**), les Dents du Tigre (rendez-vous au **259**), ou un nouveau coup de poing (revenez alors au début du paragraphe).

239

Vous vous élancez vers Olvar qui, ne bougeant pas d'un pouce, hoche seulement la tête. Aussitôt, un éclair bleuté jaillit de la pierre qu'il porte au front. Dans un réflexe désespéré, vous bondissez dans les airs pour essayer d'éviter la décharge d'énergie. Votre DEFENSE est de 5. Si vous réussissez dans votre tentative, rendez-vous au **165**. Sinon, rendez-vous au **152**.

240

Avec une vitesse incroyable, vous pivotez sur votre talon gauche, tout en projetant votre jambe droite pied en avant, qui, après avoir décrit un arc de cercle parfait, s'écrase en plein sur le visage de Yaémon. Vous avez senti les os craquer sous votre pied, et le choc a été si violent que la tête de Yaémon a semblé jaillir hors de ses épaules, et qu'il a reculé d'une dizaine de pas, ne gardant l'équilibre que par miracle. Ce coup lui fait perdre 8 points d'ENDURANCE, et s'il lui ôte la vie, rendez-vous au **420**. Sinon, vous vous précipitez vers lui et, alors que vous n'en êtes plus éloigné que d'un mètre, vous bondissez dans les airs tout en ramenant vos genoux sous votre menton. Puis, détendant vos jambes, vous tentez de lui expédier vos deux pieds en pleine poitrine. En un éclair, Yaémon a deviné vos intentions. Et c'est sans difficulté qu'il détourne votre coup de son avant-bras. Vous atterrissez souplement en lui tournant le dos et, prenant appui sur votre pied gauche, vous pivotez jambe droite en avant. Cette fois, Yaémon ne se laisse pas surprendre, et il esquive votre coup en se baissant. Mais, profitant de votre avantage, vous tentez un Tigre Bondissant. Sous la pluie des coups que vous lui portez, Yaémon recule pas à pas, jusqu'au moment où, prenant son élan, il exécute une série de sauts périlleux qui le mettent hors de votre portée.

Pour quelques secondes seulement, car vous êtes déjà sur lui. Allez-vous maintenant tenter un nouveau Fléau de Kwon (rendez-vous au **54**), l'Éclair Brisé (rendez-vous au **306**), le Cheval Ailé (rendez-vous au **84**), un coup de poing (rendez-vous au **266**), ou une mise à terre (rendez-vous au **401**) ?

E41

Attendant que Tisseur de Runes ait amorcé son mouvement, vous faites un pas sur le côté et, lui saisissant le poignet, vous collez rapidement votre dos contre sa poitrine pour essayer de le faire passer par-dessus votre épaule.

TISSEUR DE RUNES
DEFENSE contre le Tourbillon : 5
ENDURANCE : 10
DOMMAGES : 1D + 2

Si vous réussissez cette mise à terre, vous pouvez tenter de le frapper d'un coup de poing (rendez-vous au **263**), ou d'un coup de pied (rendez-vous au **250**), en ajoutant 2 points à votre Habileté au poing ou au pied pour cet Assaut seulement. Sinon, il contre-attaque en essayant de vous assener un coup de son épée. Votre DEFENSE est de 7. Si vous survivez à cet Assaut, vous ripostez en tentant un coup de poing (rendez-vous au **263**), ou un coup de pied (rendez-vous au **250**).

242

Il vous informe alors qu'il est un moine dévot de Kwon, et vous invite à le suivre dans son monastère qui s'élève dans les Jardins de la Rédemption. Le temple est entouré de parterres de roses, et vous êtes heureux de vous retrouver dans un lieu où l'atmosphère, si calme, ne peut que prêter à la méditation, et où vous pourrez trouver de l'aide. Après avoir pénétré dans l'édifice, vous vous agenouillez, tandis que le moine entonne, d'une voix de basse, le chant sacré de Kwon, le Rédempteur. Rendez-vous au **221**.

243

Vous voilà maintenant dans l'étendue herbeuse, alors que, derrière vous, l'homme revêtu de la robe bleu et or s'avance sur la surface gelée du lac. Les lions, quant à eux, salivent d'une façon inquiétante en vous regardant ! Et ce n'est certes pas le moment de vous extasier sur leur force et sur leur rapidité. Mais plutôt celui de décider si vous allez les attaquer dans la plaine (rendez-vous au **231**), ou battre en retraite vers le lac (rendez-vous au **220**).

244

Le second moine s'approche pour vous attaquer. Mais, avant qu'il n'ait pu esquisser un geste, vous projetez votre main, doigts tendus, vers ses côtes.

SECOND ADORATEUR DE VILE
DEFENSE contre la Morsure du Cobra : 6
ENDURANCE : 12
DOMMAGES : 1D

Si vous êtes vainqueur, rendez-vous au **258**. Sinon, il tente de vous mettre à terre. Votre DEFENSE contre cette version du Tourbillon pratiquée par les adeptes de la Mante Écarlate est de 7. S'il réussit sa prise, il vous expédie dans les airs, et vous retombez lourdement à terre, épaule en avant. Sans perdre un instant, vous vous remettez rapidement sur vos pieds, pour voir le moine tenter de vous porter un coup de pied, contre lequel votre DEFENSE est de 6. La rapidité de votre adversaire vous empêche toute parade. Si vous survivez à cet Assaut, vous ripostez en tentant le Cheval Ailé (rendez-vous au **264**), la Queue du Dragon (rendez-vous au **236**), ou une nouvelle Morsure du Cobra (revenez alors au début du paragraphe).

245

Vous vous laissez tomber à terre, essayant de prendre ses jambes dans les vôtres pour lui faire perdre l'équilibre. Mais il s'attendait à cette prise et, faisant un rapide pas de côté, il se laisse tomber sur votre protrine, genoux en avant, en poussant un cri d'attaque montrant qu'il a utilisé sa Force Intérieure. Vos côtes craquent affreusement, et vous ressentez une intense douleur dans tout votre corps, ce qui vous fait perdre 10 points d'ENDURANCE. Si ce coup ne vous a pas ôté la vie, vous dominez votre douleur, et vous vous relevez au moment même où le pied de Yaémon vole vers votre visage. Réagissant comme l'éclair, vous essayez de lui enserrer la cheville de vos deux mains comme le ferait un piège à ours. L'espace d'une seconde, vous pensez y être parvenu. Mais Yaémon, comprenant votre intention, projette son autre jambe vers vous. Et son pied vous frappant en pleine poitrine lui permet d'échapper à votre prise. Cependant, cela vous permet de reprendre l'initiative. Allez-vous tenter de lui porter un coup de poing (rendez-vous au **266**), un coup de pied (rendez-vous au **390**), ou préférez-vous essayer un Tourbillon (rendez-vous au **367**) ?

246

Si vous êtes immunisé contre le venin de cobra, vous ne l'êtes pas du tout contre la magie qui a permis à Manse de l'emprisonner dans son bâton. Et vous avez beau tirer de toutes vos forces le corps du reptile, vous ne parvenez pas à lui faire ouvrir sa gueule toujours refermée sur votre cuisse. En désespoir de cause, vous le saisissez par le cou que vous tordez violemment. Cette fois, vous avez réussi. Mais un morceau de votre chair est resté entre les crocs du cobra, ce qui vous fait perdre 4 points d'ENDURANCE. Pendant quelques instants vous restez immobile, attendant que l'effroyable douleur se calme et que le souffle vous revienne. Puis, après avoir bandé votre blessure, vous regagnez le toit du Donjon, et vous vous tournez vers les tourelles. Dans laquelle allez-vous essayer de pénétrer maintenant ? Celle surmontée de la bannière frappée de l'Épée de Damnation (rendez-vous au **339**), ou celle au sommet de laquelle flotte la bannière de la Mante Écarlate (rendez-vous au **370**) ?

247

Les bourrasques de vent se succèdent, de plus en plus violentes. Soudain, un hurlement s'élève dans la nuit ; un cri si effroyable que vos cheveux se dressent sur votre tête, alors qu'une sueur glacée commence à vous dégouliner le long de la colonne vertébrale. Il vous faut un certain temps pour comprendre l'origine de ce hurlement : ce n'est que le vent qui s'est engouffré par une étroite meurtrière percée dans la muraille de l'une des tourelles ! Le Capitaine, quant à lui, n'a encore rien compris et, l'œil hagard, il agite fébrilement son épée sans bouger d'un pouce. Tout à coup, il vous aperçoit. Vite, il faut profiter de sa frayeur pour l'attaquer. Lancez deux dés. Si vous obtenez de 6 à 12, rendez-vous au **178** ; si vous obtenez de 2 à 5, rendez-vous au **209.**

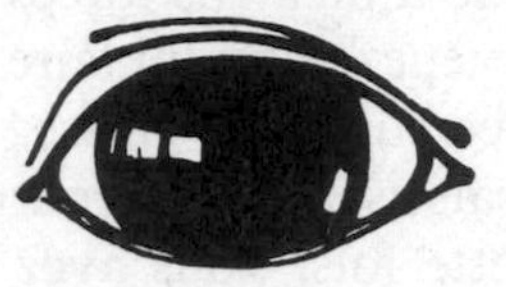

248

Vite, il vous faut choisir l'adversaire que vous allez attaquer.

	DEF.	END.	DOM.
CAPITAINE	4	12	1D + 3
Premier SOLDAT	4	9	1D + 1
Deuxième SOLDAT	4	10	1D + 1

Si vous êtes vainqueur des trois hommes, rendez-vous au **268**. Sinon, chacun de vos adversaires restant en vie vous attaquera l'un après l'autre. Et il ne vous sera possible de parer que le coup d'un seul. Votre DEFENSE est de 7 si vous faites face à trois adversaires, de 8 s'il en reste deux, et de 9 s'il n'y en a plus qu'un. Si vous survivez à cet Assaut, vous contre-attaquez en tentant le Tourbillon (rendez-vous au **237**), le Cheval Ailé (rendez-vous au **256**), ou un nouveau coup de poing (revenez alors au début du paragraphe).

249

A l'évidence, le Bourreau n'a jamais eu l'occasion de faire face à un adversaire dont les coups de pieds ont une telle violence.

BOURREAU
DEFENSE contre le Tigre Bondissant : 5
ENDURANCE : 15
DOMMAGES : 1D + 1

Si vous êtes vainqueur, rendez-vous au **224**. Sinon, il brandit sa hache dans la ferme intention de vous fendre le crâne. Votre DEFENSE est de 7. Si vous survivez à cet Assaut, vous ripostez en tentant la Patte du Tigre (rendez-vous au **238**), les Dents du Tigre (rendez-vous au **259**), ou le Tigre Bondissant (revenez alors au début du paragraphe).

250

Faisant un pas de côté, vous lancez votre jambe gauche, pied en avant, vers son estomac.

TISSEUR DE RUNES
DEFENSE contre l'Éclair Brisé : 5
ENDURANCE : 15
DOMMAGES : 1D + 1

Si vous êtes vainqueur, rendez-vous au **233**. Sinon, il essaye de vous porter une manchette en pleine gorge. Votre DEFENSE est de 7. Si vous survivez à cet Assaut, vous bondissez sur lui en tentant de le frapper d'un coup de poing (rendez-vous au **263**), de le mettre à terre (rendez-vous au **241**), ou de lui donner un nouveau coup de pied (revenez alors au début du paragraphe).

251

Pendant que Tisseur de Runes ramasse quelques branchages pour faire un feu, vous vous asseyez en tailleur sur le plancher pour méditer. Mais vous ne pouvez vous empêcher de l'observer du coin de l'œil. Vous êtes surpris en constatant que son armure est faite de cuir bouilli ; et effaré en le voyant allumer son feu sans utiliser d'amadou. Mais quel ?... Vos réflexions sont soudain interrompues : la porte vient de s'ouvrir à la volée, et un guerrier barbare a fait irruption dans la cabane. L'homme, gigantesque, est revêtu d'une curieuse armure faite de plaques de métal se chevauchant les unes les autres comme des écailles de poisson. Au cou, il porte un collier fait de dents de belette géante. Mais le plus surprenant est l'étrange bandeau de métal qui enserre sa tête, serti d'une pierre précieuse à la hauteur du front. Sa longue épée fermement serrée dans ses deux mains, il déclare :

— Pas un geste, les gnomes ! Donnez-moi gentiment votre or !

— Pour qui nous prends-tu, barbare ? Pour l'un de ces paysans timorés qui tremblent devant toi ? ricane Tisseur de Runes.

— Peu importe que vous soyez princes ou paysans, réplique le Barbare. Mon nom est Olvar. Je suis Celui qui apporte le Chaos. Et je vais prendre votre or.

Allez-vous bondir sur lui (rendez-vous au **239**), lui laisser prendre votre bourse (rendez-vous au **216**), ou jeter une pincée de Poudre Éclair dans le feu (rendez-vous au **187**) ?

252

Difficile de garder l'équilibre sur la glace ! Et, si vous n'aviez pas un sens de l'équilibre tout à fait excep-

251 *Un guerrier barbare a fait irruption dans la cabane...*

tionnel, voilà longtemps que vous seriez à quatre pattes. Le Géant des Neiges, quant à lui, avance sans la moindre difficulté, ses énormes griffes tendues vers vous, avec la ferme intention de faire autre chose que de vous serrer la main. Allez-vous vous laisser tomber sur la glace, jambes en avant, pour tenter la Queue du Dragon (rendez-vous au **202**), attendre qu'il soit à votre portée pour tenter le Poing de Fer (rendez-vous au **160**), ou essayer immédiatement l'Éclair Brisé (rendez-vous au **184**) ?

253

Votre coup de poing est si violent qu'il traverse le champ de force, atteignant le magicien à l'épaule. Sans attendre qu'il réagisse, vous lui expédiez un Cheval Ailé en pleine poitrine. Reculant sous le choc, il perd l'équilibre et tombe dans les eaux de la douve qui, aussitôt, sont agitées d'horribles bouillonnements. Les Bouches Flottantes s'en donnent à cœur joie, et bientôt l'homme est réduit à l'état de squelette. Le Gobelin à présent ! Vous vous dirigez vers la tour, où la créature, sûre d'un nouveau succès, parade devant la foule en se frappant du poing la poitrine qui doit être deux fois plus large que la vôtre, alors qu'il agite son trident de son autre main. La tour a été construite grossièrement, et ses murailles sont pleines de fissures. Vous vous déplacez sans arrêt autour d'elle, semant la confusion dans l'esprit du Gobelin sur votre exacte position. Jusqu'au moment où, saisissant un bloc de pierre, vous l'expédiez au sommet de l'édifice, juste derrière lui. Il se retourne d'une pièce, prêt au combat, et vous en profitez pour l'attaquer à la vitesse de l'éclair. Allez-vous tenter le Tigre Bondissant (rendez-vous au **281**), le

Tourbillon (rendez-vous au **267**), ou la Patte du Tigre (rendez-vous au **293**) ?

254

Alors que vous vous éloignez des murailles inquiétantes de la Cité des Maléfices, les premiers rayons du soleil éclairent la campagne, faisant naître des reflets dorés dans les champs d'orge et de maïs. Vous dépassez vite les champs pour vous retrouver devant une grande plaine, au centre de laquelle plusieurs milliers d'hommes de la Légion de l'Épée de Damnation s'entraînent. Vous ne vous attardez pas en traversant cette plaine qui bientôt laisse place à une étendue quelque peu désolée, plantée de vignes et de rares arbres. Si vous décidez de continuer votre marche sur la route de Mortvalon, rendez-vous au **223**. Si vous préférez obliquer vers le nord, rendez-vous au **235**.

255

L'homme s'écarte soudain, comme s'il venait de commettre une erreur, et vous en profitez pour vous frayer un chemin à travers la foule qui vous presse de toutes parts. Vous êtes un héros, maintenant, aux yeux des habitants de Mortvalon ; et vos exploits sont sur toutes les lèvres. Mais vous préférez, quant à vous, vous éloigner au plus vite de cette ville qui aime trop la violence et la mort. Déguisé en paysan, vous franchissez la porte nord de Mortvalon. Intrigué, un garde vous demande où vous comptez aller, tout en ajoutant :

— C'est le jour des jeux, l'ami ! Un jour de liesse !

Vous préférez ne pas lui répondre, et il vous laisse passer sans insister. Allez-vous maintenant vous diriger vers Fendil qui se trouve au nord-est (rendez-vous au **260**), ou plein nord, vers la Chaussée des Géants qui vous permettrait de traverser les Monts des Visions (rendez-vous au **81**) ?

256

Prenant appui sur votre pied droit, vous lancez votre jambe gauche, pied en avant, vers la tête de l'un de vos adversaires (choisissez lequel).

	DEF.	END.	DOM.
CAPITAINE	5	12	1D + 3
Premier SOLDAT	4	9	1D + 1
Deuxième SOLDAT	4	10	1D + 1

Si vous êtes vainqueur de tous vos adversaires, rendez-vous au **268**. Sinon, ceux qui restent en vie vous attaquent l'un après l'autre. Bien entendu, vous ne pourrez parer le coup que d'un seul. Votre DEFENSE est de 7 si trois adversaires sont encore présents, de 8 s'il en reste deux, et de 9 s'il n'y en a plus qu'un. Si vous survivez à cet Assaut, vous ripostez en tentant le Tourbillon (rendez-vous au **237**), le Poing de Fer (rendez-vous au **248**), ou un nouveau coup de pied (revenez alors au début du paragraphe).

257

Le Shuriken scintille dans le soleil en filant vers sa cible, et vous sautez sur le pont sous une pluie de flèches qui sont tirées sur vous depuis la proue du navire pirate. Un hurlement vous apprend que vous avez touché le géant. Lancez un dé, et retranchez le chiffre obtenu du total d'ENDURANCE du monstre qui est de 16. Vous parvenez à éviter les traits qui sifflent à vos oreilles, mais votre regard infaillible en repère soudain un qui se dirige droit vers votre gorge. Si vous possédez la discipline de l'Œil d'Aigle, rendez-vous au **380**. Sinon, rendez-vous au **396**.

258

C'est à peine si le second moine est encore conscient, mais il ne peut que s'agenouiller devant vous, soumis à votre volonté. Allez-vous lui laisser la vie sauve (rendez-vous au **409**), ou en terminer avec lui d'un bon coup de pied (rendez-vous au **222**) ?

259

Le Bourreau ne peut qu'admirer l'incroyable saut que vous venez d'accomplir. Néanmoins, reprenant ses esprits, il tente de vous attraper par la cheville au moment où vous arrivez à sa portée.

BOURREAU
DEFENSE contre les Dents du Tigre : 6
ENDURANCE : 15
DOMMAGES : 1D + 1

Si vous réussissez cette mise à terre, sans attendre vous tentez de lui porter le Tigre Bondissant (rendez-vous au **249**), ou la Patte du Tigre (rendez-vous au **238**), en ajoutant 2 points à votre Habileté au pied ou au poing pour cet Assaut seulement. Sinon, il saisit votre cheville et vous balance contre le mur de la salle où vous vous écrasez. Ce qui vous fait perdre

2 points d'ENDURANCE. Vous avez à peine le temps de vous remettre sur pied qu'il est sur vous, la hache à la main. Votre DEFENSE est de 7. Si vous survivez à cet Assaut, vous contre-attaquez en tentant un coup de pied (rendez-vous au **249**), ou un coup de poing (rendez-vous au **238**).

260

Les quatre journées suivantes se passent sans incident notable, et vous en profitez pour bien vous reposer et reprendre des forces ; ce qui vous fait gagner 6 points d'ENDURANCE. Dans la matinée du quatrième jour, alors que la pluie commence à tomber, la rive de la Fortune que vous suivez est rejointe par une route de terre peu fréquentée. Sans doute s'agit-il de la route reliant Fendil à la ville des Guildes-sous-la-Lande située plus au sud, connue également sous le nom de Cité du Soleil. La température est maintenant beaucoup plus basse que celle baignant la Mer de l'Infini, et vous ne devriez pas tarder à apercevoir les premiers contreforts des montagnes. En fin de journée, en effet, le ciel s'éclaircit, découvrant, au loin, les sommets déchiquetés de la chaîne du Mont Gwalor. Enfin, le lendemain matin, vous apercevez la ville de Fendil, nichée dans une vallée verdoyante. Alors que vous vous approchez de la ville, vous constatez que ses remparts sont quelque peu délabrés, et même totalement en ruine par endroits. La tour gardant les portes paraît vide d'hommes d'armes, et seul un vieil homme, drapé dans une toge qui a dû connaître de meilleurs jours, est assis sur un bloc de pierre très certainement tombé du sommet de la tour. Vous arrivez presque à sa hauteur lorsque, tournant la tête dans votre direc-

tion, il vous déclare d'une voix empreinte de douceur :
— Sois le bienvenu à Fendil, Ninja. Ta route a été longue depuis que tu as quitté l'Ile des Songes Paisibles.
Il paraît extrêmement las et, à priori, vous n'avez aucune raison de vous méfier de lui. Néanmoins, si vous redoutez une quelconque traîtrise de sa part, vous pouvez purement et simplement l'assommer en lui portant un coup à la tête (rendez-vous au **114**). Mais vous pouvez également lui demander de ne révéler votre présence à personne (rendez-vous au **234**).

261

L'arène comporte plusieurs parties bien distinctes les unes des autres. En son centre se dresse une tour miniature, dont la hauteur doit être approximativement égale à votre taille, entourée d'une large douve, au-delà de laquelle l'arène est divisée en quatre parties égales, séparées par des barrières hérissées de pointes de fer. A l'extrémité de chacune des quatre barrières se dresse une petite plate-forme. Vous vous tenez actuellement sur celle qui est située au sud. A votre gauche s'étend une petite plaine, et à votre droite un lac glacé (créé à l'évidence par un quelconque artifice magique). Faisant suite à la plaine se trouve un marécage à l'aspect inquiétant. Enfin, entre le marécage et le lac s'étale un désert de dunes. Sur la plate-forme nord, vous apercevez un homme revêtu d'une armure en argent. Mais il vous est impossible de voir son visage, car la visière de son heaume est baissée. Sur la plate-forme ouest, un Elfe Noir agite son épée en lançant des invectives à la

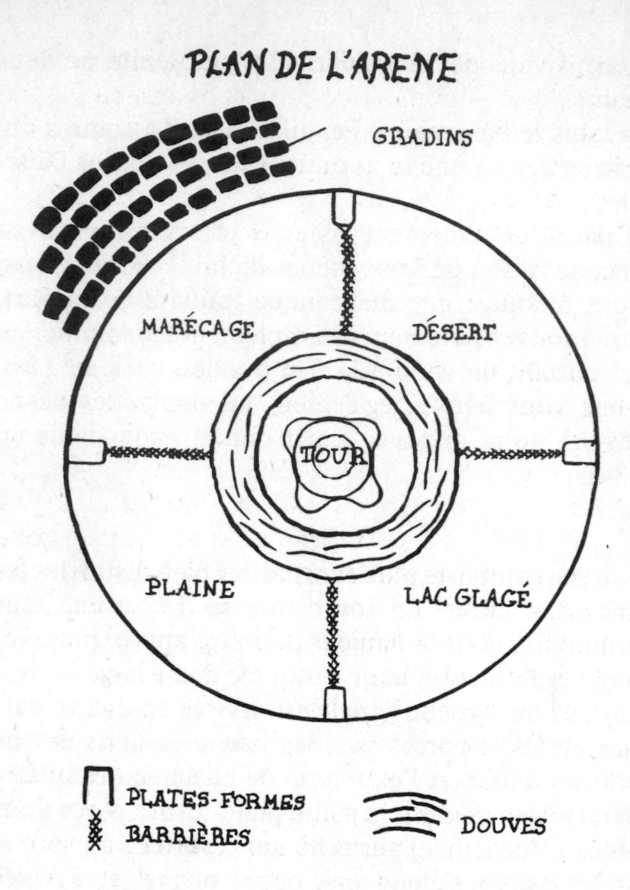

foule qui est installée sur des gradins, derrière lui. Sur la plate-forme est, un jeune homme vêtu d'une ample robe bleu et or attend calmement la suite des événements. Enfin, au sommet de la tour, un Gobelin brandit un trident. Mais ce n'est pas tout ! Sur le lac gelé se tient, fermement campé sur ses jambes, un Géant des Neiges mesurant trois mètres pour le moins. Dans la plaine, deux lions marchent de long en large en poussant des rugissements. Au beau milieu du désert, un Homme-Cobra dodeline doucement son immonde tête. Et une barque flotte sur l'eau fangeuse du marécage, ce qui n'est pas le moins inquiétant. Alors que vous vous demandez la signification de toute cette mise en scène, les plates-formes commencent à s'enfoncer lentement dans le sol. Et vous allez devoir très vite choisir entre le Géant et les lions. Maigre consolation : tous les acteurs de cette macabre pièce vont se retrouver dans la même situation que vous. Car il n'est pas question de vouloir quitter l'arène : les lances des soldats qui l'entourent vous en dissuaderaient vite si vous en aviez l'idée. Déjà, l'homme en armure a choisi le désert, alors que l'Elfe Noir s'est engagé dans le marécage. Quant au jeune homme, il attend toujours calmement. Alors, qu'allez-vous faire ? Tenter votre chance chez les lions (rendez-vous au **243**), ou vous aventurer sur le lac (rendez-vous au **252**) ?

262

Après avoir allumé un feu, vous vous asseyez en tailleur pour méditer. Et votre âme est déjà loin des choses matérielles lorsque, tout à coup, la porte de la cabane s'ouvre à la volée, laissant passer un guerrier barbare. Une seconde vous suffit pour vous redresser et faire face à l'homme. Il porte une étrange armure faite de plaques de fer qui se chevauchent les unes les autres comme les écailles d'un poisson. Autour de son cou est passé un collier où pendent des dents de belette géante. Mais le plus étonnant est un bandeau de métal qui entoure son front, et dans lequel est sertie une pierre précieuse de taille imposante. Sa longue épée pointée vers vous, il vous dit d'une voix ricanante :

— Bien le bonjour, petit gnome des montagnes ! Tu te trouves en présence d'Olvar le Barbare. Mieux connu sous le surnom de Celui qui apporte le Chaos. N'aie pas peur... je n'en veux qu'à ta bourse !
Allez-vous bondir sur lui (rendez-vous au **226**), le laisser prendre votre or (rendez-vous au **204**), ou jeter une pincée de Poudre Éclair dans le feu (rendez-vous au **117**) ?

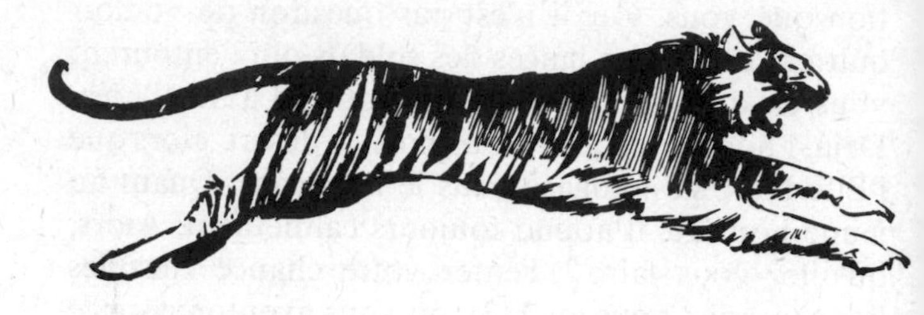

263

Aussi rapide que le serpent, vous abattez le tranchant de votre main sur le cou de votre adversaire.

TISSEUR DE RUNES
DEFENSE contre la Patte du Tigre : 5
ENDURANCE : 10
DOMMAGES : 1D + 1

Si vous êtes vainqueur, rendez-vous au **233**. Sinon, il essaye de vous faucher d'un coup d'épée. Votre DEFENSE est de 6. Si vous survivez à cet Assaut, vous ripostez en tentant un coup de pied (rendez-vous au **250**), une mise à terre (rendez-vous au **241**), ou un nouveau coup de poing (revenez alors au début du paragraphe).

264

L'autre moine s'approche maintenant de vous, prêt à vous attaquer. Pivotant d'un quart de tour, vous lui expédiez votre pied au visage.

SECOND ADORATEUR DE VILE
DEFENSE contre le Cheval Ailé : 5
ENDURANCE : 10
DOMMAGES : 1D + 1

Si vous êtes vainqueur, rendez-vous au **258**. Sinon, il réplique à ce coup de pied par un autre coup de pied. Votre DEFENSE est de 8. Si vous survivez, vous ripostez en tentant une Morsure du Cobra (rendez-vous au **244**), une Queue du Dragon (rendez-vous au **236**), ou un nouveau coup de pied (revenez dans ce cas au début du paragraphe).

265

Vous sautez et, attrapant à deux mains les rebords de l'ouverture, vous vous rétablissez dans le grenier. Puis, sans bruit, vous vous penchez sur les planches disjointes du sol. Honoric est juste au-dessous de vous. Allongé sur un lit, il semble dormir d'un sommeil profond, la bouche grande ouverte. A la lumière tremblotante de l'unique bougie éclairant la pièce, il vous paraît ainsi moins cruel qu'il ne l'est en réalité. Son épée repose à son côté, la garde retenue par son avant-bras. Pour le peu que vous en voyez, la pièce ne semble receler aucun piège : aussi, vous avez le choix entre deux solutions. Vous pouvez essayer de faire avaler à Honoric la dose de sang du Dieu Nil, ce redoutable poison que vous avez en votre possession en utilisant une cordelette enduite de cire (rendez-vous au **229**) ou, si vous jugez cela moins aléatoire, vous pouvez redescendre l'escalier jusqu'à la porte de la chambre, et l'ouvrir après en avoir huilé les gonds (rendez-vous au **274**).

266

Quel coup de poing allez-vous tenter ? La Morsure du Cobra (rendez-vous au **340**), le Poing de Fer (rendez-vous au **330**), ou la Patte du Tigre (rendez-vous au **410**) ? Mais, avant tout, vous devez décider immédiatement si vous allez utiliser votre Force Intérieure ou non.

267

Le Gobelin essaye de vous pourfendre de son trident. Ce qui ne vous empêche nullement de tenter une mise à terre.

GOBELIN
DEFENSE contre le Tourbillon : 6
DOMMAGES : 1D + 3

Si vous réussissez, il roule au sol, et vous l'attaquez au moment où il essaye de se relever. Vous pouvez tenter de lui porter un coup de poing (rendez-vous au **293**), ou un coup de pied (rendez-vous au **281**), en ajoutant 2 points à votre Habileté au poing ou au pied pour cet Assaut seulement. Sinon, il vous donne un violent coup dans les côtes, qui vous fait perdre 2 points d'ENDURANCE. Puis, sans vous laisser le temps de récupérer, il essaye de vous planter son tri-

265 *Allongé sur un lit, Honoric semble dormir d'un sommeil profond.*

dent en pleine poitrine. Votre DEFENSE est de 7. Si vous survivez à cet Assaut, vous contre-attaquez en tentant un coup de poing (rendez-vous au **293**), ou un coup de pied (rendez-vous au **281**).

268

Les trois hommes sont maintenant étendus autour de vous, morts ou simplement assommés. Un silence pesant règne dans la taverne et toutes les personnes présentes fixent prudemment leur chope, jugeant plus sage de ne pas croiser votre regard. Craignant que le bruit ne se répande rapidement dans la Cité, qu'un moine ne combattant pas à la manière des adeptes de la Mante Écarlate s'y promène en toute liberté, vous quittez l'endroit sans tarder, pressant le pas vers les portes de la ville. Un jeune soldat semble vous avoir emboîté le pas. Il vous serait facile de vous en débarrasser, mais vous préférez le perdre en vous enfonçant dans le labyrinthe des ruelles. Peu de temps après, vous atteignez le poste de garde. A l'évidence, les hommes présents n'ont pas encore reçu l'ordre d'arrêter les étrangers, et vous pouvez passer sans être inquiété. Une fois hors de la Cité des Maléfices, vous marchez pendant une bonne demi-heure avant de grimper dans un arbre pour y prendre un repos bien mérité. Rendez-vous au **254**.

269

Après avoir pris pied sur le toit du Donjon, vous ajustez votre cible, et vous lancez le Shuriken. Jetez deux dés. Si vous obtenez de 9 à 12, rendez-vous au **189** ; si vous obtenez de 6 à 8, rendez-vous au **199** ; enfin si vous obtenez de 2 à 5, rendez-vous au **218**.

270

Partant de la chambre de tortures, un escalier en spirale mène à un large corridor, après avoir desservi des geôles vides. A l'extrémité de ce corridor, vous remarquez un escalier en tous points semblable au premier, montant vers les étages supérieurs. A l'évidence, vous vous trouvez maintenant à l'intérieur du Donjon. Si vous possédez la discipline du Crochetage des Serrures, rendez-vous au **215**. Sinon, rendez-vous au **207**.

271

Sans hésiter, vous vous précipitez vers un Aroc en train de plonger, bec en avant, dans le dos du guerrier. Prenant un rapide élan, vous bondissez dans les airs, et vous le saisissez par le cou en plein vol. Les vertèbres broyées, l'Homme-Oiseau tombe comme une masse sur le sol. Mais à ce moment vous ressentez une intense douleur dans votre épaule gauche : l'une des créatures vient de vous enfoncer ses serres dans la chair, ce qui vous fait perdre 3 points d'ENDURANCE. Si vous êtes toujours vivant, vous réagissez dans la seconde. Faisant demi-tour, vous attrapez l'Aroc par l'une de ses ailes et, profitant de son déséquilibre, vous lui expédiez une Patte du Tigre dans le cou qui l'assomme net. Pendant ce temps, le guerrier s'est débarrassé d'un autre de ses agresseurs, à l'aide de l'éclair vert de son étrange épée ; voyant cela, les derniers Arocs, encore en vie, s'enfuient dans de grands battements d'ailes. Rengainant son arme, l'homme s'approche de vous et vous remercie pour l'aide que vous lui avez apportée.

— On me connaît sous le nom de Tisseur de Runes,

dit-il. Et nul doute que, sans ton intervention, tu n'aurais jamais connu mon nom !
Il ajoute qu'il se dirige vers le nord en quête d'aventures, après avoir été chassé de Mortvalon pour d'obscures raisons. Vous hochez la tête tout en l'examinant du coin de l'œil. Car les runes ne sont-elles pas les caractères d'une écriture antique principalement utilisés pour retranscrire les formules magiques ? Quoi qu'il en soit, vous vous éloignez de concert du lieu du combat, en remontant le cours de la rivière qui n'est plus qu'un mince filet d'eau. Le soir venu, vous arrivez en vue d'une petit hutte, dressée non loin de la source de la Fortune, et vous décidez d'y passer la nuit. Le temps s'étant considérablement rafraîchi, Tisseur de Runes commence à rassembler quelques branchages pour allumer un feu.
Rendez-vous au **251**.

272

La foule pousse des hurlements de joie en vous voyant jeter le trident du Gobelin dans la douve, alors que la tour elle-même commence à s'enfoncer dans le sol. Vous penchant sur le corps de votre malheureux adversaire, vous fouillez ses vêtements : vous découvrez une fiole portant une étiquette précisant qu'elle contient une « Potion Magique », ce qui ne vous avance pas pour autant. Mais comme il s'agit là de la récompense qui a été donnée au Gobelin pour ses nombreuses victoires dans l'arène, et qu'il y tenait comme à la prunelle de ses yeux, vous vous en saisissez à tout hasard. L'ayant ouverte, vous reconnaissez l'odeur caractéristique de la Poudre de Triton de Feu. Une poudre qui ne possède aucun pouvoir magique, ce qui vous prouverait si besoin était le machiavélisme des gens de cette ville, mais que vous rangez dans vos affaires pour le cas où, un jour, elle se montrerait de quelque utilité. La tour a maintenant complètement disparu, et les cris de la foule ont cessé. Sans doute sa soif de sang est-elle pour le moment assouvie. Devant vous apparaît maintenant un chemin vous permettant de sortir de l'arène, et de gagner une rue de la ville. Mais dès que vous l'avez atteinte, les cris reprennent de plus belle ; pire, on vous jette des roses, et un aristocrate du coin vous propose de vous engager comme garde du corps ! Soudain, une main se pose sur votre épaule, et vous pivotez sur vous-même, prêt à expédier une Morsure du Cobra. Mais l'homme qui vous fait face ne semble avoir aucune intention belliqueuse. Bien au contraire, car c'est d'une voix amicale qu'il vous demande :

— Ne seriez-vous pas originaire de l'Ile des Songes Paisibles ?

Si vous décidez de répondre par l'affirmative, rendez-vous au **242**. Mais si vous préférez dire que vous n'avez jamais entendu parler de ce lieu, rendez-vous au **255**.

273

Alors que vous passez devant la taverne, la porte s'ouvre brusquement, laissant s'échapper le bruit infernal qui règne à l'intérieur, et des effluves de sueur et d'alcool. Pressant le pas pour vous éloigner de ce lieu, vous arrivez devant le monastère que vous examinez d'un œil apparemment distrait. De magnifiques tours cernent d'élégantes arches de pierre, permettant d'accéder à un cloître à l'extrémité duquel se dresse un imposant bâtiment renfermant le réfectoire et les dortoirs. Mais la douceur du lieu est gâchée par deux détails désagréables : le cloître fourmille d'hommes en armes, et les bords des toits sont défendus par des pointes de fer. Mieux vaut attendre la nuit pour mettre en pratique votre entraînement de Ninja afin de pénétrer dans ce lieu et d'y glaner les informations qui vous font défaut ! Et peut-être y découvrirez-vous Yaémon ?... Allez-vous continuer à observer le monastère pour repérer le chemin le moins dangereux (rendez-vous au **323**), ou préférez-vous passer la journée dans une auberge, pour vous entraîner dans la Voie du Tigre (rendez-vous au **303**) ?

274

Sans faire le moindre bruit, la porte tourne sur ses gonds. Lentement, vous pénétrez dans la chambre, frissonnant en ressentant les ondes démoniaques émises par l'Épée de Damnation. Soudain... non ! vous vous êtes trompé ! Et pourtant. L'Épée vient de prononcer le nom de son maître ! ! ! Honoric se réveille aussitôt et, roulant sur lui-même, il se retrouve debout de l'autre côté du lit, son arme diabolique à la main. Vous bondissez vers lui, et il pousse un cri, prêt à vous combattre de toute son énergie. Profitant de votre élan, vous lui expédiez un violent coup de pied à la hanche, ce qui le fait hurler de douleur. Mais vous avez affaire à forte partie. Soufflant comme un bœuf, Honoric fait un pas en arrière mais, alors que vous croyez l'avoir déséquilibré, il pivote légèrement sur lui-même et son épée siffle dans l'air en direction de votre tête. Vous avez juste le temps de vous protéger de votre avant-bras lorsque la lame heurte les lamelles de fer de votre manche dans un cliquetis de métal. Le coup vous a néanmoins secoué, et c'est le regard plein de fureur que vous vous élancez de nouveau sur Honoric. Regrettable erreur, car la colère fait perdre tout contrôle. Un léger sourire se dessine sur les lèvres de votre adversaire. Il fait un léger pas de côté, et vous terminez votre course tête la première contre un mur. A moitié assommé, vous ne pouvez rien faire contre l'arme de Honoric, qui va vous transpercer le cœur. Votre aventure se termine ici.

275

La grotte est sombre. Mais une lueur diffuse provenant d'une fissure du plafond vous permet néanmoins de vous déplacer sans trop de difficulté. Alors que vous avancez prudemment en prenant garde de ne pas buter sur le sol inégal, vous entendez soudain des bruits de pas derrière vous, ce qui vous fait vous précipiter dans un recoin obscur. Jetant un regard rapide autour de vous, vous remarquez une volée de marches. Sans hésiter, vous commencez à descendre ; au fur et à mesure que vous vous enfoncez dans les profondeurs de la terre, il vous semble distinguer au-dessus de vous ce que vous pensez être tout d'abord un léger bruissement, mais qui se transforme rapidement en grondement. Et, tout à coup, une masse liquide vous heurte dans le dos et vous projette dans l'escalier. Suffoquant, vous vous débattez pour essayer de reprendre pied et lorsque enfin vous y parvenez, c'est pour constater avec effroi que vous êtes prisonnier d'une cage de fer. L'eau vous arrive encore aux genoux, mais son niveau baisse à vue d'œil et, bientôt, il n'y en a plus trace. Les barreaux de votre prison ne vous laissent aucune possibilité de vous échapper, et vous avez l'impression de vous trouver dans cet endroit depuis des heures lorsqu'une lumière soudaine vous oblige à fermer les yeux. Une porte vient de s'ouvrir dans le mur faisant face au bas de l'escalier. Quand enfin vous rouvrez les yeux, vous remarquez qu'un groupe de soldats entoure maintenant votre cage. Certains la poussant, d'autres la tirant, ils lui font passer la porte, et votre stupeur est immense lorsque vous comprenez que vous vous trouvez dans une arène dont les spectateurs, debout sur les gradins, vous acclament. Un soldat ouvre alors la porte de la cage en disant :

— Le destin soit avec toi, étranger.

Un autre vous pique le bas du dos de sa lance pour vous faire sortir tout en vous lançant dans un grand éclat de rire :

— Et n'oublie pas que si tu t'en sors vivant, tu seras le roi de la tour !

Des paroles pour le moins étranges, qui vous donnent des frissons dans le dos. Vous faites un pas en avant et, assourdi par les clameurs de la foule et les sons aigus des trompettes, vous clignez des yeux dans le soleil pour distinguer ce qui vous entoure. Rendez-vous au **261**.

276

Le guerrier magicien manie à présent son épée d'une façon tout à fait normale, donnant des coups et parant ceux que vous lui portez. Peut-être l'arme a-t-elle perdu tout pouvoir magique ? C'est tout du moins ce que vous espérez en tentant l'Éclair Brisé (rendez-vous au **250**), le Tourbillon (rendez-vous au **241**), ou la Patte du Tigre (rendez-vous au **263**).

277

A cet endroit, le mur a une épaisseur d'environ trois mètres. Et c'est sans doute cela qui vous sauve. Car vous vous êtes précipité vers l'ouverture dans laquelle vous avez pratiquement plongé, au moment même où un garde passait à sa hauteur dans la cour intérieure. La profondeur du guichet ainsi que votre costume noir de Ninja ont fait qu'il ne vous a pas aperçu. Pendant une demi-heure, vous ne faites aucun mouvement, guettant seulement les allées et venues du garde pour déterminer très exactement la fréquence de ses rondes. Puis vous sortez de votre cachette en rampant et, après avoir traversé la cour à toute allure, vous commencez votre escalade du Donjon à l'aide des griffes de chat, vous immobilisant à chaque passage du garde en dessous de vous. Si vous décidez d'essayer d'atteindre ainsi le sommet du Donjon, rendez-vous au **174**. Si vous préférez essayer de forcer l'une des fenêtres que vous distinguez à quelques mètres au-dessus de vous, pour pénétrer dans la Forteresse, rendez-vous au **2**.

278

D'un mouvement rapide, vous lancez votre talon en direction de l'estomac de Yaémon qui, faisant un pas en arrière, saisit votre jambe dans un étonnant réflexe. Lui faisant subir une violente torsion, il vous projette dans les airs. Vous en profitez pour ramasser rapidement vos genoux sous votre menton, avant de détendre brusquement vos jambes. Vos pieds le frappent en plein visage, ce qui lui fait perdre 2 points d'ENDURANCE. Si ce coup a achevé Yaémon, rendez-vous au **420**. Sinon, il se rue sur vous en poussant un hurlement de rage et, au moment même où vous retombez à terre, il bascule tout son corps en arrière et vous décoche un formidable coup de pied dans le plexus solaire, ce qui vous plie en deux. Puis, dans le même mouvement, il exécute un ciseau qui lui permet de vous frapper de son autre pied en plein sous le menton. Ces deux coups, impossibles à parer, vous font perdre 8 points d'ENDURANCE. Si, après cette véritable correction, vous êtes toujours en vie, c'est pour recevoir les deux pieds de Yaémon en plein milieu du dos. Vous haletez, et vos idées se brouillent. C'est au bord de l'inconscience que vous voyez votre adversaire prendre calmement son élan pour vous expédier un coup de pied dans la poitrine. Dans une tentative désespérée, vous roulez sur le côté, et son pied ne fait que vous effleurer. Mais vous avez encore des réflexes : profitant de son déséquilibre, vous le fauchez d'un mouvement de jambes, et il tombe lourdement sur le sol. Vous en profitez pour vous relever. Yaémon a certes été aussi rapide que vous pour le faire, mais il a du mal à retrouver son équilibre, et vous avez l'avantage. Allez-vous tenter le Cheval Ailé (rendez-vous au **84**), l'Éclair Brisé (rendez-vous au **306**), le Fléau de Kwon – si toutefois vous connaissez ce coup – (rendez-vous au **240**), un coup de poing (rendez-vous au **266**), ou une mise à terre (rendez-vous au **401**) ?

279

Le moine s'écroule sur le sol en crachant quelques dents et en gémissant. Au moins, il ne vous ennuiera pas pendant un bon moment ; mais ce n'est pas le cas de son compagnon qui s'avance vers vous, prêt à l'attaque. Mieux vaut changer de tactique. Allez-vous tenter la Queue du Dragon (rendez-vous au

236), la Morsure du Cobra (rendez-vous au **244**), ou le Cheval Ailé (rendez-vous au **264**) ?

280

Le Géant saute par-dessus le bastingage, son marteau haut levé, dans la ferme intention de vous transformer en chair à pâté. Mais cette montagne humaine ne vous impressionne pas. Allez-vous tenter le Cheval Ailé (rendez-vous au **332**), le Poing de Fer (rendez-vous au **310**), ou la Queue du Dragon (rendez-vous au **345**) ?

281

Le Gobelin tente de vous planter son trident en pleine poitrine, alors que vous volez vers lui, les jambes prêtes à se détendre pour lui expédier vos deux pieds dans la mâchoire.

GOBELIN
DEFENSE contre le Tigre Bondissant : 6
ENDURANCE : 18
DOMMAGES : 1D + 3

Si vous êtes vainqueur, rendez-vous au **272**. Sinon, vous voyez son trident se rapprocher dangereusement de votre estomac. Votre DEFENSE est de 8. Si vous survivez à cet Assaut, vous ripostez en tentant la Patte du Tigre (rendez-vous au **293**), le Tourbillon (rendez-vous au **267**), ou le Tigre Bondissant (revenez alors au début du paragraphe).

282

En moins de temps qu'il n'en faut pour le dire, vous avez lancé un Shuriken qui s'est planté dans le dos du bourreau, avant de disparaître sous la surface de l'eau noirâtre. Au bout de quelques secondes, vous risquez un œil hors de l'eau : le bourreau, le visage déformé par la rage et la douleur, est en train de menacer le jeune garçon de son fer chauffé au rouge. Effrayé, le garçon tend la main vers l'eau et le bourreau, saisissant sa hache, se précipite vers le bord du bassin. Bondissant comme un bouchon, vous lancez alors un autre Shuriken qui se plante celui-là dans le bras de l'homme. Et, pour être bien certain qu'il va lâcher son arme, vous lui assenez une Patte du Tigre dans l'avant-bras. La hache s'échappe de sa main et tombe à terre, alors que vous le saisissez à bras-le-corps et que vous basculez tous deux dans l'eau. Peut-être est-il beaucoup plus fort que vous ? Mais il n'a pas suivi votre entraînement et, si vous nagez comme un poisson, il se déplace, lui, comme un hippopotame ! Aussi, c'est sans grande difficulté que vous en venez à bout. Sortant de l'eau, vous faites quelques pas dans la chambre de tortures. Plusieurs prisonniers s'y trouvent, et ils vous supplient de les délivrer, ce que vous acceptez bien volontiers, d'autant plus que leur fuite créera une diversion dont vous pourrez profiter. Enfin, vous quittez la lugubre salle. Rendez-vous au **270**.

283

Après avoir franchi le sommet des collines, la route redescend en serpentant, et soudain apparaît, un peu en avant de vous, la ville de Mortvalon, entourée de verdure et de champs de maïs. Une arche gigantesque, commémorant la victoire des serviteurs du Dieu de l'Empire, Moraine, contre les armées du Destin, en marque l'entrée. C'est la fin de la journée, et les paysans quittent les champs pour regagner leurs demeures. Tout en cheminant vers la ville, vous leur posez quelques questions en vous faisant passer pour un voyageur. D'après les réponses que vous obtenez, il semble que le plus grand temple de Mortvalon soit dédié au Dieu de la Mort. Les prêtres interviennent rarement dans la vie quotidienne, mais vous frissonnez en apprenant qu'ils se livrent à des sacrifices humains. Enfin, vous apprenez également que le lendemain est jour de fête et qu'un combat est prévu dans l'arène, quoiqu'il manque encore un champion. Une somme colossale est, paraît-il, promise au vainqueur. Si vous souhaitez suivre l'un des paysans pour être présenté au maître de l'arène, rendez-vous au **290**. Si vous préférez plus simplement vous promener dans la ville, rendez-vous au **169**.

284

Le guerrier se bat vaillamment, mais très vite les éclairs lancés par son épée perdent de leur intensité, pour cesser bientôt tout à fait. Les Arocs en profitent alors pour le jeter à terre en lui donnant de violents coups d'ailes. Puis, serres en avant, ils le déchirent et lui ôtent la vie, avant de s'en saisir pour l'emporter dans leur repaire. Le silence est maintenant total et vous vous sentez quelque peu coupable d'avoir laissé l'homme à son sort. Haussant les épaules dans un geste d'impuissance, vous reprenez votre chemin en remontant le cours de la rivière qui n'est plus qu'un mince filet d'eau. A la fin de la journée, vous apercevez une petite cabane dressée non loin de la source de la Fortune, et vous décidez d'y passer la nuit. Rendez-vous au **262**.

285

Vous exécutez un saut périlleux, espérant ainsi passer au-dessus des gardes. Mais vous n'avez pas pris un élan suffisant, et vous frôlez leur tête. L'un d'eux brandit alors son épée et vous transperce le corps. Vous êtes déjà mort lorsque vous retombez à terre. Votre aventure se termine ici.

286

Alors que les deux moines s'avancent vers vous, vous bondissez tout en projetant vos deux pieds réunis vers le visage de celui qui est le plus proche de vous. Si vous tentez ce coup pour la première fois, vous prenez votre adversaire par surprise : il vous faudra alors tenir compte du premier chiffre figurant dans la colonne « DEF » (pour DEFENSE contre les Dents du Tigre). Mais si vous avez déjà essayé cette prise, vous tiendrez compte du deuxième chiffre. Vous choisissez votre adversaire.

	DEF.	END.	DOM.
Premier MOINE	5/6	14	1D + 1
Second MOINE	5/6	13	1D + 1

Si vous réussissez dans votre tentative, vous pouvez maintenant tenter un coup de poing (rendez-vous au **353**), ou un coup de pied (rendez-vous au **374**), en ajoutant 1 point à votre Habileté au poing ou au pied pour cet Assaut seulement. Si vous échouez, ils contre-attaquent l'un après l'autre. Votre DEFENSE est de 5 si les deux moines vous font encore face, de 7 s'il n'en reste plus qu'un. Si vous survivez à cet Assaut, vous ripostez en tentant le Cheval Ailé (rendez-vous au **374**), ou la Patte du Tigre (rendez-vous au **353**).

287

Dos en avant, vous tombez de l'Antre des Araignées, et vous vous brisez la nuque sur les dalles de la cour, une dizaine de mètres plus bas. Votre aventure se termine ici.

288

Vous bondissez haut dans les airs en direction de Tisseur de Runes, ce qui vous permet d'éviter l'éclair qui frappe les planches disjointes de la cabane dans un claquement sec. Rendez-vous au **276**.

289

Bien que personne ne soit là pour vous voir franchir la porte nord de la ville, vous accélérez le pas afin de mettre la plus grande distance entre vous et les habitants de cette cité de fous. Au fait, portez-vous un Anneau serti d'une opale ? Si tel est le cas, rendez-vous au **203** ; sinon, rendez-vous au **213**.

290

Votre guide s'arrête bientôt devant un grand bâtiment blanc dont il vous montre l'intérieur du doigt. Après l'avoir remercié, vous pénétrez dans un vaste hall aux colonnes de marbre blanc, et vous vous dirigez d'un pas ferme vers un jeune guerrier revêtu d'une ample robe bleu et or. Vous n'en êtes plus éloigné que de quelques mètres lorsque, soudain, le sol se dérobe sous vos pieds. Votre chute est de courte durée, et vous vous relevez quelque peu étourdi dans ce qu'il vous semble être une grotte. Au-dessus de votre tête, vous entendez une voix — sans doute est-ce le jeune guerrier — crier :

— Dépêche-toi d'arriver à l'arène, l'ami ! Car si mes

hommes t'attrapent avant que tu n'y parviennes, tu es un homme mort !
Puis vous entendez le bruit d'un déclic. Autour de vous, l'obscurité est complète. Rendez-vous au **356**.

291

Alors que vous sautez derrière le Bourreau, le brasero siffle et exhale des nuages de vapeur sous les trombes d'eau dont vous venez de l'arroser. A l'aveuglette, il agite le fer chauffé à blanc autour de lui. Par le plus grand des hasards il vous touche. Une affreuse odeur de chair grillée se répand dans l'air, et vous reculez en hurlant de douleur. Vous perdez 2 points d'ENDURANCE. Vous ayant localisé, l'homme se débarrasse de sa barre de fer et, se saisissant de sa hache, il bondit vers vous en poussant un cri guttural. Allez-vous lui faire rentrer ce cri dans la gorge en tentant le Tigre Bondissant (rendez-vous au **249**), la Patte du Tigre (rendez-vous au **238**), ou les Dents du Tigre (rendez-vous au **259**) ?

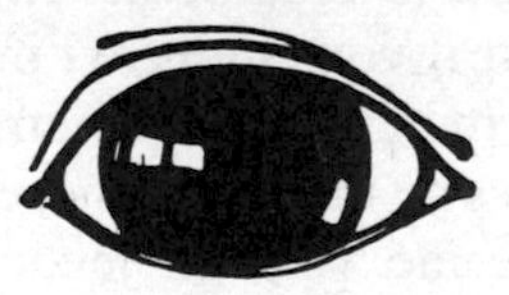

292

Le Shuriken file vers l'éclair qu'il heurte dans une gerbe d'étincelles, avant de rebondir en tourbillonnant. Sous le choc, la décharge d'énergie explose sèchement. Sans perdre un instant, vous vous jetez sur Tisseur de Runes avant qu'il n'utilise de nouveau son arme diabolique. Rendez-vous au **276**.

293

Tant bien que mal, le Gobelin essaie de vous frapper du manche de son trident. Évitant ses coups désordonnés, vous abattez le tranchant de votre main sur son épaule.

GOBELIN
DEFENSE contre la Patte du Tigre : 5
ENDURANCE : 18
DOMMAGES : 1D + 1

Si vous êtes vainqueur, rendez-vous au **272**. Sinon, il vous faut sauter par-dessus son trident pour éviter son manche qui siffle vers votre tête. Votre DEFENSE est de 8. Si vous survivez à cet Assaut, vous ripostez en tentant le Tigre Bondissant (rendez-vous au **281**), le Tourbillon (rendez-vous au **267**), ou la Patte du Tigre (revenez dans ce cas au début du paragraphe).

294

Vous approchez de la ville de Solangle, perchée sur les falaises blanches faisant face à la Mer de l'Étoile. Les algues crissent sous vos pas, et les moutons fuient loin de vous lorsque vous commencez à gravir la route menant aux portes de la cité. Ici, les gardes portent, cousu sur leur poitrine, un symbole que vous n'avez encore jamais remarqué : une épée dont la lame est entourée d'un parchemin. Ils ne vous prêtent aucune attention lorsque vous passez devant eux, et vous en profitez pour disparaître dans les ruelles. Vous passez les quelques heures suivantes à marcher au hasard dans Solangle, en admirant les élégants édifices et les échoppes regorgeant des marchandises les plus diverses. Finalement, votre promenade vous amène à une petite place, au centre de laquelle un dauphin de bronze crache des gerbes d'eau dans un bassin circulaire. L'endroit est si agréable qu'il doit être un centre d'attraction pour tous les voyageurs de passage dans la cité. C'est ici, sans aucun doute, que vous pourrez apprendre quelque chose. Sur l'un des côtés de la place, vous remarquez une vieille femme occupée à broder derrière un étal chargé de fleurs artificielles aux couleurs criardes. Vous approchant d'elle, vous lui demandez — après vous être extasié sur sa broderie et ses fleurs en papier — si, parmi les nombreux étrangers qui traversent la place, elle n'en a pas remarqué de particulier.

— Et qui donc aurais-je dû remarquer ? vous répond-elle d'une voix éraillée. Qui donc serait assez fou pour venir perdre son temps ici ? Si les étrangers étaient si nombreux dans cette ville, croyez-vous donc que mes fleurs seraient en papier ?

Convaincu par ce raisonnement irréfutable, vous quittez la place par une ruelle descendant vers le port. De nombreux navires sont à quai. Galères marchandes ou d'agrément pour la plupart. Car les galères de guerre sont ancrées au large. Un vieux marin vous informe que le *Marsouin* n'attend que la marée haute pour faire voile vers Druath Glennan. Aussitôt, vous vous précipitez vers le ponton auquel il est amarré. Là, son capitaine vous dit qu'il vous en coûtera 2 Pièces d'Or pour la traversée. Après lui avoir payé la somme demandée, vous vous embarquez sur le *Marsouin*. Rendez-vous au **337**.

295

Saisisant le Géant par les cuisses, vous essayez de le déséquilibrer ; mais en vain, car il pèse au moins une tonne. En ricanant, il jette son énorme massue puis, vous attrapant par le cou d'une seule main, il vous expédie vers un rocher contre lequel vous vous brisez les reins. Votre aventure se termine ici.

296

Vous vous baissez avec la rapidité de l'éclair, et l'épée du soldat passe en sifflant au-dessus de votre tête. Mais vous avez réussi à lui saisir le poignet. Lui imprimant une violente torsion et vous aidant de votre hanche, vous projetez l'homme qui part dans un fantastique vol plané à travers la salle, avant de s'écraser sur une table qui se brise sous le choc. L'ahurissement est total chez tous les gens présents, et vous entendez même un homme s'étonner de votre étrange façon de combattre. Vous êtes dehors avant qu'ils n'aient pu réagir et, constatant que personne ne vous suit, vous passez la nuit dans un hôtel proche. Au petit matin, vous quittez la ville par la porte nord, et vous vous engagez d'un bon pas sur la route menant à Mortvalon, espérant parvenir aux Colonnes du Bouleversement avant Yaémon. Rendez-vous au **254**.

297

En quelques mots, vous informez le prêtre de votre détermination à empêcher Yaémon de réduire, à jamais, Kwon à l'impuissance. Au fur et à mesure que vous poursuivez votre récit, l'homme devient soucieux. Et, lorsque vous avez terminé, il vous déclare :

— Ce qui m'inquiète le plus est ce pacte diabolique qui a été conclu entre la Mante Écarlate et l'Épée de Damnation. Je tiens également à vous signaler un fait étrange dont, peut-être, vous n'avez pas eu connaissance. Honoric, le Grand Maréchal de la Légion de l'Épée de Damnation, a quitté la Cité des Maléfices au moment même où, à la tête de ses troupes, il devait marcher sur les Cimes du Présage. Il est parti en compagnie de Yaémon et, d'après mes renseignements, tous deux se dirigent maintenant vers Mortvalon. Ce serait folie de votre part de vouloir les arrêter sans assistance : souvenez-vous de la bataille de la Tour Creuse ; Honoric n'a-t-il pas vaincu ce jour-là plus de quarante guerriers à lui seul ? Et des guerriers qui avaient plusieurs dizaines de campagnes derrière eux... De plus, en ce jour maudit, trois Élus du Destin sont tombés sous son épée, la terrible Damnation ! Et vous n'êtes même pas armé ! Qui pourrait se vanter d'avoir vaincu Yaémon dans un combat à mains nues ! N'est-il pas Grand Maître depuis plus de cent saisons ? Si vous voulez m'en croire, cherchez de l'aide avant même de penser à poursuivre ces deux démons.

— Ce que vous dites est sans aucun doute l'image de la vérité, sinon celle de la sagesse, répondez-vous. Mais je dois essayer. J'en ai fait le serment.

Il vous regarde longuement en secouant la tête d'un air perplexe, puis un léger sourire semble éclairer son visage. Tirant de sous sa robe une petite fiole, il vous la tend.

— Prenez ceci, vous dit-il. Cette fiole contient une Potion de Guérison qui pourrait se montrer de la plus grande utilité pour la bonne réussite de votre entreprise.

Vous inclinant devant lui, vous prenez le flacon que vous rangez dans votre équipement. Il renferme une dose de Potion que vous pourrez absorber à tout moment, sauf au cours d'un combat. Lorsque vous aurez choisi de le faire, vous pourrez augmenter votre total d'ENDURANCE de 10 points. Après avoir remercié le prêtre pour son aide, vous quittez le temple. Allez-vous maintenant sortir de la ville par la porte menant au port, pour prendre ensuite la route de Mortvalon (rendez-vous au **65**), ou franchir l'arche d'obsidienne (rendez-vous au **6**) ?

298

Vous parvenez à saisir la corde au vol, ce qui vous permet de ralentir votre chute et d'atterrir sur le sol en souplesse. A ce moment, l'homme décroche le grappin, mais trop tard. Il tombe à vos pieds, et vous prenez le soin de le ramasser avant de disparaître dans une ruelle. Vous passez le restant de la nuit à l'abri d'une porte cochère et, au petit matin, vous quittez la ville déguisé en mendiant. Bientôt, vous marchez d'un bon pas, déterminé à arriver aux Colonnes du Bouleversement avant Yaémon. Rendez-vous au **254**.

299

Le marionnettiste hurle de douleur ; mais vous vous éloignez sans lui prêter la moindre attention, bien que vous brûliez d'envie d'aller corriger les deux brutes. Pendant quelques heures, vous marchez au hasard dans les rues de la ville, dont le calme vous surprend, comparé à l'agitation des autres cités du Manmarch. Vous pénétrez dans quelques tavernes, vous vous mêlez aux groupes de badauds sur les places publiques, mais vous n'apprenez rien. Les habitants de ce lieu ne semblent préoccupés que de la pluie et du beau temps, et de futiles problèmes d'ordre domestique. Impossible de savoir si Yaémon est passé par ici. Pensant que vous avez suffisamment perdu de temps à Fendil, vous décidez de vous remettre en route le plus rapidement possible. Rendez-vous au **289**.

300

Il doit y avoir des fuites dans le toit de cette cabane, car il y règne une épouvantable odeur d'humidité qui vous prend à la gorge. Néanmoins, vous appréciez l'hospitalité de la vieille femme qui, sans vous poser la moindre question, vous offre un plein bol de soupe fumante. Vous la remerciez et, sans vous faire remarquer, vous glissez 2 Pièces d'Or sous un pot placé sur la table, qu'elle ne manquera pas de découvrir lorsque vous serez parti. Puis vous vous allongez sur votre lit, et vous attendez. Le soleil s'est depuis longtemps couché lorsque vous entendez une sorte de frôlement contre votre fenêtre. Vous vous levez d'un bond et, poussant les volets, vous distinguez dans l'obscurité la blanche colombe de Derdéra. Dans un bruissement d'ailes, elle pénètre dans la chambre et se pose au pied du lit. Accroché à l'une de ses pattes se trouve un petit morceau de papier dont vous vous saisissez. Aussitôt l'oiseau reprend son vol et disparaît dans la nuit. Vite, vous dépliez le message et, l'approchant de la lampe, vous lisez :
« Mettez-vous sans tarder en route pour la forteresse de Guen Dach. L'homme que vous recherchez vient de quitter le monastère de Vile, et Guen Dach sera sa dernière étape avant qu'il n'entreprenne la traversée des Étendues Glacées pour se rendre aux Colonnes du Bouleversement. »
Après avoir brûlé le papier, vous sortez de votre

chambre. Dans la cuisine, la vieille femme est occupée à quelques travaux ménagers. A votre entrée, elle lève les yeux vers vous. Vous lui demandez de vous indiquer la route menant à la forteresse, mais le seul nom de Guen Dach la fait sursauter. D'une voix terrorisée, elle vous supplie de ne pas vous rendre dans ce lieu maudit mais, devant votre détermination, elle vous explique d'un ton résigné que vous devez vous diriger vers le nord-ouest en direction des Monts de la Dent du Lutin au pied desquels s'élève la forteresse. D'un signe de tête, vous la remerciez puis, rassemblant votre équipement, vous vous mettez en route. Tout d'abord, vous contournez la ville ; et, lorsque vous arrivez à la hauteur de la pancarte indiquant le chemin menant à la taverne de la Gorgone, vous prenez la direction nord-ouest par un autre chemin poussiéreux qui s'enfonce dans la campagne. Rendez-vous au **179**.

301

Vous faites un rapide pas de côté puis, bien campé sur vos deux jambes légèrement fléchies, vous détendez brusquement votre bras droit, main tendue en avant, vers la gorge de Yaémon. Cette fois, il a anticipé votre manchette : reculant vivement la tête, il évite votre coup puis, dans le même mouvement, il vous expédie un violent coup de poing à la base du coude. Une onde de douleur vous traverse le bras qui est instantanément paralysé, ce qui vous fait perdre 8 points d'ENDURANCE. Dorénavant, au cours de ce combat, il vous sera impossible de donner le moindre coup de poing, ni d'utiliser l'Acrobatie — si toutefois vous possédiez cette discipline. Vous essayez, tant bien que mal, de surmonter votre douleur, tout en ne quittant pas votre adversaire des yeux. Ce dernier vient de prendre son élan avant de bondir, pieds en avant, vers votre gorge. Votre DEFENSE est de 7. Si vous évitez ce Cheval Ailé, rendez-vous au **411**. Sinon, rendez-vous au **24**.

302

Le Barbare pousse des hurlements, tout en continuant à faire de redoutables moulinets avec son épée. Apparemment, il se soucie peu de la manière dont vous pouvez l'attaquer. Aussi, il vous faudra soustraire 1 point de tous les DOMMAGES que vous pourriez lui infliger. Maintenant, son épée fend l'air en direction de votre tête, mais vous l'évitez en faisant un pas de côté. Pivotant alors rapidement, vous détendez violemment votre jambe vers son visage.

OLVAR LE BARBARE
DEFENSE contre le Cheval Ailé : 7
ENDURANCE : 18
DOMMAGES : 1D + 1

Si vous êtes vainqueur, rendez-vous au **344**. Sinon, Olvar va essayer de vous porter un nouveau coup d'épée. Votre DEFENSE est de 8. Si vous survivez à cet Assaut, vous rispostez en tentant un coup de poing (rendez-vous au **377**), une mise à terre (rendez-vous au **318**), ou un nouveau coup de pied (revenez dans ce cas au début du paragraphe).

303

Minuit vient de sonner lorsque vous quittez l'auberge, revêtu de votre costume de Ninja et pourvu de tout votre équipement. Dehors, l'air froid vous saisit, et vous vous hâtez vers le monastère. A cette heure de la nuit les rues sont désertes, et vous parvenez sans encombre à destination. A première vue, le moyen le plus efficace pour pénétrer dans l'édifice est de passer par le toit d'un couloir menant du réfectoire à la salle de prières, d'autant plus que des tonneaux sont empilés contre le mur. Vous aidant de ces marches improvisées, vous atteignez rapidement le toit et vous vous laissez glisser de l'autre côté, dans une petite cour dont la seule issue visible est un étroit passage que vous remarquez sur votre gauche. Silencieux comme un chat, vous vous dirigez de ce côté. Mais, hélas, vous n'avez pas été suffisamment attentif, et vous vous prenez les pieds dans un fil tendu à hauteur de cheville. Aussitôt, une petite cloche sonne dans le réfectoire. En courant, vous vous engagez dans le passage qui bientôt tourne à droite... pour se terminer en cul-de-sac ! Il semble que vous êtes bel et bien pris au piège. Paniqué, vous faites demi-tour et, lorsque vous débouchez dans la cour, c'est pour vous trouver face à une dizaine de moines tous armés de longues épées. Vous vous défendez avec votre courage habituel. Mais les adversaires sont trop nombreux et l'endroit est trop exigu pour vous permettre de résister longtemps. Transpercé de mille coups d'épée, vous vous écroulez, sans vie, sur le sol. Votre aventure se termine ici.

304

Togawa hoche la tête de nouveau puis, après être resté silencieux quelques instants, il vous pose la troisième question.

— Que sont tes yeux ?

— Mes yeux sont le soleil et la lune, répondez-vous en vous référant aux principes des Grands Maîtres Ninjas. Je suis Ninja et je marche dans la Voie du Tigre.
Cette fois un large sourire éclaire le visage de Togawa.
— Un Grand Maître des Cinq Vents, murmure-t-il. Puis, levant la voix, il ajoute :
— Je ferai tout ce qui est en mon pouvoir pour t'aider. Pour l'instant, il faut dormir.
Vous vous endormez sur le sol froid de la grotte ; mais à peine avez-vous sombré dans le sommeil que Togawa vous apparaît en rêve. Sa silhouette éthérée est aussi brillante que l'argent, et il vous tend la main. Sans hésiter, vous la saisissez et vous éprouvez alors une étrange sensation, comme si vous quittiez votre corps. Regardant à vos pieds, vous voyez, en effet, sans éprouver la moindre émotion, votre corps reposant tranquillement à terre. Vous êtes bientôt loin de la grotte, attentif à la présence de Togawa car, dans ce monde immatériel, votre état de Ninja n'a aucune signification, et il faut vous en remettre aveuglément à lui. Vous vous déplacez dans une sorte de nuée que vous traversez tout en restant dans la plus parfaite immobilité. Togawa, qui vous précède, se tourne alors vers vous et, pointant son doigt en avant, il vous montre une arche scintillante, au-delà de laquelle se déroule un chemin argenté qui se perd dans les nuées. Des êtres évanescents flottent de part et d'autre de cette arche, semblant en assurer la garde.
— Voici la Porte des Sept Cieux, dit Togawa. Il ne nous est pas encore permis de la franchir.
Tandis qu'il parlait, une forme est apparue sur le

chemin d'argent. Venant dans votre direction, elle se précise pour prendre bientôt l'aspect d'un magnifique tigre blanc à la fourrure immaculée et aux yeux bleus.
— L'Esprit du Tigre est un serviteur de Kwon, explique Togawa. Il nous aidera.
L'Esprit s'est arrêté face à vous et vous fixe droit dans les yeux, vous transmettant ainsi une partie de son savoir. Il a suivi Yaémon dans le plan éthéré sans que celui-ci puisse même se douter de sa présence. A l'heure actuelle, il se dirige vers la ville de Druath Glennan, en compagnie de Honoric, le Grand Maréchal de la Légion de l'Épée de Damnation, et dévot du dieu Vasch-Ro. Là, ils doivent rencontrer un troisième personnage qui n'est autre que Manse, le Mage de la Mort, un sorcier aussi puissant que maléfique, un serviteur de Némésis, le Suprême Principe du Mal. Ensemble, ils se rendront ensuite aux Colonnes du Bouleversement ; car chacun d'eux connaît un mot secret qui, prononcé en ce lieu, emprisonnera à jamais un dieu ou une déesse.
Vous réalisez alors qu'il vous faut partir vers Druath Glennan aussi vite que possible. L'Esprit du Tigre vous bénit alors, en souhaitant que le Destin vous soit favorable (ce qui augmente de 1 point votre total de Destin). Vous essayez, vainement, de lui répondre. Mais aucun mot ne sort de votre bouche. A votre côté, Togawa vous fait signe ; il est temps de vous éloigner de la Porte des Sept Cieux.
Au petit matin, lorsque vous vous éveillez, Togawa est devant vous, le front soucieux.
— Cette alliance diabolique doit être évitée coûte que coûte, dit-il. De tous les serviteurs des dieux du mal, seuls ceux de Vile, de Vasch-Ro et de Némésis

ont la discipline nécessaire à une action commune. Des trois, Némésis est le plus redoutable, et c'est de Manse qu'il faut avant tout se méfier, quoique les deux autres n'aient rien à lui envier en ce qui concerne la magie noire. Jamais, jamais trois hommes possédant une telle puissance négative ne se sont porté si grande confiance jusqu'à s'unir.

S'interrompant, Togawa plonge la main dans une fissure du rocher d'où il tire un petit sac d'herbes.

— Prends ces Herbes de Guérison, dit-il. Elles pourront t'être d'un grand secours.

Lorsque vous déciderez d'utiliser le présent de Togawa, c'est-à-dire lorsque vous le désirerez, sauf au cours d'un combat, vous pourrez ajouter 8 points à votre total d'ENDURANCE. Tout en le remerciant, vous rangez le sachet dans votre équipement. Puis vous lui demandez s'il vous accompagnera, mais il ne vous répond pas. Au contraire, il s'allonge sur le sol, et tombe immédiatement dans un profond sommeil. Apparemment, il ne vous dira rien de plus. Vous quittez alors la caverne et, redescendant de la montagne, vous prenez la direction de la Passe de la Fortune. Rendez-vous au **70**.

305

Honoric et Manse ne sont plus. Mais votre mission n'en est pas terminée pour autant, car il vous reste maintenant à venger votre père spirituel, à débarrasser le monde d'Orb de la présence maléfique de Yaémon. Si vous échouez, aucune force au monde ne pourra l'empêcher de prononcer le mot qui emprisonnera Kwon à tout jamais. Sans perdre un instant, vous redescendez sur le toit du Donjon. Rendez-vous au **101**.

306

Quelques pas rapides, et Yaémon tente le Tigre Bondissant ; mais vous avez juste le temps de vous reculer pour éviter son coup. Déséquilibré, il trébuche, et vous en profitez pour lui expédier votre pied en plein dans l'estomac. Dans un réflexe désespéré, il parvient à écarter votre jambe de son avant-bras, mais ne peut rien faire lorsque, doublant ce dernier coup, vous le visez à la tête. Vous avez mis toute votre énergie dans cette tentative et, frappé de plein fouet au visage, votre adversaire s'écroule sur le sol après un magnifique vol plané. Vous pouvez retrancher 6 points de son total d'ENDURANCE, le double si vous avez utilisé votre Force Intérieure. Si vous êtes définitivement venu à bout de Yaémon, rendez-vous au **420**. Sinon, il se relève péniblement, ce qui vous permet de conserver l'initiative du combat. Allez-vous maintenant tenter l'Éclair Brisé (rendez-vous au **150**), le Tigre Bondissant (rendez-vous au **278**), le Fléau de Kwon — si toutefois vous connaissez ce coup — (rendez-vous au **240**), un coup de poing (rendez-vous au **266**), ou une mise à terre (rendez-vous au **401**) ?

307

Vous pénétrez dans la taverne de l'Épée Noire, une salle toute en longueur pleine d'une foule occupée à vider chope sur chope, et où un grand feu crépite dans une cheminée. La plupart des personnes présentes sont des soldats et, curieusement, vous ne voyez aucun marin malgré la proximité du port. La chaleur est telle que la majorité des hommes d'armes se sont débarrassés d'une partie de leur armure. Lentement, vous vous approchez du comptoir, derrière lequel un homme à la stature herculéenne semble jongler avec les pots d'hydromel et les pièces d'argent que lui envoient ses clients. D'un geste, vous commandez une chope et, après avoir payé, vous tendez l'oreille pour surprendre les conversations. D'un groupe à l'autre, elles ne varient guère : il n'est question que de la prochaine campagne militaire qui va être déclenchée contre les Cimes du Présage. Assis à une table, non loin de vous, un jeune homme de vingt-cinq ans à peine est particulièrement bruyant. D'une voix tonitruante il commande de l'hydromel et, aussitôt, deux soldats se précipitent, se disputant le privilège de lui apporter ce qu'il a demandé. Sans leur prêter attention, il lève les yeux vers vous et, vous faisant signe d'approcher, il vous lance un défi pour savoir qui de vous deux pourra vider le plus grand nombre de chopes. Allez-vous relever ce défi (rendez-vous au **194**), ou préférez-vous refuser (rendez-vous au **186**) ?

308

Du tranchant de la main, Yaémon porte une manchette sur le côté droit de votre cou. Vous ripostez en balançant votre pied dans un large arc de cercle en direction de son visage, mais un pas de côté lui suffit pour l'éviter et, avant que vous n'ayez pu réagir, il vous porte une nouvelle manchette de l'autre côté du cou. Puis, serrant le poing, il vous frappe en plein sur le nez. Cette avalanche de coups vous fait reculer en hurlant. Dans un dernier réflexe, vous essayez de protéger votre visage de vos mains, mais pas assez vite cependant pour éviter le Cheval Ailé de Yaémon qui, cette fois, vous bouscule sur le sol à moitié assommé. Vous perdez 10 points d'ENDURANCE et, si vous êtes toujours en vie, vous réalisez que si vous ne vous lancez pas immédiatement à l'attaque, c'en est fait de vous. Aussi, surmontant les douleurs qui vous assaillent, vous bondissez sur vos pieds. Allez-vous tenter de le frapper d'un coup de pied (rendez-vous au **390**), d'un coup de poing (rendez-vous au **266**), ou préférez-vous risquer une mise à terre (rendez-vous au **401**) ?

309

Votre nom mérite maintenant de passer à la postérité, car vous venez de débarrasser le monde d'Orb d'une créature qui le terrorisait depuis l'aube des temps. Pendant quelques instants, vous restez immobile pour reprendre votre souffle, puis vous vous approchez de la rivière souterraine. Si vous voulez continuer par là, vous n'avez pas d'autre choix que de vous laisser glisser dans l'eau glaciale, ce que vous faites en grimaçant. Vous nagez silencieusement quelques instants, jusqu'à ce que le cours d'eau disparaisse dans un tunnel. Prenant une profonde inspiration, vous plongez sous l'eau et vous vous laissez entraîner par le courant dans le tunnel. Vous avancez ainsi pendant plus d'une minute, et vous commencez à craindre que l'air ne vienne à vous manquer lorsque vous remarquez, juste devant vous, une lueur blafarde. Quelques battements de jambes vous permettent de l'atteindre rapidement et, enfin, vous pouvez faire surface. Mais, au moment même où votre tête sort de l'eau, un hurlement vous déchire les oreilles. Et la première chose qui tombe sous vos yeux est un jeune garçon qui pend, la tête en bas, les pieds enchaînés. Votre sang ne fait qu'un tour en comprenant que vous venez d'arriver dans la chambre des tortures de Guen Dach ! Un colosse, la tête cachée par une cagoule noire, est campé devant le jeune garçon. Il tient une longue barre de fer à la main, dont l'extrémité est chauffée au rouge. Une hache est passée à sa ceinture, et vous pouvez voir ses muscles puissants rouler sous sa peau ruisselante de sueur qui brille à la lueur rougeoyante d'un brasero. Allez-vous lui lancer un Shuriken, puis disparaître sous la surface de l'eau (rendez-vous au **282**), ou préférez-vous bondir hors de l'eau pour l'attaquer, après avoir copieusement arrosé le brasero (rendez-vous au **291**) ?

310

En y mettant toute la force dont vous êtes capable, vous lancez votre poing vers l'homme.

GÉANT
DEFENSE contre le coup de poing : 4
ENDURANCE : 6
DOMMAGES : 2D

Si vous êtes vainqueur, rendez-vous au **360**. Sinon, il lève sa masse, prêt à vous faire traverser le pont d'un coup bien appliqué. Votre DEFENSE est de 8. Si vous survivez à cet Assaut, vous reprenez l'initiative. Allez-vous tenter le Cheval Ailé (rendez-vous au **332**), la Queue du Dragon (rendez-vous au **345**), ou le Poing de Fer (revenez dans ce cas au début du paragraphe).

311

Inutile d'insister : toutes vos tentatives pour venir à bout de ce magicien sont vouées à l'échec. D'ailleurs, il a ricané devant vos efforts. Et maintenent il tend son doigt vers vous en marmonnant des mots inin-

309 *Vous venez d'arriver dans la chambre des tortures de Guen Dach !*

telligibles. Aussitôt, vos forces semblent vous quitter, et vous trébuchez, ne gardant l'équilibre que par un énorme effort de volonté. C'est presque en spectateur que vous regardez le Gobelin sauter de sa tour et s'approcher de vous. Le magicien, quant à lui, s'est éloigné, et contemple la scène d'un œil intéressé. Le Gobelin n'est plus qu'à quelques pas à présent, et il agite son trident en ricanant. Incapable de faire un pas, vous ne pouvez l'empêcher de vous planter son arme en pleine poitrine. Sans effort apparent, il vous soulève et vous projette dans l'eau de la douve où les Bouches Flottantes vous attendaient patiemment. Votre aventure se termine ici.

312

Feignant de vouloir lui expédier un coup de poing, vous bondissez jambes en avant, essayant de lui prendre le cou entre vos chevilles.

PREMIER ADORATEUR DE VILE
DEFENSE contre les Dents du Tigre : 6
ENDURANCE : 15
DOMMAGES : 1D + 1

Si vous réussissez, vous exécutez ensuite un demi-tour de côté, ce qui le projette au sol, et vous profitez de votre avantage pour tenter la Patte du Tigre (rendez-vous au **322**), ou l'Éclair Brisé (rendez-vous au **335**), en ajoutant 1 point à votre Habileté au point ou au pied pour cet Assaut seulement. Sinon, votre adversaire essaye de vous donner un coup de pied dans le dos pendant que vous retombez à terre. Votre DEFENSE est de 6. Si vous survivez à cet Assaut, vous ripostez en tentant la Patte du Tigre (rendez-vous au **322**), ou l'Éclair Brisé (rendez-vous au **335**).

313

Il vous faut marcher de nombreux jours avant d'atteindre les Étendues Glacées, paysage d'un blanc immaculé qui semble se prolonger à l'infini. Vous ignorez la position exacte de la Cité ; et vous maudissez cette contrée monotone où rien ne peut vous servir de point de repère. Vous fiant néanmoins aux rares renseignements que vous avez pu glaner, vous poursuivez votre route et, en fin de journée, vous apercevez, à votre grand soulagement, les dômes bleus et les maisons de glace de la Cité des Neiges. Pressant le pas, vous atteignez les premières demeures alors que la lune apparaît dans le ciel nocturne. Une lune d'un rouge écarlate... Vous arrivez trop tard, et cette nuit n'aura jamais de fin. Kwon est vaincu et prisonnier et, désormais, seule l'obscurité régnera sur Orb. Lentement, vous sentez votre Force Intérieure vous quitter. Vous ne pouvez plus rien faire contre les forces infernales, vous avez échoué dans votre mission.

314

Vous tournez dans une ruelle, ce qui vous permet d'approcher l'Antre des Araignées par derrière. Revêtu de votre costume noir, et vous déplaçant comme un chat, vous êtes totalement invisible dans l'obscurité de la nuit. Soudain, vous vous immobilisez : un moine arrive à votre rencontre. Lui aussi s'arrête, comme si un sixième sens l'avait averti d'un danger imminent. Si vous possédez la discipline des Fléchettes Empoisonnées, rendez-vous au **329**. Sinon, rendez-vous au **334**.

315

L'homme-Cobra lève subitement les yeux vers vous, au moment où vous vous élancez pour tenter le Tigre Bondissant. Sa DEFENSE est de 6. Si vous réussissez dans votre tentative, rendez-vous au **227**. Sinon, la créature plante ses crocs dans votre cheville, et y injecte son venin mortel. Si vous ne possédez pas la discipline de l'Immunité aux Poisons, votre aventure s'achève ici, dans d'atroces souffrances. Mais si vous possédez cette discipline, vous vous débarrassez de la créature d'un violent coup de pied, sous les yeux effarés des deux hommes, pendant que le garçon se rue vers le chariot pour se mettre à l'abri. Rendez-vous au **227**.

316

Bien qu'il possède deux têtes, le monstre ne brille pas par son intelligence. De plus, ses mouvements sont lents et maladroits. Mais sa force est colossale.

GÉANT A DEUX TÊTES
DEFENSE contre le Tigre Bondissant : 4
ENDURANCE : 25
DOMMAGES : 2D + 1

Si vous êtes vainqueur, rendez-vous au **336**. Sinon, il vous faut éviter à présent l'énorme massue qui risque de vous transformer en galette. Votre DEFENSE est de 8. Aucune Parade n'est possible contre ce véritable tronc d'arbre. Si vous survivez à cet Assaut, vous contre-attaquez immédiatement en tentant le Poing de Fer (rendez-vous au **325**), le Tourbillon (rendez-vous au **295**), ou un nouveau coup de pied (revenez dans ce cas au début du paragraphe).

317

La porte pivote silencieusement sur ses gonds bien huilés, et vous pénétrez dans la chambre à pas feutrés. Aussitôt, la peur que vous ne pouvez maîtriser vous submerge. Les ondes maléfiques de Damnation, l'épée de Honoric, sont plus fortes que votre volonté. Et soudain l'arme diabolique se met à parler. Ou plutôt, elle ne prononce qu'un mot, celui de son maître qui se lève d'un bond, tout en s'en saisissant. Dans quelques instants, votre aventure sera terminée.

318

Ne prêtant aucune attention à votre contre-attaque, avide de sang, bouillonnant de rage, le Barbare fend l'air à grands coups d'épée. Aussi est-il pris complètement au dépourvu par votre Queue du Dragon, contre laquelle sa DEFENSE n'est que de 4. Si vous réussissez dans votre tentative, vous essayez maintenant de le frapper d'un coup de pied (rendez-vous au **302**), ou d'un coup de poing (rendez-vous au **377**), en ajoutant 2 points à votre Habileté au pied ou au poing. Sinon, le Barbare tente de vous pourfendre de la tête au nombril ! Votre DEFENSE est de 6, et les DOMMAGES qu'il peut vous infliger sont de 1D + 2. Si vous survivez à cet Assaut, vous ripostez en tentant un coup de poing (rendez-vous au **377**), ou un coup de pied (rendez-vous au **302**).

319

Avant que vous n'ayez pu vous élancer pour saisir ses jambes entre les vôtres, tentant ainsi de lui faire perdre l'équilibre, Yaémon vous porte à la tête un Cheval Ailé. Instinctivement, vous saisissez son pied de vos deux mains et, tentant une variante de la Queue du Dragon, vous crochetez son autre jambe. Il perd alors l'équilibre et tombe sur le sol dans la position assise, se préparant à l'évidence à rouler sur lui-même. Mais vous le tenez toujours fermement et, sans lui laisser le temps de réagir, vous lui expédiez un fort coup de pied au visage, qui lui fait perdre 6 points d'ENDURANCE. Si vous avez utilisé votre Force Intérieure, vous doublez bien entendu les DOMMAGES que vous venez de lui infliger. Si cette dernière attaque est venue à bout de Yaémon, rendez-vous au **420**. Sinon, vous le voyez prendre appui sur ses avant-bras puis exécuter plusieurs pirouettes qui vous obligent à lâcher prise. Enfin, s'aidant de ses mains comme de deux puissants ressorts, il bondit et se retrouve debout face à vous. Mais pour peu de temps, car il saute à nouveau et, projetant ses jambes devant lui, il exécute un ciseau parfait : l'un de ses pieds vous frappe violemment à l'aine, alors que l'autre s'enfonce sous votre menton. Essayant tant bien que mal d'accompagner les coups, vous vous laissez tomber au sol où un roulé-boulé vous permet de vous redresser hors de portée de Yaémon et de reprendre votre souffle. Mais le redoutable personnage est déjà sur vous, et vous évitez de justesse un nouveau coup de pied. Il est temps de contre-attaquer. Allez-vous tenter la Queue du Dragon (rendez-vous au **245**), le Tourbillon (rendez-vous au **367**), un coup de poing (rendez-vous au **266**), ou un coup de pied (rendez-vous au **390**) ?

320

Vous traversez le toit du Donjon, jusqu'à vous retrouver au pied de la tourelle au sommet de laquelle flotte l'étendard de l'Épée de Damnation. Puis vous commencez à en gravir l'escalier, aussi silencieux qu'une souris. Des torches fixées au mur éclairent brillamment l'endroit, et bientôt vous arrivez tout en haut des marches, devant une épaisse porte en chêne, au-dessus de laquelle vous distinguez une petite ouverture circulaire, suffisamment large pour que vous puissiez vous y glisser. Sans doute débouche-t-elle dans un grenier. Allez-vous pousser la porte après en avoir soigneusement huilé les gonds (rendez-vous au **274**), ou jugez-vous plus prudent de pénétrer dans le grenier, pour voir s'il vous serait possible d'apercevoir l'occupant de la chambre (rendez-vous au **265**) ?

321

Alors que vous prenez votre élan pour la frapper, la créature vous charge, tête en avant.

DIEU DES ORIGINES
DEFENSE contre le Poing de Fer : 5
ENDURANCE : 22
DOMMAGES : 2D + 2

Si vous êtes vainqueur, rendez-vous au **309**. Sinon cette déité d'un autre temps risque de vous défoncer la poitrine. Votre DEFENSE contre cette furieuse charge est de 6. Si vous survivez à cet Assaut, vous reprenez l'initiative. Allez-vous tenter le Cheval Ailé (rendez-vous au **333**), la Queue du Dragon (rendez-vous au **349**), ou un nouveau Poing de Fer (revenez dans ce cas au début du paragraphe) ?

322

Serrant vos deux mains tendues paume contre paume, vous essayez de porter une manchette à la base du cou de votre adversaire.

PREMIER ADORATEUR DE VILE
DEFENSE contre la Patte du Tigre : 6
ENDURANCE : 16
DOMMAGES : 1D

Si vous êtes vainqueur, rendez-vous au **279**. Sinon, il riposte en vous portant un coup de pied en plein plexus solaire. Votre DEFENSE est de 6. Si vous survivez à cet Assaut, vous contre-attaquez en tentant les Dents du Tigre (rendez-vous au **312**), l'Éclair Brisé (rendez-vous au **335**), ou une nouvelle Patte du Tigre (revenez dans ce cas au début du paragraphe).

323

Prenant dans votre équipement quelques écailles de poisson dont vous ne vous séparez jamais, vous les placez sur vos yeux. Elles sont suffisamment fines pour que vous puissiez voir au travers, et vous donnent ainsi l'apparence d'un aveugle. Puis, vous installant à l'entrée du monastère, vous tendez la main comme un mendiant. Le va-et-vient des moines vous confirme dans votre certitude que les adorateurs de Vile sont vraiment parmi les êtres les plus détestables qu'il vous a été donné de rencontrer. Tout en eux respire le mal. Soudain, une femme attire votre attention. Elle porte sur les épaules une ample cape noire, sur laquelle a été brodé un motif d'immense toile d'araignée de couleur verte. En compagnie de deux moines, elle arrive dans votre direction, et tous trois semblent engagés dans une discussion animée. Alors qu'ils ne sont plus qu'à quelques pas de vous, ils s'arrêtent, et vous comprenez alors que la femme marchande fermement le prix d'un sort qu'ils lui ont demandé de jeter dans un endroit appelé « l'Antre des Araignées ». Elle soutient que seul son sort peut empêcher un espion de s'introduire dans le monastère par sa partie la plus mal défendue, c'est-à-dire en passant par le toit d'un couloir reliant le réfectoire à la salle des prières. Et que cela vaut bien la somme qu'elle demande : 300 Pièces d'Or. Vous en savez maintenant assez. Glissant dans votre poche les rares pièces de cuivre dont on vous a fait l'obole, vous vous éloignez en tâtonnant, fidèle à votre personnage. Un peu plus loin, vous vous débarrassez des écailles de poisson et, décidant de profiter de votre avantage, vous attendez que la nuit soit tombée, puis vous vous mettez en route vers l'Antre des Araignées. Si vous possédez la discipline de l'Escalade et que vous désiriez l'utiliser, rendez-vous au **414**. Sinon, rendez-vous au **314**.

324

Alors que vous vous préparez à porter à votre dernier adversaire ce que vous espérez être le coup qui l'achèvera, il parvient, dans un réflexe désespéré, à se jeter sous le chariot. Puis, se redressant de l'autre côté, il se précipite vers un bâtiment proche dans lequel il pénètre. Mieux vaut quitter cette ville le plus rapidement possible avant qu'il n'ait eu le temps de donner l'alarme. Rendez-vous au **289**.

325

La rapidité de ce monstre ne vous posera aucun problème. Sa masse ne lui permet, en effet, que des mouvements relativement lents. Mais sa force et sa résistance sont gigantesques. Et il vous faudra sans aucun doute lui porter de nombreux coups pour en venir à bout, tout en évitant comme la peste le véritable pieu qui lui sert de massue.

GÉANT A DEUX TÊTES
DEFENSE contre le Poing de Fer : 3
ENDURANCE : 25
DOMMAGES : 2D + 1

Si vous êtes vainqueur, rendez-vous au **336**. Sinon, la massue siffle en direction de votre tête ! Votre DEFENSE est de 8, et le volume de cet assommoir ne vous permet aucune Parade. Si vous survivez à cet Assaut, vous rispostez en tentant le Tigre Bondissant (rendez-vous au **316**), le Tourbillon (rendez-vous au

295), ou un nouveau coup de poing (revenez alors au début du paragraphe).

326

Au moment où votre poing va atteindre le magicien en plein dans son estomac, il effleure le disque d'or qui pend sur sa poitrine, créant aussitôt une barrière d'énergie autour de lui. Sa DEFENSE contre votre coup est de 6. Si vous parvenez à le frapper, rendez-vous au **253**. Si le champ d'énergie vous en empêche, rendez-vous au **311**.

327

Vous martelez le Shaggoth de coups de poing, mais il semble invulnérable, et ses tentacules s'enroulent les uns après les autres autour de vous. La vase bruisse autour du monstre alors que, lentement, il s'enfonce dans les profondeurs du marécage, vous entraînant vers une mort qui risque de ne pas être des plus agréables... Votre aventure se termine ici.

328

Vous bondissez et, saisissant les rebords de l'ouverture à deux mains, vous opérez un prompt rétablissement dans le grenier. Les lattes du plancher sont quelque peu disjointes, ce qui vous permet d'apercevoir la pièce qui se trouve sous vos pieds. A la lueur jaunâtre de la seule bougie qui l'éclaire, vous pouvez apercevoir Honoric qui dort paisiblement, la bouche ouverte, allongé sur un lit. A son côté repose sa grande épée. Pour le peu que vous puissiez en voir, il semble ne pas y avoir de pièges dans cette pièce. Peut-être est-ce le moment d'utiliser la seule dose du sang du Dieu Nil que vous possédez ? Si vous en décidez ainsi, rendez-vous au **158**. Sinon, vous pouvez revenir devant la porte et essayer de l'ouvrir, après en avoir soigneusement huilé les gonds. Rendez-vous dans ce cas au **274**.

329

Après avoir placé une Fléchette sur votre langue, vous la soufflez. En sifflant, elle va se planter directement dans l'œil du moine qui s'effondre dans la boue du chemin, terrassé par le poison. Sans perdre un instant, vous le dépouillez de sa robe écarlate que vous passez sur votre costume de Ninja. Puis, le plus tranquillement du monde, vous pénétrez dans les dortoirs du monastère, que vous traversez en direction de l'Antre des Araignées. Rendez-vous au **368**.

330

Vous envoyez votre poing droit en avant, dans l'intention de frapper Yaémon en pleine joue. Mais votre adversaire s'est brusquement arrêté, les jambes fléchies. De sa main gauche, il écarte votre poing sans la moindre difficulté, avant que sa main droite, tendue, ne file comme une flèche vers votre estomac dans lequel elle s'enfonce en vous arrachant un hurlement. La douleur est telle que vous perdez 4 points d'ENDURANCE. Si vous êtes toujours vivant, vous essayez de reprendre votre souffle, les yeux pleins de larmes. Yaémon profite de son avantage pour vous expédier un coup de poing sous le menton, qui vous projette à terre. Heureusement, un dernier réflexe vous permet de faire un roulé-boulé et vous vous retrouvez aussitôt sur vos pieds. Trop sûr de lui, Yaémon a baissé sa garde, et vous en profitez pour riposter. Allez-vous tenter la Morsure du Cobra (rendez-vous au **340**), la Patte du Tigre (rendez-vous au **410**), une mise à terre (rendez-vous au **401**), ou un coup de pied (rendez-vous au **390**) ?

331

Des bourrasques de vent s'abattent sur le Donjon, et des rafales de pluie vous aveuglent. Soudain, un hurlement lugubre s'élève au-dessus de la tourmente, qui vous fait dresser les cheveux sur la tête. Le cœur battant à tout rompre, il vous faut quelques instants pour en comprendre l'origine : le vent qui s'est engouffré dans l'étroite meurtrière de l'une des tourelles. En poussant un soupir de soulagement, vous constatez que le Capitaine des gardes, quant à lui, a été aussi effrayé que vous. Tournant anxieusement la tête de droite et de gauche, il crispe nerveusement sa main sur la garde de son épée. Puis, semblant pris d'une idée subite, il se précipite vers les créneaux pour observer le bas du Donjon. C'est le moment ! Bondissant sur le toit, vous vous précipitez vers lui les deux mains en avant et, d'une forte poussée, vous le faites basculer dans le vide. Par malchance, le vent s'apaise à ce moment, et son cri d'agonie résonne dans la nuit. Aussitôt, la lueur d'une torche apparaît au sommet de l'une des tourelles. Levant les yeux, vous voyez alors Manse, le Mage de la Mort, qui vous contemple d'un air goguenard. Avant que vous n'ayez pu faire un pas, il se met à prononcer des paroles inintelligibles ; un sortilège qui vous paralyse dans la seconde. Et c'est sans pouvoir faire le moindre geste que vous apercevez Honoric s'approcher de vous, son épée démoniaque à la main. Dans quelques instants, votre aventure sera terminée.

332

Après avoir pris votre élan, vous tendez la jambe, pied en avant, vers la gorge du Géant, tout en essayant d'éviter la masse de bois qui vole vers vous.

GÉANT
DEFENSE contre le coup de pied : 5
ENDURANCE : 16
DOMMAGES : 2D

Si vous êtes vainqueur, rendez-vous au **360**. Sinon, prenez garde aux pointes de fer qui s'approchent à toute allure de votre tête. Votre DEFENSE est de 7. Si vous survivez à cet Assaut, vous ripostez en tentant le Poing de Fer (rendez-vous au **310**), la Queue du Dragon (rendez-vous au **345**), ou un nouveau coup de pied (revenez alors au début du paragraphe).

333

La créature tend ses pattes vers vous, voulant à l'évidence vous broyer les côtes. Mais vous exécutez alors un saut périlleux et, au moment où vous retombez vers le sol, vous projetez vos deux pieds réunis vers sa tête.

DIEU DES ORIGINES
DEFENSE contre le Cheval Ailé : 5
ENDURANCE : 26
DOMMAGES : 2D + 2

Si vous êtes vainqueur, rendez-vous au **309**. Sinon, il essaye de vous empaler avec sa corne. Votre DEFENSE est de 7. Si vous survivez à cet Assaut, vous contre-attaquez en tentant le Poing de Fer (rendez-vous au

321), la Queue du Dragon (rendez-vous au **349**), ou un nouveau coup de pied (revenez dans ce cas au début du paragraphe).

334

Pas de chance ! La lune semble avoir choisi ce moment précis pour sortir des nuages, et le moine, apercevant votre ombre, s'écrie :

— Qui êtes-vous ?

Allez-vous vous précipiter sur lui pour l'attaquer (rendez-vous au **359**), ou préférez-vous utiliser un Shuriken (rendez-vous au **347**) ?

335

Vous restez immobile telle une statue de pierre puis, soudain, vous faites un pas sur le côté et vous lancez votre pied vers la hanche de votre adversaire.

PREMIER ADORATEUR DE VILE
DEFENSE contre l'Éclair Brisé : 6
ENDURANCE : 6
DOMMAGES : 1D + 1

Si vous êtes vainqueur, rendez-vous au **279**. Sinon, le moine tente à son tour de vous frapper d'un coup de pied. Votre DEFENSE est de 7. Si vous survivez à cet Assaut, vous ripostez en tentant les Dents du Tigre (rendez-vous au **312**), la Patte du Tigre (rendez-vous au **322**), ou un nouveau coup de pied (revenez alors au début du paragraphe).

336

Le monstre à deux têtes s'effondre sur un rocher qui se brise en miettes sous son poids. Enfin, vous pouvez reprendre votre souffle et panser les blessures qu'il vous a infligées. Puis, après vous être reposé quelques instants, vous jetez un regard autour de vous. Dans le brouillard, vous apercevez l'entrée d'une grotte ; sans doute le repaire de votre adversaire. Prudemment, vous y pénétrez. Il règne dans ce lieu une odeur putride. Le sol est recouvert d'os brisés, vidés pour la plupart de leur moelle qui devait être la nourriture de prédilection de la créature. Dans un coin, un sac attire votre attention. L'ayant ouvert, vous constatez qu'il est plein à craquer de pièces de cuivre, ce qui présente fort peu d'intérêt. En revanche, un gantelet que vous découvrez en farfouillant dans les pièces retient votre attention. Il est en cuir noir souple, cousu avec du fil d'argent, et vous reconnaissez là un Gant de Force. Vous le passez aussitôt à votre main et, dorénavant, ses vertus magiques vous permettront d'ajouter 1 point à votre Habileté au poing chaque fois que vous tenterez de frapper un adversaire avec le Poing de Fer, la Patte du Tigre ou la Morsure du Cobra. Satisfait de cette trouvaille, vous sortez de la grotte et vous reprenez votre chemin vers la ville de Fendil. Rendez-vous au **93**.

337

Les rames commencent à s'abattre en cadence dans l'eau et, lentement, le *Marsouin* sort du port. Le vent étant favorable, les voiles sont hissées et bientôt vous filez à bonne allure, laissant les falaises qui bordent la côte loin derrière vous. Un seul passager s'est embarqué avec vous. Une passagère, plus exactement, qui semble fasciner tous les hommes de l'équipage. Accoudée au bastingage, elle contemple la mer, protégée du vent par un magnifique manteau d'hermine.

Soudain, elle se tourne vers vous et, vous adressant un large sourire, elle s'avance dans votre direction. Vous comprenez alors la fascination de l'équipage : cette femme est fardée de façon si étrange que son visage ressemble à une tête de chat. Malgré vous, vous êtes gagné par une impression de malaise, car cette apparence dépasse de loin, à votre avis, une quelconque coquetterie.

— Mon nom est Derdéra, vous dit-elle d'une voix douce. Cette traversée risque d'être bien ennuyeuse et, si toutefois cela ne vous importune pas, nous pourrions peut-être bavarder pour passer le temps.

Vous l'assurez que vous êtes bien au contraire flatté de sa présence auprès de vous. Elle reprend alors d'une voix légère :

— Voyez-vous, je suis chanteuse, et je me rends à Druath Glennan pour y donner un récital. Et jamais je n'aurais entrepris ce voyage sans intérêt si je n'avais été certaine de trouver dans cette ville un auditoire des plus particuliers !

En prononçant ce dernier mot, l'intonation de sa voix est si étrange qu'elle éveille votre curiosité. Aussi, mais sur le ton de la conversation pour ne pas éveiller sa méfiance, vous lui posez de discrètes questions quant aux spectateurs qui vont venir l'applaudir. Et vous sursautez lorsqu'elle prononce le nom auquel, pourtant, vous vous attendiez : Yaémon, le Grand Maître de la Flamme, l'homme dont vous brûlez de vous venger ! Manse, le Mage de la Mort sera aussi présent. Le plus extraordinaire est qu'elle ne semble pas le moins du monde se douter de la nature diabolique des deux hommes. Sans en avoir conscience, vous êtes tombé sous le charme de sa voix mélodieuse. Et avec la plus totale naïveté vous lui révélez la noirceur de ces personnages... et l'objet de votre mission. Mais il est trop tard lorsque vous réalisez ce que vous venez de dire ; trop tard pour faire machine arrière. Et, le cœur glacé par la peur vous guettez sa réaction. Elle n'a pas cessé de sourire. Posant sa main sur votre bras, elle vous déclare alors qu'elle ne vous a pas dit la vérité. Derdéra n'est pas une chanteuse, mais une magicienne.

— Votre grandeur d'âme est telle que vous avez voulu me prévenir du danger que je pouvais courir au risque d'en subir les terribles conséquences, dit-elle. Pour cela, je vais vous aider.

Elle détourne alors la tête et, à deux reprises, elle pousse un long roucoulement. Aussitôt une colombe blanche apparaît, venant de l'horizon, et se penche sur sa main tendue.

— Cette colombe sera ma messagère, dit-elle. Non loin du port, à l'extérieur de la ville, vous trouverez une pauvre masure. Demandez à la vieille femme qui l'habite de vous louer une chambre, et attendez un signe de moi.

Pendant que vous parliez, le *Marsouin* a pénétré dans le port de Druath Glennan où il s'est mis à quai. Vous adressant un léger signe de la main, la jeune femme s'éloigne et, quelques instants plus tard, vous débarquez à votre tour. En fait, vous ne savez pas si vous devez lui faire confiance ou non. Mais, comptant sur votre bonne étoile, vous décidez de faire comme elle vous l'a dit. Vous éloignant du port, vous ne tardez pas, en effet, à apercevoir une chaumière d'apparence plus que modeste. Sur le seuil, une vieille femme est occupée à éplucher quelques légumes et, lorsque vous lui demandez si elle peut vous louer une chambre, elle hoche la tête et sans prononcer un mot

337 *Derdéra pousse un long roucoulement et, aussitôt, une colombe apparaît et se penche sur sa main.*

vous fait signe de la suivre à l'intérieur. Rendez-vous au **300**.

338

La Fléchette siffle et se plante au beau milieu de la joue du magicien qui laisse échapper un cri. Le poison est foudroyant, et le jeune homme tombe comme une pierre dans la douve dont l'eau bouillonne aussitôt de la présence des Bouches Flottantes qui commencent à dévorer leur proie à belles dents. Sans vous attarder sur cet effroyable spectacle, vous vous dirigez vers la tour au sommet de laquelle le Gobelin agite son trident, tout en frappant du poing son torse puissant. Pour lui, la victoire ne fait pas l'ombre d'un doute. La tour a été grossièrement construite, et vous remarquez de nombreuses fissures dans la muraille. Vous en faites plusieurs fois le tour à toute vitesse, tant et si bien que le Gobelin, ne sachant plus exactement où vous êtes, commence à pousser des cris de rage. Vous en profitez pour lui lancer une pierre qui, passant au-dessus de sa tête, atterrit derrière lui. Le bruit le fait se retourner, et vous passez à l'attaque avec une vitesse foudroyante. Allez-vous tenter le Tigre Bondissant (rendez-vous au **281**), le Tourbillon (rendez-vous au **267**), ou la Patte du Tigre (rendez-vous au **293**) ?

339

Vous pénétrez dans la tourelle, et vous gravissez quatre à quatre les marches de l'escalier éclairé par des torches fixées aux murs, sans perdre toutefois votre vigilance car des pièges pourraient s'y cacher. L'escalier se termine sur une massive porte de chêne, au-dessus de laquelle vous distinguez une ouverture suffisamment large pour pouvoir vous y glisser. Sans doute mène-t-elle à un grenier qui surplombe la pièce devant laquelle vous vous tenez. Allez-vous essayer d'ouvrir cette porte après en avoir soigneusement huilé les gonds (rendez-vous au **317**), ou vous faufiler dans le grenier dans l'espoir d'apercevoir la pièce qui se trouve au-dessous (rendez-vous au **328**) ?

340

Bien que vous vous approchiez avec une extrême prudence, Yaémon vous envoie par surprise son poing droit au visage. Vous vous baissez au dernier moment et le coup ne fait que vous effleurer. Vous vous relevez comme un ressort et vous plantez vos doigts tendus en plein sous les côtes de votre adversaire qui pousse un hoquet avant de se plier en deux. Vous pouvez retrancher 4 points de son total d'ENDURANCE, et le double si vous avez utilisé votre Force Intérieure. Si vous avez réussi à venir à bout de Yaémon, rendez-vous au **420**. Sinon, il exécute une série de sauts périlleux arrière pour s'élancer ensuite sur vous afin de vous envoyer un coup de pied sous le menton ; vous esquivez le coup d'un pas de côté. Vous voici alors dans une position favorable pour reprendre l'initiative. Allez-vous tenter la Morsure du Cobra (rendez-vous au **301**), le Poing de Fer (rendez-vous au **330**), la Patte du Tigre (rendez-vous au **410**), une mise à terre (rendez-vous au **401**), ou un coup de pied (rendez-vous au **390**) ?

341

Vous dirigeant toujours vers le nord, vous arrivez bientôt dans une contrée marécageuse connue sous le nom du Pays de l'Eau. Après avoir franchi une petite rivière, vous vous engagez dans cette région inhospitalière que vous mettez plusieurs jours à traverser, vous nourrissant de chasse et de cueillette, et dormant dans les branchages des arbres, rares dans cet endroit. Puis vous obliquez vers le nord-est, et très vite vous traversez un chemin reliant la ville de Mortvalon à la Cité du Soleil. Vous marchez maintenant dans un paysage vallonné, espérant atteindre rapidement Fendil. Bien que ce voyage ne soit pas une promenade d'agrément, vous vous reposez suffisamment pour regagner tous les points d'ENDURANCE que vous auriez pu perdre jusque-là. Au soir d'une journée qui s'est déroulée sans incident notable, vous notez un brusque rafraîchissement de la température. Aussitôt un brouillard glacé se lève. Une minute d'inattention suffit à vous faire perdre votre chemin. Pendant une heure ou deux, vous errez dans les collines, jusqu'à vous retrouver dans un étroit goulet se terminant en cul-de-sac. En jurant, vous vous apprêtez à faire demi-tour lorsque, soudain, un énorme rocher dévale la pente de la colline située à votre gauche, dans un bruit d'enfer. D'un saut, vous l'évitez de justesse, mais vous n'avez pas le temps de reprendre votre souffle car, devant vous, vient de surgir un être hideux. Un monstre, un géant à deux têtes, armé d'une massue aussi grosse que le tronc d'un arbre. A en juger par cette colossale massue qui s'agite vers votre tête, vous n'êtes pas face à un ami ! D'un bond, vous l'esquivez, ce qui fait grogner de rage l'être bicéphale. Vite, il faut vous défendre. Allez-vous tenter le Tigre Bondissant (rendez-vous au **316**), le Poing de Fer (rendez-vous au **325**), ou le Tourbillon (rendez-vous au **295**) ?

341 *Vous n'avez pas le temps de reprendre votre souffle car, devant vous, vient de surgir un être hideux !*

342

Vous grimpez le long de la corde à toute allure mais, avant que vous n'ayez pu atteindre la fenêtre, l'homme se penche, prêt à vous accueillir comme il se doit. Et en effet, dès que vous êtes à sa portée, il vous envoie un violent coup de poing en plein visage ; vous ne pouvez l'éviter. Vous perdez donc 4 points d'ENDURANCE. La force du coup est telle qu'elle vous projette dans les airs. Si vous possédez la discipline de l'Acrobatie, rendez-vous au **298**. Sinon, rendez-vous au **287**.

343

Rassemblant toute votre énergie, vous frappez le Shaggoth d'un formidable coup de poing, en poussant le cri de combat Ninja. Le corps du monstre se met alors à s'agiter de soubresauts tandis que ses tentacules se desserrent comme morts. Puis l'immonde masse flasque s'écrase sur elle-même, avant d'être engloutie par les eaux fangeuses du marais. Voyant l'issue de ce combat, le Troll qui vous suivait s'enfuit sans demander son reste. En poussant un soupir de soulagement, vous remettez de l'ordre dans votre tenue et dans votre équipement, puis vous reprenez ce pénible voyage. Vous marchez toute la nuit pour rattraper le temps perdu et, le jour venu, vous vous arrêtez un moment pour réfléchir quant à la direction à suivre. Allez-vous poursuivre vers Solangle qui se trouve sur la côte sud de la Mer de l'Étoile dans l'espoir d'y trouver un navire qui vous emmènera à Druath Glennan (rendez-vous au **294**), ou vous diriger droit au nord vers la Cité des Neiges (rendez-vous au **313**) ?

344

Le Barbare s'effondre sur le sol. Jamais plus ses hurlements ne troubleront le monde d'Orb. Rendez-vous au **366**.

345

Ne comprenant pas trop où vous voulez en venir, le Géant ne bouge pas d'un pouce en vous voyant plonger sur le pont, jambes en avant.

GÉANT
DEFENSE contre la mise à terre : 8
ENDURANCE : 16
DOMMAGES : 2D

Si vous réussissez dans votre tentative, vous pouvez maintenant tenter un coup de pied (rendez-vous au **332**), ou un coup de poing (rendez-vous au **310**), en ajoutant 2 points à votre Habileté au pied ou au poing pour cet Assaut seulement. Sinon, le Géant profite de ce que vous êtes maintenant étalé de tout votre long sur le pont pour essayer de vous faire passer au travers en vous frappant à grands coups de sa masse de bois. Votre DEFENSE est de 7. Si vous survivez à cet Assaut, vous vous remettez rapidement sur vos pieds, et vous contre-attaquez en tentant le Poing de Fer (rendez-vous au **310**), ou le Cheval Ailé (rendez-vous au **332**).

346

Il vous suffit d'actionner une petite tige de fer dans la serrure pendant un court instant pour entendre un déclic. La porte franchie, vous vous retrouvez dans le grand hall du Donjon. Mais vous n'avez pas le temps d'inspecter les lieux, car vous venez d'entendre des bruits de pas s'approcher dans votre direction. Vite, vous refermez la porte, et vous vous précipitez dans un coin de la salle où vous vous surélevez en plaquant vos paumes sur chacun des murs. Il était temps, car un garde vient d'apparaître en compagnie de l'intendant de la Forteresse. Pendant une vingtaine de minutes, ils vous obligent à garder cette position inconfortable, avant de décider, d'un commun accord, de faire une petite visite au cellier. C'est avec soulagement que vous vous laissez tomber sur le sol, et vous passez de longues minutes à masser vos membres endoloris. Puis, vos crampes ayant disparu, vous vous dirigez rapidement vers l'extrémité du hall où un escalier en spirale disparaît dans les hauteurs du Donjon. Prudemment, vous commencez à en gravir les marches, mais vous vous arrêtez net lorsque vous remarquez de nombreux fils tendus à travers l'escalier, au niveau de vos chevilles. Il vous faut faire preuve d'une grande attention pour les enjamber sans les frôler. Vous y parvenez enfin sans dommage. Rendez-vous au **399**.

347

Le Shuriken vole vers l'homme en scintillant sous la clarté lunaire. D'un réflexe, il porte sa main à son visage, et l'étoile de fer s'enfonce alors dans son avant-bras. Un cri de douleur s'échappe de sa gorge. Un cri qui ne va pas tarder à attirer une véritable foule par ici. Mieux vaut filer sans attendre. Abandonnant votre Shuriken (n'oubliez pas de le rayer de votre Feuille d'Aventure), vous vous enfuyez en courant dans un dédale de ruelles. Puis, constatant que vous n'êtes pas suivi, vous poursuivez d'un pas normal. Une maison en construction vous offre un abri pour la nuit et, au petit matin, vous décidez de quitter la Cité des Maléfices, craignant que le moine n'ait reconnu en vous un Ninja. Déguisé en mendiant vous franchissez donc sans encombre les portes de la ville. Rendez-vous au **254**.

348

Traversant rapidement le toit du Donjon, vous pénétrez dans la tourelle portant la bannière de la Mante Écarlate. Prudemment, vous gravissez les marches de l'escalier, attentif au moindre piège qu'il pourrait cacher. Enfin, vous arrivez devant une lourde porte de chêne et vous collez votre oreille au battant. Rien. Vous n'entendez rien. Vous passez alors quelque temps à huiler convenablement les gonds, et vous poussez la porte qui pivote silencieusement. Yaémon est là, au milieu de la pièce, assis en tailleur, dans une profonde méditation. Sa longue robe rouge de moine maître en arts martiaux, ceinturée de noir, lui donne une allure encore plus impressionnante. A votre arrivée, il se dresse d'un bond, une expression de surprise sur le visage. Mais il se reprend vite, et ses traits retrouvent leur impassibilité.

— Bienvenue, Ninja ! dit-il d'une voix grave. Non, tu ne te trompes pas : tu es bien face à celui qui a tué ton père spirituel.

Vous vous inclinez légèrement devant lui, puis vous vous lancez à l'attaque. Yaémon est un adversaire d'exception, possédant parfaitement tous les coups que vous connaissez, et bien d'autres encore qui vous sont totalement inconnus. De plus, sa rapidité est exceptionnelle. Mais vous n'éprouvez aucune émotion, et vous répondez à ses formidables assauts par des assauts encore plus incroyables. Bientôt, Yaémon est acculé, et vous allez lui porter le coup fatal, lorsque vous entendez un bruit de pas précipités dans l'escalier. Quelques secondes plus tard, Honoric surgit dans la pièce, son épée diabolique à la main. Le bruit de la lutte l'a réveillé, et il est accouru à l'aide de son allié. Par un terrible effort de volonté, vous parvenez à résister aux ondes de terreur qui émanent de la terrible Damnation. Mais les deux hommes sont trop forts pour vous, et bientôt vous battez en retraite. Vous avez presque atteint la porte lorsque vous trébuchez contre un petit coffre posé à terre. Le moment d'inattention qui s'ensuit vous perd car, lorsque vous levez les yeux vers vos deux adversaires, Damnation vous pique déjà la gorge. Vous avez échoué dans votre mission, et personne ne pourra, dorénavant, se mettre en travers des ignobles projets de ces maîtres du mal.

349

Vos chevilles prennent en ciseau les pattes du Dieu des Origines mais, malgré tous vos efforts, il vous est totalement impossible de faire basculer cet être colossal. En poussant un rugissement, il se laisse tomber sur vous. La cage thoracique défoncée, vous sentez la vie peu à peu vous quitter. Votre aventure se termine ici.

350

Yaémon vole littéralement vers vous, et il ne vous est possible que de faire une roue pour vous mettre hors de sa portée. Souple comme un chat, il atterrit en ployant légèrement les jambes, avant de se ruer sur vous. Mais vous faites un brusque crochet et, alors que vous vous retrouvez face à lui, son élan le déséquilibre suffisamment pour vous permettre de reprendre l'initiative du combat. Allez-vous en profiter pour tenter une mise à terre (rendez-vous au **401**), essayer de le frapper d'un coup de poing (rendez-vous au **266**) ou d'un coup de pied (rendez-vous au **390**) ?

351

Constatant que vous ne voulez pas lui serrer la main, le magicien commence à réciter une incantation. Si vous possédez la discipline des Fléchettes Empoisonnées, et que vous souhaitiez l'utiliser, rendez-vous au **389**. Sinon, vous pouvez tenter le Poing de Fer (rendez-vous au **326**).

352

Prenant votre élan, vous courez sur le pont de l'*Aquamarine* puis, sautant par-dessus le bastingage, vous tendez les mains vers un dalot du navire pirate auquel vous vous accrochez. Vous attendez que les battements de votre cœur redeviennent normaux avant de commencer à avancer le long de la coque en tendant les mains d'un dalot à un autre, vers la poupe rouge vif de la *Mort Océane. Tentez votre Chance* pour savoir si l'un des forbans vous a aperçu. Si vous êtes Chanceux, rendez-vous au **107**. Si vous êtes Malchanceux, rendez-vous au **97**.

353

Vous pouvez choisir l'adversaire de votre choix, en étant bien conscient que ces adorateurs de Vile sont des experts en arts martiaux. Vous tentez la Patte du Tigre.

	DEF.	END.	DOM.
Premier MOINE	7	14	1D + 1
Second MOINE	7	13	1D + 1

Si vous êtes vainqueur, rendez-vous au **324**. Sinon, ils ripostent l'un après l'autre. Votre DEFENSE est de 6 si deux adversaires vous font encore face, de 8 s'il n'y en a plus qu'un. Si vous survivez à cet (ces) Assaut(s), vous contre-attaquez en tentant le Cheval Ailé (rendez-vous au **374**), les Dents du Tigre (rendez-vous au **286**), ou un nouveau coup de poing (revenez alors au début de ce paragraphe).

354

Le garde semble hésiter, puis il finit par vous dire :
— Attendez ici. Je dois aller chercher les papiers nécessaires, car vous ne pouvez pas pénétrer dans la Forteresse sans laissez-passer.
Faisant signe à un autre garde de le remplacer, il franchit le pont-levis et disparaît dans la cour. Une sourde inquiétude commence à vous gagner tandis que vous attendez son retour. En effet, vous lui avez déclaré que c'est à Mortvalon que vous avez donné votre dernière représentation. Or cette ville est fort éloignée de Guen Dach, et il n'est pas logique que vous soyez venu ici directement, sans vous être produit dans un lieu ou un autre. Après tout, si on vous pose des questions, vous pourrez toujours affirmer que vous habitez la Cité des Neiges, et que vous désirez rentrer chez vous le plus rapidement possible. Néanmoins, allez-vous attendre que le garde

revienne (rendez-vous au **31**), ou jugez-vous plus prudent de vous éloigner (rendez-vous au **15**) ?

355

Les gardes semblent fascinés par les flammes qui les aveuglent, les empêchant de distinguer quoi que ce soit autour d'eux. L'un d'eux murmure d'un ton inquiet :

— Allons, c'est juste une bûche qui vient de s'écrouler...

Vous en profitez pour vous éclipser silencieusement et descendre l'escalier menant à la cour intérieure. Là, vous vous arrêtez, car un garde est en train de faire sa ronde. Heureusement, il disparaît rapidement derrière le Donjon. Vite, vous traversez l'étendue herbeuse, comme une ombre, jusqu'à une petite grille permettant de pénétrer dans le Donjon. Si vous possédez la discipline du Crochetage des Serrures et si vous désirez l'utiliser, rendez-vous au **346**. Sinon, rendez-vous au **381**.

356

Tendant les mains tout autour de vous, vous en venez à la conclusion que vous vous trouvez dans une salle de faibles dimensions, ne comportant qu'une seule issue. Vous n'avez donc que le choix de vous engager dans un tunnel si étroit que vous devez presque progresser à quatre pattes. Et cela pendant un temps qui vous paraît durer une éternité. A chaque instant, vous vous attendez à entendre le bruit de pas annonçant l'arrivée des guerriers promis par l'homme en bleu, mais rien ne se passe. Enfin, le tunnel s'élargit, et bientôt vous pouvez vous redresser. Pendant quelques instants, vous restez dans l'immobilité la plus totale. Non loin de vous, des gouttes d'eau tombant sur le sol vous font penser, d'après le clair écho qui en résulte, que vous vous trouvez au seuil d'une grotte. Prudemment, vous faites quelques pas de plus. Rendez-vous au **275**.

357

Le jeune garçon rend l'âme en poussant un horrible cri. Sans paraître attristés pour autant, les deux hommes font claquer leur fouet, et le lourd chariot se remet en marche, traînant l'Homme-Cobra derrière lui. Non loin de vous, et à flanc de colline, vous apercevez l'entrée d'une grotte surplombée par un énorme rocher. L'un des hommes se retourne à ce moment vers vous.
— Prenez ce chemin, si vous voulez vous rendre à Mortvalon, dit-il en vous désignant la sombre ouverture.
Si vous décidez de continuer à suivre la route, rendez-vous au **283**. Mais si vous préférez aller voir cette grotte de plus près, rendez-vous au **275**.

358

La créature s'accroupit alors que vous escaladez l'une des parois de la caverne à l'aide des griffes de chat. Bien qu'elle soit enchaînée à la paroi opposée, les chaînes sont suffisamment longues pour lui permettre de bondir sur vous si le cœur lui en dit, ce qu'elle ne se prive pas de faire. Vous vous y attendiez, mais sa rapidité a été stupéfiante et, avant que vous n'ayez pu faire le moindre mouvement, sa corne vous a traversé de part en part. Votre aventure se termine ici.

359

Vous précipitant sur votre adversaire, vous tentez le Cheval Ailé en direction de sa gorge. Si vous décidez d'utiliser votre Force Intérieure, rendez-vous au **395**. Mais si vous ne le voulez ou ne le pouvez pas, rendez-vous au **403**.

360

Le géant plie les genoux, et lentement il s'affaisse sur le bastingage. Un coup de roulis déséquilibre son corps qui, basculant, tombe dans l'océan entre les deux navires dans une énorme gerbe d'eau. Si vous veniez d'utiliser un Shuriken contre lui, il est perdu à tout jamais, et vous pouvez le rayer de votre Feuille d'Aventure. Autour de vous, la bataille continue à faire rage, et les pirates semblent peu à peu bousculer l'équipage de l'*Aquamarine*. A la tête de ses hommes, Glaivas se démène comme un beau diable, sabrant les forbans dont les corps forment maintenant un véritable rempart devant lui. Sans hésiter, vous plongez dans la mêlée, expédiant par-dessus bord un homme qui se précipitait vers vous en faisant tournoyer son cimeterre, et assommant un autre prêt à vous ouvrir la gorge mais, finalement, vous ne pouvez que reculer sous le nombre de vos assaillants. Aussi, il vous faut prendre une décision. Allez-vous tenter de vous frayer un chemin pour rejoindre Glaivas (rendez-vous au **371**), ou préférez-vous sauter à bord de la *Mort Océane* pour attaquer son capitaine (rendez-vous au **352**) ?

361

L'intérieur de la tourelle est plongé dans l'obscurité la plus totale. Mais, soudain, une sorte de rougeoiement vous fait lever les yeux. Et le souffle vous manque lorsque vous apercevez un œil rouge qui semble vaciller au-dessus de la porte... Refrénant les battements de votre cœur, vous faites un pas en avant. La luminosité de l'œil augmente alors d'intensité, puis il clignote avant de disparaître. Personne ne vous en voudra si, prenant vos jambes à votre cou, vous dévalez les escaliers pour vous précipiter vers la tourelle portant la bannière du Tourbillon Noir (rendez-vous au **130**). Mais vous pouvez également essayer de pénétrer dans la pièce qui se trouve de l'autre côté de la porte, en tendant tout d'abord l'oreille pour guetter tout bruit suspect (rendez-vous au **364**).

362

Dans un horrible suintement, l'eau boueuse du marécage se referme sur vous. Et le Troll qui vous chassait pour assurer son repas du soir vous contemple avec un air de regret, sans tenter quoi que ce soit pour vous sauver. Votre aventure se termine ici.

363

A peine avez-vous touché sa main qu'une onde d'énergie négative traverse votre corps, vous faisant perdre 7 points d'ENDURANCE. Vous hurlez sous l'intense douleur causée par vos multiples brûlures, mais votre discipline intérieure vous permet néanmoins de reprendre le contrôle de vous-même. Le magicien ne s'attendait pas à une riposte aussi rapide de votre part : aussi, lorsque vous lui expédiez un Poing de Fer en plein abdomen, suivi aussitôt par un violent Cheval Ailé au visage, est-il tout à fait incapable de réagir. Votre dernier coup le catapulte littéralement dans l'eau de la douve qui se met à bouillonner : les Bouches Flottantes se sont précipitées sur cette proie inespérée qu'elles dévorent en quelques instants. Vous détournant de ce spectacle peu ragoûtant, vous vous dirigez vers la tour au sommet de laquelle le Gobelin parade devant la foule, en agitant son trident et en frappant sa large poitrine de son poing. A l'évidence, il est sûr de remporter une nouvelle victoire. Cette tour a été grossièrement construite : de nombreuses fissures zigzaguent dans les murs, pouvant à l'occasion fournir des prises intéressantes pour l'escalader. Rapidement, vous en faites le tour à plusieurs reprises, ce qui finit par décontenancer le Gobelin qui ne sait plus très bien où vous vous trouvez. Alors, saisissant une pierre, vous la jetez derrière son dos. Il sursaute, tout en se retournant d'un bond. Vous en profitez pour lui porter une attaque foudroyante. Allez-vous tenter le Tigre Bondissant (rendez-vous au **281**), le Tourbillon (rendez-vous au **267**), ou la Patte du Tigre (rendez-vous au **293**) ?

364

L'oreille collée contre le battant, vous écoutez attentivement, mais le silence est total. Aussi, après en avoir soigneusement huilé les gonds, vous poussez la porte qui pivote silencieusement. Yaémon est là, au centre de la pièce, assis en tailleur et plongé dans une profonde méditation. Sa longue robe rouge de moine ceinturée de noir, signalant qu'il est un maître en arts martiaux, lui donne une allure encore plus impressionnante. A votre arrivée, il se redresse d'un bond, une expression de surprise sur le visage. Mais il se reprend vite, et ses traits retrouvent leur impassibilité. S'inclinant légèrement devant vous, il déclare :

— Bienvenue, Ninja ! Non, tu ne te trompes pas. Tu fais bien face à celui qui a tué ton père spirituel.

Vous vous inclinez à votre tour puis, sans perdre une seconde, vous vous lancez à l'attaque. Yaémon est un adversaire d'exception, possédant parfaitement tous les coups que vous connaissez, et bien d'autres encore qui vous sont totalement inconnus. De plus, sa rapidité est exceptionnelle. Mais vous n'éprouvez aucune émotion et vous répondez à ses formidables assauts par des assauts encore plus incroyables. Enfin Yaémon est acculé, et vous allez lui porter le coup fatal, lorsque vous entendez un bruit de pas précipités dans l'escalier. Vous tournant d'un bloc, vous voyez alors un groupe de gardes surgir dans la chambre. L'œil rouge était un artifice magique de Manse, grâce auquel il vous a surpris quand vous êtes arrivé devant la porte. C'est lui qui a donné l'alarme aux gardes. Yaémon profite de ce moment d'inattention pour vous projeter à terre d'un coup de pied dans le dos, et l'un des hommes vous cloue sur le plancher en vous transperçant de son épée. Votre aventure se termine ici.

365

Le Shuriken frôle l'éclair avant d'atteindre la paroi de bois de la cabane dans laquelle il s'enfonce au moment même où la décharge d'énergie vous frappe. L'explosion qui s'ensuit vous jette à terre le corps meurtri, ce qui vous fait perdre 6 points d'ENDURANCE. Déjà le guerrier magicien pointe de nouveau son épée vers vous ; aussi, oubliant vos douleurs, vous vous relevez d'un bond et vous vous ruez sur lui. Rendez-vous au **276**.

366

Au moment où vos doigts se posent sur le bandeau de métal du barbare, vous ressentez une étrange et douloureuse brûlure glaciale qui vous fait bondir en arrière, le cœur battant à tout rompre. Cette espèce de diadème a été forgé par les Elfes Noirs dans les immenses profondeurs du Rift, et seuls les êtres malfaisants peuvent le manipuler sans risque. 5 Pièces d'Or sont tombées de la bourse d'Olvar. Vous vous en saisissez, décidant de vous en contenter sans toucher à rien d'autre. Puis vous vous installez pour dormir et, après une bonne nuit de sommeil, vous reprenez votre route au petit matin. En fin de journée, la Passe de la Fortune est déjà loin derrière vous, et vous marchez d'un bon pas vers la plaine. Allez-vous, à présent, vous diriger vers le nord-est en direction de la Mer de l'Étoile puis de Druath Glennan (rendez-vous au **219**), vers le nord et la Cité des Neiges (rendez-vous au **313**), ou vers l'est et la ville de Solangle où vous pourrez peut-être embarquer sur un navire pour atteindre Druath Glennan (rendez-vous au **59**) ?

367

Aussi rapide que l'éclair, vous tendez la main dans l'intention de saisir le poignet de Yaémon ; mais, dans un incroyable réflexe, il vous attrappe l'avant-bras auquel il imprime une douloureuse torsion, alors qu'il vous emprisonne le cou par une clé du bras. Si vous ne réagissez pas, il va vous briser la nuque ! Aussi vous exécutez un saut périlleux arrière qui, vous libérant, vous permet de vous retrouver dans le dos de votre adversaire qui n'en est pas désemparé pour autant. Car, faisant un rapide demi-tour, il projette son pied droit en un large arc de cercle qui se termine sur le côté de votre tête. Le coup vous arrache un hurlement, d'autant plus que Yaémon y a mis toute sa Force Intérieure. Vous perdez 10 points d'ENDURANCE. Si vous êtes toujours vivant, votre instinct de survie reprend le dessus : vous faites une roue qui vous amène au côté de votre adversaire et, reprenant votre équilibre, vous vous préparez à riposter. Mais vous n'en avez pas le temps, et une grêle de coups s'abat sur vous. Si vous possédez la discipline de l'Acrobatie, rendez-vous au **181**. Sinon, il vous faut faire front, tant bien que mal, avec une DEFENSE de 7. Si vous réussissez, rendez-vous au **118**. Si vous échouez, rendez-vous au **308**.

368

L'Antre des Araignées est en fait un large couloir voûté, reliant le premier étage du monastère au réfectoire situé au rez-de-chaussée. Après avoir poussé la porte, vous examinez soigneusement les lieux. Et il est heureux que vous ayez été prévenu, sinon vous vous seriez immanquablement pris les pieds dans les fils d'une immense toile d'araignée tendue à hauteur de cheville, déclenchant une alarme ou, plus certainement, des pièges mortels. Vous avancez sur les mains, pieds en l'air, les sens en alerte. Il vous faut plus d'une heure pour traverser ainsi le couloir, et atteindre la porte opposée devant laquelle vous vous remettez sur vos pieds. Poussant doucement la porte, vous vous retrouvez sur un balcon dominant le réfectoire où les moines sont en train de prendre leur repas. Il ne règne pas, ici, le silence habituel à ce genre de lieu ! Bien au contraire, les convives parlent bruyamment en vidant maints verres de vin. Ce qui vous permet d'apprendre, alors que vous restez caché dans l'embrasure de la porte, que Yaémon a quitté Mortvalon voilà une dizaine de jours, en compagnie de Honoric, le Grand Maréchal de la Légion de l'Épée de Damnation. Voilà l'information que vous recherchiez, et vous pouvez à présent partir d'ici. Un parchemin posé sur une tablette attire cependant votre attention au moment où vous alliez tourner les talons. Vous en saisissant, vous constatez qu'il s'agit d'un traité détaillant certains coups de pied et coups de poing particuliers à la Voie de la Mante, la discipline de combat des dévots de Vile. Le combat au poing paraît être particulièrement à l'honneur chez eux, et il semble qu'ils ne connaissent pas l'Éclair Brisé. Voilà des renseignements fort précieux, et qui vous seront de la plus grande utilité pour le cas où vous seriez amené à combattre un de ces moines. Vous pouvez ajouter 1 point à votre Habileté au poing. Revenant sans difficulté sur vos pas, vous sortez du monastère et vous vous éloignez. Une maison en construction vous procure un abri sûr pour la nuit et, au petit matin, vous quittez la Cité des Maléfices. Bientôt, vous marchez à grands pas, ayant bien conscience que vous n'avez pas une minute à perdre si vous voulez rattraper votre retard. Rendez-vous au **65**.

369

Votre talon placé contre la serrure, vous prenez une profonde inspiration. Puis, de toute l'énergie dont vous êtes capable, vous donnez une forte poussée, tout en expirant d'un coup pour libérer votre Force Intérieure. Le pêne cède dans un claquement, alors que la porte s'ouvre à la volée. Vous vous trouvez au seuil du grand hall du Donjon. Face à vous, à l'autre extrémité de la salle, vous distinguez les premières marches d'un escalier en spirale menant aux étages supérieurs. Soudain, un bruit de pas vous fait sursauter. Refermant rapidement la porte, vous vous précipitez vers l'angle de deux murs ; puis, prenant un léger élan, vous sautez tout en écartant les bras. Les paumes appliquées contre chacun des murs, vous vous trouvez maintenant en équilibre entre sol et plafond. L'intendant vient d'apparaître au bas de l'escalier. Il est accompagné d'un garde, et tous deux sont en grande conversation. Alors qu'ils ont presque traversé le hall, ils s'arrêtent et, pendant au moins vingt minutes, ils poursuivent leur conversation, ponctuée de temps à autre par de grands éclats de rire. Enfin, l'intendant propose à son compagnon d'aller faire une petite visite à la cave à vin, et ils disparaissent bientôt de votre vue. Rapidement, vous sautez à terre et vous frottez vigoureusement vos membres endoloris pour rétablir la circulation de votre sang, avant de vous diriger vers l'escalier. Vous en avez à peine gravi quelques marches que vous remarquez, tendus dans toute sa largeur et à environ cinq centimètres des dalles de pierre, de petits fils pratiquement invisibles. Vous l'avez échappé belle ! Avec la plus grande précaution vous les enjambez un à un, guettant de votre oreille exercée tout bruit qui pourrait signaler un danger. Rendez-vous au **399**.

370

Avez-vous déjà utilisé la dose de poison, le sang du Dieu Nil, que vous possédez ? Si tel est le cas, rendez-vous au **305**. Sinon, rendez-vous au **348**.

371

Vous vous défendez comme un beau diable, et deux pirates rendent vite l'âme sous vos terribles coups. Autour de vous, l'équipage de l'*Aquamarine* cède sous le nombre des ennemis, et quelques-uns des matelots se sont même déjà rendus. Un rapide coup d'œil vous fait alors réaliser l'état critique de votre situation : vous êtes cerné et, si les forbans ne savent pas encore comment en terminer tant est grande la crainte que vous leur inspirez, il ne fait pas de doute que vous ne pourrez résister longtemps. Soudain, l'un des hommes qui vous fait face lève les yeux ; suivant son regard vous voyez, mais trop tard, un lourd filet s'abattre sur vous. Empêtré dans ses mailles, vous vous effondrez sur le pont. Les pirates se saisissent de vous puis, après vous avoir dépouillé de tout votre équipement Ninja, ils vous poussent sans ménagement dans la cale où ils vous attachent à un banc de nage. Rendez-vous au **19**.

372

L'homme est maintenant devant vous. Il n'est guère plus âgé que vous, et ses yeux brillent d'une lueur malicieuse. Un disque d'or, retenu par un collier de corail, pend sur sa poitrine. Un peu plus loin, au sommet de sa tour, le Gobelin vous observe tous deux attentivement, son trident à la main. Le jeune homme vous adresse alors la parole :

— Félicitations, ami combattant. Je ne te demanderai pas quel crime tu as pu commettre pour te retrouver dans une situation aussi fâcheuse, mais laisse-moi te faire une suggestion. Je suis un magicien, et mes sortilèges sont redoutables, pour ne pas dire mortels. J'ai tué mon adversaire, et il me serait facile

de te tuer également. Mais alors il me faudrait affronter *cela* tout seul.
En prononçant ces derniers mots, il a désigné la tour du doigt. Puis il reprend :
– Et, malgré ma magie, je ne pense pas qu'il me serait possible d'en venir à bout. Faisons plutôt la paix, et unissons nos efforts pour nous débarrasser de ce maudit Gobelin. Ensuite, il sera temps, pour la foule, de décider lequel d'entre nous restera en vie. Allez, l'ami, topons là !
Et, sur ces mots, il vous tend la main. Si vous décidez de lui serrer la main, que ce soit d'ailleurs pour accepter son offre ou pour essayer de le pousser dans la douve, rendez-vous au **363**. Mais si vous préférez l'attaquer sans autre forme de procès, rendez-vous au **351**.

373

La créature s'approche de vous, ce qui vous permet de constater qu'elle ressemble à un énorme gorille qui serait dépourvu de poils. De gros anneaux reliés à une chaîne lui emprisonnent les chevilles, lui interdisant ainsi de dépasser l'entrée de la grotte. Et bien que sa chair tombe en lambeaux, ses muscles, quant à eux, dégagent une formidable puissance. Allez-vous tenter le Cheval Ailé (rendez-vous au **333**), le Poing de Fer (rendez-vous au **321**) ou la Queue du Dragon (rendez-vous au **349**) ?

374

Après avoir choisi votre adversaire, vous vous approchez de lui. Il essaye de vous envoyer son poing à la figure mais, faisant un rapide pas de côté, vous lui expédiez un coup de pied sous le menton.

	DEF.	END.	DOM.
Premier MOINE	6	14	1D+1
Second MOINE	7	13	1D+1

Si maintenant vous êtes vainqueur des deux moines, rendez-vous au **324**. Sinon, préparez-vous à subir un furieux Assaut. Votre DEFENSE est de 6 si vos deux adversaires sont encore en vie (et dans ce cas ils vous attaquent l'un après l'autre), de 8 s'il n'en reste qu'un. Si vous survivez à cet Assaut, vous contre-attaquez en tentant la Patte du Tigre (rendez-vous au **353**), les Dents du Tigre (rendez-vous au **286**), ou le Cheval Ailé (revenez alors au début du paragraphe).

375

Au moment même où l'homme parvient à dégager le grappin du mur pour le laisser tomber dans la cour, vous vous accrochez au mur en imitant le cri d'un homme précipité dans le vide. Un ricanement s'élève alors au-dessus de vous, et vous voyez une tête se pencher à la fenêtre. Mais l'obscurité est totale, et le moine qui, à l'évidence, voulait s'assurer de votre mort ne peut rien distinguer. Vous le voyez hausser les épaules, puis il disparaît à votre vue. Vous en profitez pour escalader rapidement les quelques mètres qui vous séparent de la fenêtre et, sautant sur le balcon, vous bondissez derrière l'homme qui s'éloignait, tout en vous emparant de votre garrot. Le moine a senti votre présence, car il se retourne brusquement. Mais trop tard, le fil de métal lui serre déjà le cou, et il meurt sans un cri. Deux bougies seulement éclairent le vaste couloir dans lequel vous vous trouvez à présent ; néanmoins leur lueur jaunâtre est suffisante à vos yeux d'aigle pour voir qu'une sorte d'immense toile d'araignée en recouvre le sol. Sans doute le fait de frôler l'un de ses fils suffirait-il à donner l'alarme, ou à déclencher quelque piège mortel... A l'autre bout du couloir se trouve une porte, et vous ne voyez qu'un moyen pour l'atteindre : vos griffes de chat solidement attachées à vos mains et à vos pieds, vous grimpez tout d'abord contre le mur puis, arrivé à son sommet, vous traversez lentement le plafond en marchant comme une mouche. A l'extrémité du couloir, vous vous laissez tomber devant la porte que vous entrouvrez. Devant vous se trouve un balcon dominant le réfectoire où les moines sont en train de prendre leur repas. Il ne règne pas, ici, le silence habituel à ce genre de lieu ! Bien au contraire, les convives parlent bruyamment en vidant maints verres de vin. Ce qui vous permet d'apprendre, alors que vous restez caché dans l'embrasure de la porte, que Yaémon a quitté Mortvalon voilà une dizaine de jours, en compagnie de Honoric, le Grand Maréchal de la Légion de l'Épée de Damnation. Voilà l'information que vous recherchiez, et vous pouvez à présent partir d'ici. Un parchemin posé sur une tablette attire cependant votre attention au moment où vous alliez tourner les talons. Vous en saisissant, vous constatez qu'il s'agit d'un traité détaillant certains coups de pied, coups de poing, ainsi que de nombreuses mises à terre particuliers à la Voie de la Mante, la discipline de combat des dévots de Vile. Curieusement vous constatez qu'ils ne semblent pas connaître l'Éclair Brisé. Voilà des renseignements particulièrement précieux, et qui pourraient se montrer un jour ou l'autre de la plus grande utilité. Vous pouvez ajouter 1 point à votre Habileté à la mise à terre. Revenant sans difficulté sur vos pas, vous récupérez votre grappin et vous sortez du monastère. Un peu plus loin, une maison en construction vous procure un abri sûr pour la nuit, et au petit matin vous quittez la Cité des Maléfices. Bientôt, vous marchez à grands pas, ayant bien conscience que vous n'avez pas une minute à perdre si vous voulez rattraper votre retard. Rendez-vous au **65**.

376

Feignant l'inconscience la plus profonde, vous restez allongé dans l'herbe sans faire le moindre mouvement tandis que les cavaliers s'approchent de vous. Puis vous cessez de respirer, et vous contrôlez les battements de votre cœur qui se réduisent au minimum. Lorsqu'ils se penchent sur vous, ils se laissent prendre à votre artifice, pensant que vous êtes mort. Ils hochent alors la tête et, faisant demi-tour, ils s'apprêtent à se remettre en selle pour regagner leur temple, le temple de Némésis, le Suprême Principe du Mal.

— Manse sera satisfait, dit alors l'un d'eux.

— Oui. Et ces étranges moines de la Mante également, ajoute l'un de ses compagnons.

Puis, excitant leurs montures de la voix, ils s'éloignent au grand galop. Vous attendez encore quelque temps avant de vous relever et, après vous être assuré que tout danger est écarté, vous reprenez votre chemin vers la ville de Mortvalon, tout en vous demandant par quel hasard ils ont pu entendre parler de vous. Et surtout ce qui a pu pousser les prêtres de Némésis à s'allier aux moines dévots de Vile. Alors que vous vous engagez dans les collines encerclant la ville, vous vous rappelez avoir entendu parler d'un sorcier, adorateur de Némésis, du nom de Manse. Un sorcier aux pouvoirs si puissants qu'il a été surnommé le Mage de la Mort, et qui est certainement l'un des personnages les plus redoutables du monde d'Orb. Mais vos réflexions s'arrêtent là, car votre attention vient d'être attirée par l'entrée d'une grotte qui se trouve à flanc de colline, un peu en avant de vous. Si vous désirez poursuivre votre chemin jusqu'à Mortvalon, rendez-vous au **283**. Si vous préférez aller tout d'abord explorer cette grotte, rendez-vous au **275**.

377

Abandonnant toute prudence, Olvar pousse un cri féroce tout en faisant tournoyer son épée au-dessus de sa tête. Puis il se rue sur vous comme fou furieux, sans se préoccuper le moins du monde d'une éventuelle attaque de votre part. Aussi, vous devrez soustraire 1 point de tous les DOMMAGES que vous pourrez lui infliger. De votre avant-bras, vous déviez la lame de son épée puis, dans le même mouvement, vous tentez la Morsure du Cobra.

OLVAR LE BARBARE
DEFENSE contre la Morsure du Cobra : 6
ENDURANCE : 18
DOMMAGES : 1D + 2

Si vous êtes vainqueur, rendez-vous au **344**. Sinon, votre adversaire fait décrire à son épée un large arc de cercle, dans l'intention manifeste de vous sabrer la poitrine. Votre DEFENSE est de 8. Si vous survivez à cette attaque, vous pouvez tenter un coup de pied (rendez-vous au **302**), une mise à terre (rendez-vous au **318**), ou un nouveau coup de poing (revenez alors au début du paragraphe).

378

Lancés avec une précision extrême, les trois Shurikens sifflent vers la gorge de Yaémon. Mais, au moment même où ils allaient atteindre leur cible, sa main droite fend l'air à trois reprises, deviant l'un après l'autre les projectiles mortels qui se perdent dans la nuit. Allez-vous maintenant lui expédier une Fléchette Empoisonnée — si toutefois vous possédez cette discipline — (rendez-vous au **69**), ou préférez-vous carrément bondir sur lui (rendez-vous au **89**) ?

379

Vous dévalez l'escalier du plus vite que vous le pouvez, mais la pierre verte, qui est devenue maintenant énorme, vous rattrape, vous absorbe et vous emporte jusque sur le toit du Donjon, qu'elle traverse en vous projetant en tous sens contre sa paroi translucide. Enfin, elle s'arrête aux pieds de Yaémon. Manse vous a suivi, et lentement il s'approche de vous. Tendant le doigt, il prononce quelques paroles magiques, et la pierre se met alors à rapetisser, et vous avec ! Bientôt, elle retrouve sa forme initiale. Manse se penche et, s'en saisissant, il la tend à Yaémon.

— Tenez, lui dit-il. Montée sur un anneau d'or, elle sera du plus bel effet.

C'est ainsi que vous finirez vos jours : au doigt de Yaémon ! Vous avez échoué dans votre mission.

380

Alors que vous volez du gréement vers le pont, vous voyez une flèche qui siffle vers vous. Détendant votre main à la vitesse de l'éclair, vous l'attrapez au moment même où elle allait vous transpercer la poitrine. En poussant de sourds grognements, le Géant lève son énorme masse de bois pour vous assommer. Allez-vous tenter le Cheval Ailé (rendez-vous au **332**), le Poing de Fer (rendez-vous au **310**), ou la Queue du Dragon (rendez-vous au **345**) ?

381

Si vous possédez la discipline de l'Escalade, vous pouvez grimper jusqu'au sommet du Donjon (rendez-vous au **174**), ou jusqu'à l'une des fenêtres qui se trouvent à mi-chemin (rendez-vous au **2**). Sinon, ou si vous ne désirez pas utiliser cette discipline, vous pouvez essayer d'enfoncer la porte du Donjon, mais à la condition qu'il vous reste encore de la Force Intérieure (rendez-vous au **369**). Enfin, si vous ne pouvez – ou ne voulez – faire aucun de ces choix, il ne vous reste plus qu'à revenir sur vos pas pour essayer de trouver un autre chemin par la grille que vous avez remarquée non loin des douves (rendez-vous au **393**).

382

Ce bond extraordinaire vous a permis d'atteindre l'île, où vous atterrissez en douceur sous les acclamations de la foule. Jetant un regard tout autour de l'arène, vous constatez que l'Elfe Noir est maintenant invisible. Le chevalier, quant à lui, gît sur le sable du désert. Mais, debout sur un bloc de glace flottant sur l'eau de la douve, le jeune homme revêtu de la robe bleu et or arrive vers vous. Rendez-vous au **372**.

383

Alors que vous arrivez devant l'entrée d'une caverne, vous distinguez en son centre une ignoble silhouette que vous reconnaissez comme étant un Dieu des Origines. Votre stupéfaction est intense car, si vous avez souvent entendu parler de ces premiers et lointains habitants d'Orb, jamais vous n'auriez pensé en recontrer un. Lentement, vous vous en approchez, et vous ne pouvez vous empêcher de frissonner à la vue de l'immense corne plantée sur son front, et qui l'oblige à se baisser pour ne pas accrocher le plafond. L'odeur de putréfaction qui règne dans cet endroit est épouvantable, et due non seulement à la créature elle-même dont la peau semble tomber en lambeaux, mais surtout aux restes de ses victimes qui sont éparpillés sur le sol. L'homme que vous avez aperçu la veille en fait d'ailleurs partie... Une seule torche fumeuse procure une vague lueur. Si vous possédez la discipline de l'Escalade, vous pouvez grimper au plafond pour essayer de traverser la caverne en profitant des zones d'obscurité. Rendez-vous dans ce cas au **358**. Sinon, impossible d'échapper au combat. Rendez-vous alors au **373**.

384

Votre pied l'atteint en plein plexus solaire dans un bruit d'os brisés. Le souffle coupé, il est dans l'impossibilité de riposter, et vous en profitez pour l'assommer. Sans perdre de temps, vous le dépouillez de ses vêtements que vous passez par-dessus votre costume Ninja. Et, ainsi déguisé en moine de la Mante Écarlate, vous pénétrez sans encombre dans le monastère, vous dirigeant vers l'Antre des Araignées. Rendez-vous au **368**.

385

Vous extirpez de votre sac, maintenant plein de vase, votre grappin et, après l'avoir fait tournoyer, vous le lâchez. La corde file entre vos mains, et le crochet de fer tombe derrière une souche à laquelle il se fixe solidement. Lentement, en tirant sur la corde, vous vous extrayez du bourbier, tout en jetant prudemment des regards autour de vous. Mais la créature qui vous pourchassait semble bel et bien avoir disparu. Enfin vous atteignez le chemin et, après avoir rangé le grappin dans votre sac, vous vous remettez en route. Mais vous n'allez pas loin car, devinant une présence derrière vous, vous vous retournez. Votre adversaire est là, à une dizaine de mètres. C'est un massif Troll qui ne perd pas un de vos gestes, mais qui curieusement ne bouge pas d'un pouce. Et vous comprenez vite pourquoi. Devant vous, l'eau boueuse du marais se met soudain à bouillonner, et de gigantesques tentacules jaillissent vers le ciel en se tortillant d'une façon abominable. Puis une masse verte sort à son tour de l'élément putride. Une masse énorme. Vous faites face à un Shaggoth. Paralysé par la terreur, vous vous reprenez suffisamment vite pour saisir l'un de ses tentacules, et pour expédier un violent coup de poing au monstre. Mais votre main s'enfonce dans une substance flasque, sans résultat apparent. Si vous possédez de la Force Intérieure, rendez-vous au **343**. Sinon, rendez-vous au **327**.

386

Aucun bruit ne se faisant entendre derrière la porte, vous en huilez soigneusement les gonds avant de la pousser. Elle pivote silencieusement, découvrant une pièce au centre de laquelle Yaémon, le Grand Maître de la Flamme, est assis en tailleur, plongé dans une profonde méditation. Sa longue robe rouge de moine, ceinturée de noir, signalant qu'il est un maître en arts martiaux, lui donne une allure encore plus impressionnante. A votre arrivée, il se redresse d'un bond, une expression de surprise sur le visage. Mais il se reprend vite, et ses traits retrouvent leur impassibilité. S'inclinant légèrement devant vous, il déclare :

— Bienvenue, Ninja ! Non, tu ne te trompes pas, tu fais bien face à celui qui a tué ton père spirituel.

Vous vous inclinez à votre tour puis, sans perdre une seconde, vous vous lancez à l'attaque. Yaémon est un adversaire d'exception, possédant parfaitement tous les coups que vous connaissez, et bien d'autres encore qui vous sont totalement inconnus. De plus, sa rapidité est exceptionnelle. Mais, sans émotion, vous répondez à ses formidables assauts par des assauts plus incroyables encore. Enfin, Yaémon est acculé et vous allez lui porter le coup fatal, lorsque vous entendez un bruit de pas précipités dans l'escalier. Vous tournant d'un bloc, vous voyez alors Manse pénétrer à son tour dans la chambre. L'œil rouge était l'un de ses artifices, grâce auquel il vous a surpris quand vous êtes arrivé devant la porte. Entre le pouce et l'index de sa main droite, il tient une petite pierre verte. Et, au moment où vous vous apprêtez à bondir sur lui, il la lâche, tout en murmurant une formule magique. A peine la pierre a-t-elle atteint le sol qu'elle se met à grossir en roulant lentement vers vous. Le dos au mur, vous tendez les bras pour essayer de la repousser ; mais vos mains traversent la pierre qui vous absorbe tout entier en un instant. Manse tend alors le doigt en prononçant d'autres mots, et la pierre se met à rapetisser, et vous avec. Bientôt, elle a retrouvé sa forme initiale. Manse se penche, la saisit et la tend à Yaémon en lui disant :

— Tenez ! Montée sur un anneau d'or, cette pierre sera du plus bel effet.

C'est ainsi que vous finirez vos jours : au doigt de Yaémon ! Inutile de vous dire que vous avez échoué dans votre mission.

387

Du tranchant de la main, vous frappez violemment le cavalier au cou. Déséquilibré, il bascule et tombe à terre. Son cheval se cabre, mais vous parvenez néanmoins à saisir les brides et à le calmer. Puis, bien calé sur la selle, vous partez au grand galop vers Mortvalon, suivi de près par les deux autres guerriers. Mais vous êtes un cavalier accompli, et vous les distancez facilement. Voyant cela, les deux hommes arrêtent leurs montures, et l'un d'eux se met à hurler une sombre incantation. Aussitôt, une étrange paralysie gagne vos membres. Allez-vous éperonner votre cheval pour lui faire encore accélérer l'allure (rendez-vous au **129**), ou préférez-vous mettre pied à terre pour courir vers l'entrée d'une caverne qui s'ouvre non loin de vous à flanc de colline (rendez-vous au **275**) ?

388

Le poison n'a aucun effet sur votre organisme et, arrivé au pied de la tour, vous vous dirigez vers la grille fermant la fosse dans laquelle l'homme a été jeté lorsque vous êtes arrivé à Guen Dach. Rendez-vous au **398**.

389

D'un geste rapide, vous placez une Fléchette sur votre langue, et vous la soufflez vers le magicien. Sa DEFENSE est de 4. S'il obtient plus de 4, rendez-vous au **338**. Sinon, rendez-vous au **311**.

390

Quel coup de pied allez-vous tenter ? Le Cheval Ailé (rendez-vous au **84**), l'Éclair Brisé (rendez-vous au **306**), ou le Tigre Bondissant (rendez-vous au **278**) ? Si vous connaissez le Fléau de Kwon, vous pouvez également le tenter (rendez-vous au **240**). Mais, avant tout, vous devez décider immédiatement si vous allez utiliser votre Force Intérieure ou non.

391

Le venin du cobra est des plus mortels, et vous expirez en quelques minutes. Votre corps tombe sur celui de Manse, le Mage de la Mort. Non seulement vous n'avez pas réussi à venger votre père spirituel, mais encore plus personne ne pourra empêcher Yaémon de prononcer aux Colonnes du Bouleversement le mot fatidique, qui retiendra Kwon prisonnier jusqu'à la fin des temps. Vous avez échoué dans votre mission.

392

Vous vous approchez de la Forteresse à un endroit où les tours les plus proches sont éloignées l'une de l'autre de plus de trente mètres. Au-dessus de votre tête, vous pouvez entendre le pas d'un garde faisant sa ronde au sommet des remparts. Sans un bruit, vous vous laissez glisser dans l'eau froide des douves, alors que la pluie redouble. Soudain, les coassements des grenouilles cessent : sans doute votre intrusion dans leur univers les a-t-elle dérangées. Si vous possédez de la poudre de triton de feu, rendez-vous au **52**. Sinon, rendez-vous au **91**.

393

Alors que vous vous faufilez derrière les gardes qui sont toujours en train de se réchauffer au feu protégé par la toile de tente, vous posez le pied sur une Fléchette Empoisonnée plantée dans le sol et dissimulée sous quelques feuilles mortes. Si vous possédez la discipline de l'Immunité aux Poisons, rendez-vous au **388**. Sinon, vous vous affalez sur le sol, en proie à de violentes douleurs. Bientôt, votre corps sera entièrement paralysé, et votre cœur cessera à tout jamais de battre. Votre aventure se termine ici.

394

L'Homme-Cobra est étendu sur le sable, mort. La foule hurle de contentement alors que vous arrachez le bâton planté dans la dune, car elle a compris ce que vous vouliez faire. Le saisissant à une extrémité, vous le tenez perpendiculairement à vous, puis, courant du plus vite que vous le pouvez, vous le plantez au bord de la douve et vous vous propulsez au-dessus de l'eau qui, vous le remarquez, est infestée de Bouches Flottantes, poissons carnivores des plus voraces. Avec souplesse, vous retombez sur le sable de l'île. Jetant un regard derrière vous, vous voyez le jeune homme qui, debout sur un bloc de glace flottant sur l'eau de la douve, arrive vers vous. Rendez-vous au **372**.

395

Le moine est de toute évidence rompu au combat à mains nues. Les genoux légèrement fléchis, il se prépare à contrer votre attaque. Sa DEFENSE contre le Cheval Ailé est de 6. Faisant appel à votre Force Intérieure, vous bondissez. Si vous parvenez à le frapper, rendez-vous au **384**. Sinon, rendez-vous au **403**.

396

Avant que vous n'atteigniez le pont, une flèche vous transperce la cuisse. Ce qui vous fait trébucher lorsque vous atterrissez. Sans hésiter, vous arrachez cette maudite flèche en grimaçant. Mais vous avez été sérieusement touché, ce qui vous fait perdre 4 points d'ENDURANCE, et 1 point d'Habileté au pied. Le Géant, quant à lui, semble vouloir profiter de votre faiblesse. Il se précipite vers vous en faisant tournoyer sa masse. Vite, il faut réagir. Allez-vous tenter le Cheval Ailé (rendez-vous au **332**), le Poing de Fer (rendez-vous au **310**), ou la Queue du Dragon (rendez-vous au **345**) ?

397

L'obscurité est totale à l'intérieur de cette tourelle, mais tout à coup une lueur rougeoyante vous fait lever les yeux. Et vous sursautez en voyant, au-dessus de la porte, un œil rouge qui oscille doucement dans l'espace. Surmontant votre frayeur, vous vous en approchez ; il semble alors clignoter avant de disparaître. Tout cela ne présage rien de bon. Aussi allez-vous coller votre oreille au battant de la porte pour guetter un quelconque bruit (rendez-vous au **386**), ou préférez-vous redescendre sur le toit du Donjon, puis vous diriger vers la tourelle portant la bannière du Tourbillon Noir (rendez-vous au **130**) ?

398

En espérant venir à bout de la mission que vous vous êtes fixée avant que les gardes ne remarquent que la grille a été déplacée, vous sautez dans un tunnel creusé dans le rocher. Vos pieds s'enfoncent dans la boue, alors que d'énormes rats mintrissent en vous frôlant les chevilles dans l'obscurité. Lentement, vous avancez à tâtons, mais soudain vous vous arrêtez net. Il y a *quelque chose* devant vous ! Et la chose a également deviné votre présence, car elle vient de pousser un rugissement dont l'écho se répercute lugubrement dans ces lieux qui sont son domaine. Si vous décidez néanmoins de continuer votre marche en avant, rendez-vous au **383**. Mais si vous possédez la discipline de l'Escalade, vous pouvez également faire demi-tour, et tenter de vous hisser au sommet des murailles de la Forteresse. Rendez-vous alors au **392**.

399

Bientôt vous arrivez à la hauteur de la grande salle où se déroulent fêtes et festins, avant de passer à l'étage où se trouvent tous les appartements. Et, enfin, vous débouchez au sommet du Donjon, accueilli par une rafale de vent humide. Le Capitaine des gardes est là, vous tournant le dos, debout devant un brasero rougeoyant. Il porte une armure noire qui cliquette à chacun de ses mouvements. Maintenant que vous en êtes proche, les trois tourelles paraissent extrêmement massives. Levant les yeux, vous constatez que leurs bannières sont toujours là, claquant dans le vent. Pendant un bon moment, vous observez l'homme qui, de temps à autre, fait une courte ronde d'une tourelle à une autre, en longeant les créneaux, pour vite revenir se réconforter auprès du feu. A présent, il vient d'enlever son casque et se tient fermement campé sur ses jambes devant le brasero. Allez-vous attendre qu'il s'approche à nouveau des remparts pour essayer de le précipiter dans le vide (rendez-vous au **331**), lui lancer un Shuriken à la tête (rendez-vous au **269**), vous glisser derrière lui pour tenter de le garrotter (rendez-vous au **247**), ou lui envoyer une Fléchette Empoisonnée — si toutefois vous possédez cette discipline — (rendez-vous au **230**) ?

400

Vous vous précipitez sur Manse, que vous frappez d'un Poing de Fer. Votre coup est d'une telle violence que vous entendez ses vertèbres craquer. Mais vous n'avez pas le temps de vous réjouir de votre victoire, car le cobra vient de vous planter ses crocs en pleine cuisse. Si vous possédez la discipline de l'Immunité aux Poisons, rendez-vous au **246**. Sinon, rendez-vous au **391**.

401

Yaémon étant beaucoup trop rapide pour que vous puissiez espérer réussir les Dents du Tigre, allez-vous tenter le Tourbillon (rendez-vous au **367**), ou la Queue du Dragon (rendez-vous au **228**) ? Mais vous devez avant tout décider si vous allez utiliser votre Force Intérieure ou non.

402

Après avoir soulevé la grille, vous vous introduisez dans le tunnel, en espérant avoir achevé victorieusement votre mission avant que les gardes ne remarquent quoi que ce soit. Vos pieds s'enfoncent profondément dans la boue, et vous ne pouvez vous empêcher de frissonner en entendant mintrir les rats qui vous frôlent les chevilles. Lentement, vous avancez à tâtons, mais soudain vous vous arrêtez net : il y a *quelque chose* devant vous. Et cette chose a deviné votre présence, elle aussi, car un effroyable rugissement s'élève et résonne dans ce lieu qui doit être son repaire. Si vous décidez néanmoins de poursuivre votre chemin, rendez-vous au **383**. Mais si vous possédez la discipline de l'Acrobatie, vous pouvez également revenir sur vos pas, sortir de ce tunnel et vous hisser au sommet des murailles de la Forteresse. Rendez-vous dans ce cas au **392**.

403

Ce moine est un véritable expert du combat à mains nues. Car, après avoir fait un pas en arrière, un simple mais précis mouvement du bras lui suffit pour écarter votre pied. Ce qui est encore plus inquiétant, c'est qu'il a accompagné sa parade d'un cri : « Ninja ! » L'alarme est donnée, et il serait très imprudent de vouloir insister. Aussi, vous vous enfuyez en courant dans les ruelles. Après quelques minutes, vous arrivez à la hauteur d'une maison en construction : voilà qui vous procurera un excellent abri pour passer la nuit. Vous ne tardez pas à vous endormir et, au petit matin, vous vous éveillez frais et dispos. De toute évidence, votre présence doit être connue dorénavant de toute la ville. Mieux vaut donc essayer d'arriver aux Colonnes du Bouleversement avant Yaémon. Déguisé en mendiant, vous franchissez sans encombre les portes de la Cité des Maléfices. Rendez-vous au **254**.

404

Soudain vous trébuchez et vous tombez, tête la première, dans les eaux fangeuses du marais. Inexorablement, vous vous enfoncez, et les tentatives désespérées que vous faites pour vous dégager n'ont pour seul effet que de faire apparaître de grosses bulles à la surface de cet univers putride. Mieux vaut cesser de vous agiter. Si vous possédez la discipline de l'Escalade, rendez-vous au **385**. Sinon, rendez-vous au **362**.

405

Un magistral saut périlleux vous permet de vous retrouver derrière le chariot... face à deux moines dont la robe s'orne d'une croix renversée autour de laquelle un serpent est enroulé. Des adorateurs de Vile !

— Le serviteur de Kwon ! hurle l'un d'eux. Lui seul pouvait éviter le piège.

Et ils se ruent vers vous. Allez-vous tenter la Patte du Tigre (rendez-vous au **353**), le Cheval Ailé (rendez-vous au **374**), ou les Dents du Tigre (rendez-vous au **286**) ?

406

La décharge d'énergie vous frôle, avant d'aller terminer sa course contre les planches disjointes de la cabane qui se mettent aussitôt à fumer. Avant de laisser au Barbare le temps de vous expédier une nouvelle décharge, vous bondissez sur lui. Allez-vous tenter la Morsure du Cobra (rendez-vous au **377**), le Cheval Ailé (rendez-vous au **302**), ou la Queue du Dragon (rendez-vous au **318**) ? Mais si vous possédez la discipline des Fléchettes Empoisonnées et que vous désiriez l'utiliser, rendez-vous au **8**.

407

Malheureusement vous n'êtes pas assez rapide, et le terrible fléau s'abat sur votre épaule avant que vous ayez pu toucher votre adversaire. Une effroyable douleur vous traverse le corps, et vous perdez 8 points d'ENDURANCE. Déséquilibré, vous tombez à bas de la monture et vous roulez dans l'herbe, au bord du chemin. Si vous possédez la discipline de la Mort Feinte, rendez-vous au **376**. Mais si vous ne possédez pas cette discipline, ou si vous ne désirez pas l'utiliser, il ne vous reste plus qu'à vous relever, et à courir à toutes jambes vers la rivière que vous voyez à quelques centaines de mètres (rendez-vous au **103**).

408

Vous traversez le marché aux esclaves où un capitaine de la Légion de l'Épée de Damnation marchande d'arrache-pied les rameurs nécessaires aux navires de la Ligue de Barbicane, la marine de la Cité des Maléfices. La plupart des habitants de la Cité semblent se tenir à l'écart de ce marché ; aussi vous accélérez le pas pour vous en éloigner, et vous arrivez bientôt devant un bâtiment dont l'imposante masse vous fait pousser un cri de stupéfaction. Sans doute doit-il s'agir du temple de Vasch-Ro. C'est une énorme construction faite de blocs de basalte, dont la tour crénelée s'élève aussi lisse que la lame d'une épée à plus de soixante mètres au-dessus de la plus haute des maisons environnantes. Derrière se trouve la demeure de Honoric, qui ressemble plus, à la vérité, à une forteresse qu'à un palais. Poursuivant votre chemin, vous vous dirigez vers une taverne dont l'enseigne représente des soldats dont les boucliers sont ornés de roues à rayons, agenouillés devant une épée noire flottant dans l'air. La taverne se trouve à un carrefour. Au-delà, sur la droite, s'élève un monastère de pierre, dont les fenêtres portent des volets rouge. Un temple dédié à Vile, le frère dévoyé de votre dieu Kwon, sans aucun doute. Yaémon ne se trouverait-il pas dans ce lieu ? Allez-vous pénétrer dans la taverne dans l'espoir d'y glaner quelques renseignements (rendez-vous au **307**), ou préférez-vous tenter d'entrer dans le monastère (rendez-vous au **273**) ?

409

Jetant les yeux sur le moine agenouillé, vous lui dites d'une voix sèche :
— Ta vie contre un renseignement. Où se trouve Yaémon, le Grand Maître de la Flamme ?
Le regard du pauvre hère exprime une terreur si intense, que vous le croyez lorsqu'il vous répond :
— Il est parti voilà trois jours pour la ville de Druath Glennan. Un grand guerrier l'accompagnait, et ils devaient rencontrer un troisième homme. Un puissant sorcier, je crois.
D'un geste, vous faites signe au moine de se relever. Sans demander son reste, Yaémon s'enfuit à toutes

jambes, sa robe retroussée jusqu'à mi-cuisses pour aller encore plus vite. Rendez-vous au **289**.

410

D'un large mouvement du bras, vous tentez de porter une manchette à la base du cou de votre adversaire. Malheureusement pour vous, Yaémon est extrêmement rapide. Saisissant votre poignet, il vous tire légèrement vers lui, et vous expédie en même temps un violent coup de pied à l'estomac, qui vous fait perdre 2 points d'ENDURANCE. Puis, sans vous lâcher le poignet, il se laisse tomber sur le dos en vous entraînant dans sa chute. Ses deux pieds se plaquent alors sur votre abdomen, et vous propulsent dans les airs. Si vous possédez la discipline de l'Acrobatie, rendez-vous au **167**. Sinon, rendez-vous au **159**.

411

D'un geste rapide, vous saisissez la cheville de Yaémon et, lui imprimant une forte secousse, vous faites passer votre adversaire par-dessus votre tête. Vous pivotez sur vos talons pour le voir toucher le sol en souplesse, et se ruer sur vous sans attendre. Vous n'avez pas le temps de lui porter un coup de pied, mais vous pouvez tenter une mise à terre (rendez-vous au **68**), ou un coup de poing (rendez-vous au **155**).

412

Vous poussez un hurlement lorsque les crocs de l'Homme-Cobra se plantent dans votre bras, distillant un venin mortel. Si vous ne possédez pas la discipline de l'Immunité aux Poisons, vous ne pourrez bientôt plus respirer : alors, vous vous écroulerez dans les sables du désert pour mourir dans d'atroces souffrances, les oreilles résonnant des hurlements de plaisir de la foule. Si vous possédez cette discipline, le venin ne produit, en revanche, aucun effet. Mais la morsure vous coûte néanmoins 2 points d'ENDURANCE. Si vous êtes toujours vivant, vous pouvez à présent tenter le Cheval Ailé (rendez-vous au **25**), la Patte du Tigre (rendez-vous au **42**), ou les Dents du Tigre (rendez-vous au **13**).

413

Alors que vous n'en êtes plus séparé que par quelques marches, Manse recule d'un pas, les lèvres étirées en un diabolique rictus. Rapidement, sa main plonge dans l'une de ses poches, pour en ressortir aussitôt avec une petite pierre de couleur verte tenue délicatement entre le pouce et l'index. Négligemment, Manse laisse tomber la pierre à vos pieds, tout en marmonnant quelques paroles magiques. Aussitôt, la pierre commence à grossir. Une seconde vous a suffi pour faire demi-tour, et commencer à descendre les marches quatre à quatre. Si vous possédez la discipline de l'Acrobatie, rendez-vous au **29**. Sinon, rendez-vous au **379**.

414

Longuement, vous fixez le ciel noir pour habituer vos yeux à l'obscurité puis, une fois votre vision aussi aiguë que celle d'un hibou, vous vous glissez, en suivant d'étroites ruelles, vers l'Antre des Araignées, un large couloir reliant le premier étage du monastère où vivent les moines au réfectoire qui se trouve au rez-de-chaussée. A l'une des extrémités de ce couloir, vous remarquez une fenêtre. Rapidement, vous fixez les griffes de chat à vos mains et à vos pieds, puis vous sortez le grappin de sous vos vêtements. Vous le faites tournoyer quatre ou cinq fois avant de le lâcher, et il va s'accrocher directement au petit balcon qui borde la fenêtre. C'est maintenant un jeu d'enfant pour vous de vous hisser à l'aide de la corde le long du mur, et vous n'êtes plus qu'à deux mètres de la fenêtre lorsque vous vous immobilisez subitement. Une main vient de se poser sur votre grappin ! Allez-vous franchir à toute allure la distance qui vous sépare de la fenêtre avant que le propriétaire de la main n'ait eu le temps de détacher votre grappin (rendez-vous au **342**), ou préférez-vous essayer de vous accrocher au mur avec les griffes de chat pour poursuivre votre escalade (rendez-vous au **375**) ?

415

Aveuglés par l'intense lueur, les gardes portent leurs mains à leur visage pour se protéger les yeux. Mais, ce faisant, ils appellent à l'aide et, aussitôt, des milliers de lueurs — d'origine magique, à n'en pas douter — apparaissent tout autour de la forteresse, semblables à des feux follets. Mieux vaut redescendre sans tarder de cette tour, franchir les douves et courir vers la grille menant au tunnel. Rendez-vous au **398**.

416

Le moyeu de la roue du char vous heurte violemment la hanche, ce qui vous fait perdre 4 points d'ENDURANCE. En boitant quelque peu, vous reprenez votre chemin, et vous apercevez soudain un groupe de moines, chacun portant sur la poitrine une croix renversée autour de laquelle s'enroule un serpent : des adorateurs de Vile ! Heureusement, ils ne semblent pas vous remarquer, pressant le pas pour rattraper le véhicule qui a maintenant repris son allure normale. Rendez-vous au **289**.

417

Vous poursuivez votre course éperdue jusqu'au moment où, n'entendant plus le Troll derrière vous, vous vous affalez sur le chemin, le souffle court et les poumons en feu. C'est alors que les eaux du marécage, juste en avant de vous et légèrement sur votre droite, se mettent soudain à bouillonner, avant de vomir d'ignobles tentacules qui ondulent vers vous. Puis c'est le corps d'un monstre qui apparaît : une forme verdâtre de la taille d'un gros rocher, à l'apparence flasque. Vous avez affaire à un Shaggoth ! Vous saisissant de l'un des tentacules, vous expédiez un violent coup de pied en plein dans le corps du monstre. Mais votre pied s'enfonce dans une matière gélatineuse sans lui causer le moindre mal. Si vous possédez encore de la Force Intérieure, rendez-vous au **343**. Sinon, rendez-vous au **327**.

418

Les gardes vous ont conduit de l'autre côté du pont-levis avant de faire demi-tour. Après vous être éloigné pour vous retrouver à l'abri des regards indiscrets, vous tracez rapidement le plan de la Forteresse à l'aide d'un bâton dans la poussière d'un chemin. Puis, après l'avoir soigneusement étudié, vous vous installez aussi confortablement que possible, les yeux fixés sur le poste de garde, en attendant la nuit. Enfin, le jour décroît, et la lune se lève. Pleine et lumineuse, elle éclaire la Forteresse comme en plein jour. Autour de vous le silence est total ; il n'y a pas le moindre

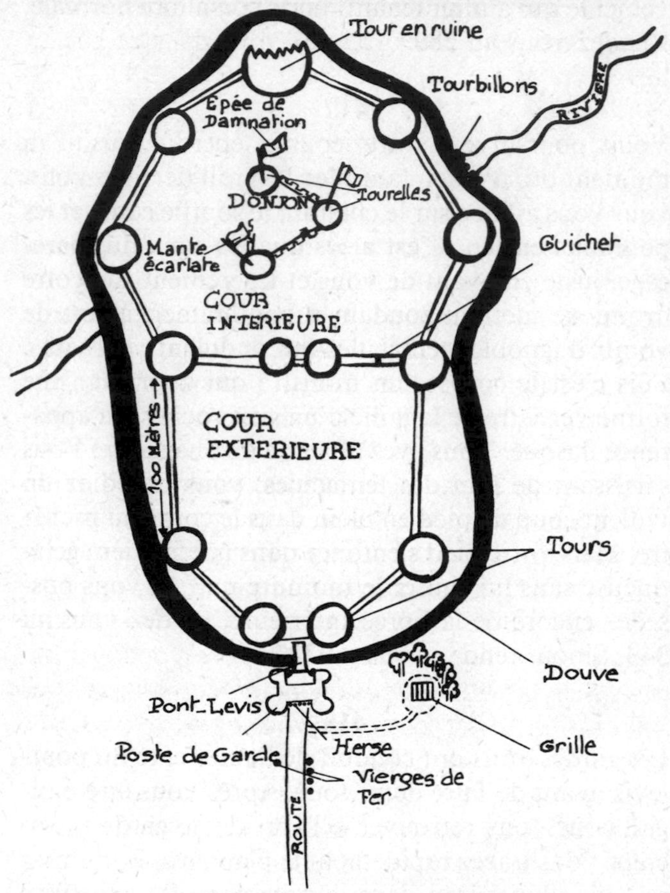

souffle de vent. Allez-vous profiter de cette nuit pour escalader la tour en ruine (rendez-vous au **138**), ou pour examiner de plus près la grille qui se trouve à proximité des douves (rendez-vous au **402**) ? Mais peut-être préférez-vous attendre la nuit suivante dans l'espoir que les conditions atmosphériques vous seront plus favorables (rendez-vous dans ce cas au **166**) ?

419

Vous vous débattez dans l'eau en soufflant comme un phoque, espérant leur faire croire ainsi que vous ne savez pas nager. A l'évidence, votre plan a réussi car ils s'approchent de la rive. Au moment exact où ils arrivent à votre portée, vous soufflez dans le tuba qui projette la Fléchette Empoisonnée en plein dans la joue de l'un des prêtres qui, perdant l'équilibre, bascule dans l'eau où il se noie dans d'atroces convulsions. Le sortilège qui vous affaiblissait cesse alors d'agir, et vous en profitez pour nager rapidement vers l'autre rive où vous disparaissez dans les roseaux. A couvert, vous remontez le cours de la rivière que vous retraversez un peu plus loin pour reprendre votre marche vers Mortvalon. Bientôt vous arrivez aux premières pentes des collines qui encerclent la ville où vous rejoignez la route que vous suivez. Peu de temps après, vous apercevez un peu au-dessus de vous l'ouverture d'une grotte située sous un rocher en saillie, à flanc de colline. Allez-vous poursuivre votre chemin en direction de Mortvalon (rendez-vous au **283**), ou préférez-vous tout d'abord explorer cette grotte (rendez-vous au **275**) ?

420

Mortellement blessé, Yaémon s'affaisse sur les sombres dalles du toit du Donjon. Autour de vous, le vent hurle, poussant de lourds nuages qui s'illuminent à chaque instant de la lueur argentée des éclairs qui zèbrent le ciel, au-dessus d'eux. Les grondements du tonnerre sont effroyables, et vous avez le sentiment de ne plus vous trouver dans Orb, mais dans le monde infernal. A vos pieds, Yaémon sourit d'une façon étrange. Apparemment la mort ne l'effraie pas. Soudain, il ouvre la bouche, et sa voix s'élève si grave et si puissante qu'elle couvre le vacarme des éléments déchaînés.

— Tu es un homme remarquable, Ninja. Nombreux sont les guerriers de valeur que j'ai combattus et vaincus. Ton père était de ceux-là. J'ai usé de tout mon pouvoir contre toi. Mais je ne pouvais rien contre la pureté de ton cœur.

Brûlant de savoir qui était votre père, vous vous penchez vers lui pour le questionner. Mais à ce moment il est pris d'une terrible quinte de toux. Son souffle devient rauque et soudain son regard se fige pour l'éternité. Votre mission s'achève en triomphe, et dorénavant on ne vous appellera plus que « Ninja » dans le monde d'Orb tout entier car vous êtes devenu une légende vivante en éliminant trois tyrans si puissants qu'ils pouvaient dominer l'univers. La robe écarlate de Yaémon s'est entrouverte pendant le combat, et vous apercevez l'extrémité d'un parchemin qui en sort. Vous vous en saisissez le cœur battant, car vous savez, même si vous ne les avez jamais vus, que vous avez entre les mains les Parchemins de Kettsuin. Vous vous apprêtez à les dérouler lorsque tout à coup le vent, la pluie, les éclairs et le tonnerre, tout paraît se calmer, alors qu'une douce sensation de paix vous envahit. Puis, dans la nuit maintenant apaisée, une voix s'élève. La voix de Kwon, votre dieu.

— Nombreux sont les Ninjas. Mais tu es Le Ninja.

Un nom que Yaémon t'a donné à juste titre. A présent, il va souffrir pour l'éternité dans les Lieux Infernaux, place qui aurait été la mienne si tu avais échoué dans ta mission. Le monde d'Orb peut t'être reconnaissant de l'avoir sauvé de la terreur qui se serait abattue sur lui si les trois ordres maudits avaient été victorieux.
Vos blessures se sont refermées comme par magie, et vous sentez en vous une intense énergie, en même temps que vous êtes envahi par un calme que vous n'avez encore jamais connu.
— Tu as peu de temps avant que les forces du mal ne recommencent à se manifester, reprend le dieu. Aussi dois-tu sans tarder rapporter les Parchemins de Kettsuin au Temple du Rocher : ils n'auraient jamais dû le quitter. Mais ton chemin sera semé de dangers. Aussi, je vais t'aider. Choisis une discipline de la Voie du Tigre que tu ne possèdes pas encore, et je te l'enseignerai de telle manière que tu la maîtriseras comme si elle t'avait été enseignée depuis ton enfance. De plus si, au cours de ce voyage, tu te trouves dans un péril extrême, prononce les mots suivants : « Kwon, viens à mon secours ! » Alors, je serai à tes côtés. Mais souviens-toi bien de ceci : je ne pourrai venir à ton secours qu'une seule fois. Sois fort pour réussir la nouvelle mission que je t'assigne. Car mon souhait est qu'un jour tu viennes me rejoindre dans le jardin des dieux.
Lentement, vous reprenez conscience du vent, de la pluie, du tonnerre et des éclairs. Kwon s'éloigne ! Alors, levant les bras au ciel, vous hurlez :
— Grand dieu, qui était mon véritable père ?
Le vent lui-même semble vous apporter une réponse :

— Le temps n'est pas encore venu, Ninja !...
Vous frissonnez, réalisant seulement maintenant que vous êtes trempé jusqu'aux os. Une fois de plus vous êtes seul. Pour peu de temps à l'évidence, car, venant du grand escalier du Donjon, vous entendez des cris et des cliquetis d'armes qui s'approchent...
Votre prochaine mission risque de ne pas être de tout repos.
Rendez-vous dans *Les Parchemins de Kettsuin.*

Achevé d'imprimer
le 23 juillet 1987
sur les presses de
l'Imprimerie Hérissey
à Évreux (Eure)

N° d'imprimeur : 43198
Dépôt légal : juillet 1987
1er dépôt légal dans la même collection : Février 1987
ISBN 2-07-033373-6

Imprimé en France

41476